HET ACHTSTE WOND

Van dezelfde auteur:

De zevende hemel

Janet Evanovich

HET ACHTSTE WONDER

the house of books

Oorspronkelijke titel
Hard Eight
Uitgave
St. Martin's Press, New York

Vertaling
Karina Zegers de Beijl
Omslagontwerp
Marlies Visser
Omslagdia
Tony Stone Images/Philip Lee Harvey
Foto auteur
Herman Estevez
Opmaak binnenwerk
ZetSpiegel

ISBN 90 443 0670 7
D/2003/8899/29
NUR 332

Op de geweldige teams die deze wereld rijk is:
Betty en Veronica, Stephanie en Lula, Ralph en Alice,
en ikzelf en Jennifer Enderlin, mijn redactrice van St. Martin's.
Bedankt, Jen... je bent de beste.

Met dank aan Ree Mancini,
die de titel voor dit boek suggereerde.

I

De laatste tijd lig ik regelmatig op de grond te rollebollen met mannen die menen dat een stijve gelijk staat aan persoonlijke groei. Het rollen heeft niets met mijn seksleven te maken. Het rollen doet zich voor wanneer een arrestatie mis dreigt te lopen en ik een laatste, wanhopige poging waag om zo'n dikke, domme kerel met een aangeboren hersenafwijking alsnog in de boeien te slaan.

Mijn naam is Stephanie Plum, en ik verdien mijn brood als borgstellingsfunctionaris, oftewel, met het arresteren van voortvluchtigen, en ik werk voor mijn neef, Vincent Plum. Op zich zou het werk best meevallen, ware het niet dat mijn arrestanten doorgaans in de gevangenis belanden, en dat is iets waar de doorsnee voortvluchtige vreemd genoeg niet écht reikhalzend naar uitkijkt. Om de voortvluchtige over te halen terug te keren naar de bak, maak ik doorgaans gebruik van hand- en voetboeien. Dit is een over het algemeen succesvolle methode waarmee, als je het goed doet, bovendien onnodig over de grond rollen voorkomen kan worden.

Helaas was vandaag in dat opzicht geen succes. Martin Paulson, die ruim één meter vijfenzeventig lang is en 297 pond weegt, was opgepakt wegens creditcardfraude en voor aanstootgevend gedrag in het algemeen. Omdat hij afgelopen maandag niet voor zijn hoorzitting was verschenen, kwam Martin boven aan mijn lijstje van Meest Gezochte Personen te staan. Aangezien Martin niet echt slim is, was het niet moeilijk hem te vinden. Martin was gewoon thuis, waar hij bezig was met datgene waarin hij uitblinkt... het ontvreemden van handelswaar van het Internet. Het lukte me Martin in de hand- en voetboeien te slaan en hem in mijn auto te krijgen. Ik kreeg het zelfs voor elkaar hem naar het politiebureau aan de North Clinton Avenue te brengen. Maar toen ik Martin *uit* de auto wilde laden, kukelde hij omver waardoor hij nu als een opgemaakte kerstgans op zijn buik lag te rollen en niet meer overeind kon komen.

We bevonden ons op de parkeerplaats naast het gemeentehuis. De achterdeur die we door moesten om bij de politiebalie te komen, bevond zich nog geen vijftien meter van ons vandaan. Ik zou om hulp kunnen roepen, maar als ik dat deed, zouden ze bij de politie dagenlang lol om me hebben. Ik zou de hand- en voetboeien los kunnen maken, maar ik vertrouwde die Paulson niet zo. Hij was giftig, had een knalrooie kop, vloekte erop los en trakteerde me op obscene dreigementen en angstaanjagende dierengeluiden.

Ik stond daar naar Paulsons worsteling te kijken en me af te vragen wat ik in vredesnaam zou kunnen doen, want zonder een vorkheftruck zou het me nooit lukken om de man overeind te krijgen. En juist op dat moment kwam Joe Juniak de parkeerplaats opgereden. Juniak, voormalig hoofdcommissaris van politie, is nu burgemeester van Trenton. Hij is een flink aantal jaren ouder dan ik, en ongeveer twee koppen groter. Juniaks achterneef, Ziggy, is getrouwd met mijn aangetrouwde nicht Gloria Jean. Dus je zou kunnen stellen dat we in zekere zin verre familie van elkaar zijn.

Juniak liet zijn raampje zakken, keek me grinnikend aan en liet zijn blik even naar Paulson en weer terug naar mij gaan. 'Is die van jou?'

'Ja.'

'Hij staat fout geparkeerd. Zijn kont steekt over de witte lijn.'

Ik gaf Paulson een zet met mijn tenen, waardoor hij weer begon te wiegen. 'Hij zit klem.'

Juniak stapte uit, greep Paulson vast onder zijn oksels en hees hem overeind. 'Je hebt er toch zeker geen bezwaar tegen als ik dit verhaal in opgesmukte versie rondvertel, hè?'

'Jazéker heb ik daar bezwaar tegen! Ik heb op je gestemd, of was je dat vergeten,' zei ik. 'En we zijn zo goed als familie van elkaar.'

'Daar schiet je weinig mee op, schattebout. Dit is smullen voor de kit.'

'Je bent al lang geen smeris meer.'

'Eens een smeris, altijd een smeris.'

Paulson en ik keken naar Juniak die weer in zijn auto stapte en wegreed.

'Ik kan niet lopen met die dingen,' zei Paulson, met een blik op zijn voetboeien. 'Voor je het weet lig ik wéér op de grond. Mijn evenwichtsgevoel is niet zo best.'

'Heb je de premiejagersslogan wel eens gehoord? Die van "Breng ze terug – dood of levend"?'

'Wat dacht je.'

'Nou, breng me niet in de verleiding.'

In werkelijkheid is iemand dood terugbrengen allesbehalve een goed idee, maar dit leek me een aardig moment voor een loos dreigement. Het was achter in de middag. Het was voorjaar. En ik begon hier schoon genoeg van te krijgen. Een uur lang proberen om Paulson zo ver te krijgen dat hij naar de andere kant van de parkeerplaats zou lopen, scoorde niet al te hoog op mijn lijstje van favoriet tijdverdrijf.

Wat ik wilde, was ergens op een strand in de zon liggen bakken tot ik eruitzag als gebakken spek. Goed, goed, ik weet ook wel dat je daar in deze tijd van het jaar voor naar Cancún of zo zou moeten, en Cancún paste niet in mijn budget. Maar waar het om ging, was dat ik geen zin had om hier met Paulson op die stomme parkeerplaats te staan.

'Je bent waarschijnlijk niet eens gewapend,' zei Paulson.

'Hé, man, doe me een lol, ja? Ik kan hier niet de hele dag met je staan blijven hangen. Ik heb nog andere dingen te doen.'

'Zoals?'

'Dat gaat je geen barst aan.'

'Ha! Dus je hebt niets beters te doen.'

Ik droeg een spijkerbroek, een T-shirt en zwarte Caterpillar-laarzen, en ik had zin om hem met mijn maatje zevenendertig CAT's tegen de achterkant van zijn been te schoppen.

'Vertel op.'

'Ik heb mijn ouders beloofd dat ik om zes uur thuis zou zijn voor het eten.'

Paulson schoot in de lach. 'God, wat triest! Wat ontzettend triest! Dat noem ik nog eens hartstikke, ontzettend triest.' Het lachen ging over in een hoestbui. Paulson boog zich naar voren, wankelde heen en weer, en kukelde omver. Ik probeerde hem nog vast te pakken, maar het was al te laat. Hij lag alweer op zijn buik en vertoonde wederom een treffende gelijkenis met een walvis.

Mijn ouders wonen in een halfvrijstaand huis, in een gedeelte van Trenton dat 'de Wijk' wordt genoemd. Als de Wijk voedsel was geweest, dan zou het pasta zijn – penne rigate, ziti, fettuccine, spaghetti en elleboogjes, drijvend in marinara, kaassaus of mayo. Degelijk, betrouwbaar, goed-voor-alle-gelegenheden-voedsel dat een glimlach op je gezicht en vet op je billen tovert. De Wijk is een dichtbebouwde buurt waar mensen huizen kopen en daar blijven wonen tot ze er door de dood weer uit worden geschopt. Achtertuintjes worden gebruikt voor waslijnen, voor vuilnisbakken en om de hond te laten poepen. Je hoeft er geen fraaie terrassen of parasollen te verwachten. De Wijkers zitten voor hun huis op hun bescheiden veranda's en cementen stoepjes. En zien de wereld aan zich voorbijtrekken.

Ik kwam binnen op het moment waarop mijn moeder de gebraden kip uit de oven haalde. Mijn vader zat al op zijn plek aan het hoofdeinde van de tafel. Hij zat, alsof hij droomde, met een glazige blik in zijn ogen en het bestek in zijn handen, strak voor zich uit te staren. Mijn zuster, Valerie, die haar man onlangs had verlaten en weer thuis was komen wonen, was in de keuken bezig om de aardappels tot puree te vermalen. Vroeger, toen we kinderen waren, was Valerie de volmaakte dochter geweest. En ik was de dochter die in hondendrollen trapte, die in kauwgum ging zitten en die, in een poging tot vliegen, om de haverklap van het garagedak viel. In een laatste poging haar huwelijk te redden, had Valerie haar Italiaans-Hongaarse genen ingeleverd en zichzelf in Meg Ryan veranderd. Het huwelijk mislukte desondanks, maar Meg heeft het overleefd.

Valeries kinderen zaten met mijn vader aan tafel. Die van negen, Angie, zat, keurig netjes met gevouwen handen, op het eten te wachten. Ze was nagenoeg een perfecte kloon van Valerie op die leeftijd. Die van zeven, Mary Alice, het helse wicht, had twee stokjes door haar bruine haren gestoken.

'Waarom heb je die stokjes in je haar?' vroeg ik.

'Dat zijn geen stokjes. Dat is een gewei. Ik ben een rendier.'

Dat kwam als een verrassing, want normaal gesproken is ze een paard.

'Heb je een goede dag gehad?' vroeg oma, terwijl ze een schaal met sperziebonen op tafel zette. 'Heb je op iemand geschoten? Heb je slechte mannen gearresteerd?'

Kort nadat opa Mazur met zijn van vet dichtgeslibde aderen naar het hemelse eet-zoveel-u-kunt-buffet was vertrokken, was oma Mazur bij mijn ouders ingetrokken. Oma is midden zeventig en ziet er geen dag ouder uit dan negentig. Haar lichaam wordt ouder, maar met haar brein lijkt het de andere kant op te gaan. Ze droeg witte tennisgympen en een lavendelkleurig polyester trainingspak. Ze droeg haar gepermanente staalgrijze haren in een kort kapsel. Haar nagels waren lavendel gelakt om ze bij het trainingspak te laten passen.

'Nee, ik heb vandaag op niemand geschoten,' antwoordde ik, 'maar ik heb een man gearresteerd die voor creditcardfraude werd gezocht.'

Er werd op de deur geklopt, en Mabel Markowitz stak haar hoofd naar binnen en riep: 'Joe-hoe!'

Mijn ouders wonen in een twee-onder-één kap. Zij zijn de eigenaars van de zuidelijke helft, en Mabel Markowitz bezit de noordelijke helft. Wat de beide huizen van elkaar scheidt, is de gemeenschappelijke muur en jarenlang ruzie over de kleur van de verf waarmee de gevel geschilderd moet worden. Uit noodzaak heeft Mabel het tweedehandsgoed tot een religie verheven, en leeft ze van een uitkering en van overheidswege verstrekte pindakaasoverschotten. Haar man, Izzy, was een goed mens die zichzelf vroegtijdig het graf in had gedronken. Mabels enige dochter was een jaar tevoren aan baarmoederkanker overleden. De schoonzoon kwam een maand later bij een verkeersongeluk om het leven.

Iedereen aan tafel verstijfde en keek naar de voordeur, want in al die jaren waarin Mabel naast mijn ouders woonde, had ze nog nooit onder het eten gejoe-hoet.

'Neem me niet kwalijk dat ik jullie onder het eten stoor,' zei Mabel. 'Ik wilde Stephanie alleen maar even vragen of ze strakjes misschien tijd heeft om een minuutje langs te komen. Ik wilde haar iets over die borgstellingen en zo vragen. Voor een kennis.'

'Ja hoor,' zei ik. 'Na het eten.' Ik nam aan dat het een kort gesprekje zou worden, aangezien alles wat ik over borgstellingen wist, in twee zinnen gezegd kon worden.

Mabel ging weg, en oma zette haar ellebogen op tafel en boog zich naar voren. 'Als je het mij vraagt was dat wel erg veel ge-joehoe voor een kennis. Ik wed dat Mabel zelf gearresteerd is.'

Iedereen keek oma aan en rolde gelijktijdig met de ogen.

'Goed, goed,' zei ze. 'Misschien is het dan omdat ze werk zoekt.

Misschien wil ze wel premiejager worden. Je weet toch hoe ze altijd maar net op het nippertje rondkomt.'

Mijn vader propte, zonder zijn hoofd op te tillen, voedsel in zijn mond. Hij pakte de aardappelen en schepte zichzelf nog eens op. 'Jezus,' mompelde hij.

'Als er in die familie íemand is die aan een borgstelling behoefte zou hebben, dan is dat de ex-man van Mabels kleindochter wel,' zei mijn moeder. 'Die houdt het tegenwoordig met de meest lugubere types. Evelyn heeft er verstandig aan gedaan om van hem te scheiden.'

'Ja, en het was echt een heel smerige scheiding,' zei oma tegen mij. 'Bijna net zo erg als die van jou.'

'Ik stel hoge eisen.'

'Je was geweldig,' zei oma.

Mijn moeder rolde opnieuw met haar ogen. 'Het was een schande.'

Mabel Markowitz woont in een museum. Ze is in 1943 getrouwd, en ze is nog steeds in het bezit van haar eerste schemerlamp, haar eerste pan en haar eerste met chroom afgezette formica keukentafel. Haar zitkamer heeft in 1957 een nieuw behangetje gekregen. De bloemen zijn verschoten, maar de lijm heeft gehouden. De vloerbedekking is donker en heeft een oosters motief. De bank en fauteuils zijn in het midden een beetje doorgezakt en dragen de afdrukken van billen die intussen naar elders zijn getrokken... hetzij naar God, hetzij naar Hamilton Township.

De afdruk van Mabels billen staat niet op de meubels, want Mabel is een wandelend skelet dat nooit zit. Mabel bakt en schrobt en loopt heen en weer onder het telefoneren. Ze heeft heldere ogen en ze lacht snel, waarbij ze op haar dijen kletst en haar handen aan haar schort afveegt. Haar haren zijn dun en grijs, kort en krullend. Het eerste wat ze 's ochtends doet, is haar gezicht wit poederen. Haar lippenstift is roze, wordt om het uur opgebracht en waaiert uit in de diepe lijnen rond haar lippen.

'Stephanie,' zei ze, 'wat fijn dat je er bent. Kom binnen. Ik heb koffiecake.'

Mevrouw Markowitz heeft *altijd* koffiecake. Dat hoort zo, in de Wijk. De ramen zijn gelapt, de auto's zijn groot en er is altijd koffiecake.

Ik ging aan haar keukentafel zitten. 'Ik weet niet zoveel van borgstellingen. Mijn neef Vinnie is daar de expert in.'

'Het gaat ook niet in de eerste plaats om een borgstelling,' zei Mabel. 'Het gaat vooral om iemand die gevonden moet worden. En dat was een leugentje, dat van een kennis. Ik schaamde me. En ik weet ook niet goed hoe ik moet beginnen om je dit te vertellen.'

Mabels ogen schoten vol tranen. Ze sneed een plakje koffiecake af en propte het in haar mond. Nijdig. Mabel was niet het soort vrouw dat gemakkelijk ten prooi viel aan emoties. Ze spoelde de koffiecake weg met koffie die sterk genoeg was om een lepeltje in op te lossen als je het te lang in je kopje liet staan. Neem *nooit* koffie aan van mevrouw Markowitz.

'Je weet waarschijnlijk dat Evelyns huwelijk een ramp was. Zij en Steven zijn een tijdje terug gescheiden, en het was een nogal bitter gevecht,' zei Mabel ten slotte.

Evelyn is Mabels kleindochter. Ik heb Evelyn van kinds af aan gekend, maar we waren nooit dikke vriendinnen. Ze woonde een paar straten verder en ging naar de katholieke school. Onze wegen kruisten elkaar alleen op zondag, wanneer ze 's avonds bij Mabel at. Valerie en ik noemden haar 'de Giechelaar' omdat ze overal om giechelde. Ze kwam in haar zondagse kleren bordspelletjes bij ons spelen, en dan giechelde ze wanneer ze de dobbelstenen gooide, giechelde wanneer ze haar pion verschoof en giechelde wanneer ze verloor. Ze giechelde zoveel dat ze er kuiltjes van in haar wangen kreeg. En toen ze ouder werd, was ze zo'n meisje waar jongens gek op zijn. Evelyn was lekker mollig en zacht, had kuiltjes in haar wangen en was één brok levenslustige energie.

Tegenwoordig zag ik Evelyn nog maar zelden, maar de weinige keren dát ik haar zag, was er van die levenslustige energie van haar niet veel meer over.

Mabel klemde haar dunne lippen op elkaar. 'Er was zoveel onenigheid over het kind, dat de rechter Evelyn verplichtte om zo'n nieuw kindervoogdijborgcontract af te sluiten. Ik denk dat hij bang was dat Evelyn alles zou doen om te voorkomen dat Annie contact had met Steven. Hoe dan ook, Evelyn had geen geld voor dat contract. Steven had het geld dat ze bij de dood van mijn dochter had geërfd van haar afgenomen, en hij heeft Evelyn nooit iets gegeven. Evelyn leefde als een gevangene in dat huis in Key Street. Ik ben op dit moment vrijwel de enige familie die Evelyn en Annie nog hebben, en dus heb ik mijn huis hier als onderpand beschikbaar gesteld. Als ik dat niet had gedaan, zou Evelyn de voogdij niet hebben gekregen.'

Dit was nieuw voor mij. Ik had nog nooit van een voogdijborgcontract gehoord. Bij de mensen op wie ik jacht maakte ging het om een borgstelling die was betaald om niet in de gevangenis te belanden.

Mabel veegde de kruimels van tafel en gooide ze in het aanrecht. Mabel had geen zitvlees. 'Alles ging goed, totdat ik vorige week een briefje van Evelyn kreeg, waarin ze schreef dat zij en Annie een poosje op reis waren gegaan. Ik stond er niet echt bij stil, maar opeens is iedereen op zoek naar Annie. Een paar dagen geleden stond Steven opeens voor de deur. Hij begon te schreeuwen en riep de verschrikkelijkste dingen over Evelyn. Hij zei dat ze het recht niet had om er zomaar met Annie vandoor te gaan en haar van school te halen. En hij zei dat hij naar de rechter zou stappen om de voogdijborg op te eisen. En toen kreeg ik vanochtend een telefoontje van het borgstellingsbedrijf, en ze zeiden dat ze mijn huis in beslag zouden nemen als ik hen niet zou helpen om Annie terug te vinden.'

Mabel keek haar keuken rond. 'Ik zou niet weten waar ik zonder mijn huis naar toe zou moeten. Kunnen ze het mij echt afnemen?'

'Dat weet ik niet,' antwoordde ik. 'Ik heb zoiets als dit nog nooit bij de hand gehad.'

'En nu maak ik me ontzettende zorgen. Hoe kan ík weten of alles goed is met Evelyn en Annie? Ik kan ze nergens bereiken. En het was maar een briefje. Het is niet alsof ik met Evelyn heb gesproken.'

Mabels ogen schoten opnieuw vol, en ik hoopte vurig dat ze geen echte huilbui zou krijgen, want ik was niet zo goed met heftige emotionele uitingen. Mijn moeder en ik lieten elkaar via vage complimentjes over de jus weten dat we van elkaar hielden.

'O, ik voel me zo ellendig,' zei Mabel. 'Ik weet me geen raad. Ik hoopte dat jij Evelyn zou kunnen vinden en met haar zou kunnen praten... dat je zou kunnen nagaan of alles goed was met haar en Annie. Als ik het huis kwijtraak is dat nog tot daar aan toe, maar Evelyn en Annie wil ik niet verliezen. Ik heb wat opzij gelegd. Ik weet niet hoeveel je normaal voor je werk vraagt.'

'Ik vraag niets. Ik ben geen privé-detective, en ik doe geen particuliere zaken zoals deze.' Allemachtig, en ik ben niet eens zo'n beste premiejager!

Mabel plukte aan haar schort, en intussen rolden de tranen over haar wangen. 'Ik weet niet aan wie ik het anders zou kunnen vragen.'

O man, dit is niet te geloven. Mabel Markowitz die huilt! Dit voelde ongeveer even prettig als om twaalf uur 's middags, midden in de drukte van Main Street, een uitstrijkje te laten maken.

'Vooruit dan maar,' zei ik, 'ik zal kijken wat ik kan doen... als je buurvrouw.'

Mabel knikte en veegde haar tranen weg. 'Dat zou ik heel fijn vinden.' Ze pakte een envelop van het dressoir. 'Ik heb een foto voor je. Van Annie en Evelyn. Hij is van vorig jaar, van Annies zevende verjaardag. En ik heb Evelyns adres voor je op een papiertje geschreven. En het merk van haar auto en het kenteken.'

'Heb je een sleutel van haar huis?'

'Nee,' antwoordde Mabel. 'Die heeft ze me nooit gegeven.'

'Heb je enig idee waar Evelyn naar toe kan zijn gegaan? Ook al is het nog zo vaag?'

Mabel schudde haar hoofd. 'Ik kan me niet voorstellen waar ze zou kunnen zijn. Ze is hier, in de Wijk, opgegroeid. Ze heeft nooit ergens anders gewoond. Ze is niet weggegaan om te studeren. Het grootste gedeelte van onze familie woont hier.'

'Is die borg door Vinnie betaald?'

'Nee. Het was een ander bedrijf. Ik heb het opgeschreven.' Ze stak haar hand in de zak van haar schort en haalde er een dubbelgevouwen papiertje uit. 'Ze heten True Blue Bonds, en de eigenaar van die zaak heet Les Sebring.'

Mijn neef Vinnie is de eigenaar van Vincent Plum Bail Bonds, en zijn kantoor zetelt in een klein winkelpand aan Hamilton Avenue. Een tijd terug, toen ik wanhopig op zoek was geweest naar een baan, had ik Vinnie min of meer gechanteerd om mij in dienst te nemen. De economie van Trenton is er sindsdien aanzienlijk op vooruitgegaan, en ik weet eigenlijk niet goed waarom ik nog steeds voor Vinnie werk, afgezien dan van het feit dat het kantoor pal tegenover een bakker ligt.

Sebrings kantoor is in het centrum, en vergeleken met zijn kantoor is dat van Vinnie een gribus. Ik heb Sebring nog nooit ontmoet, maar ik heb over hem horen vertellen. Er wordt gezegd dat hij uitermate vakkundig is. En het gerucht gaat dat hij, na Tina Turner, de mooiste benen ter wereld heeft.

Ik gaf Mabel een onhandige omhelzing, beloofde haar dat ik de boel voor haar zou onderzoeken, en ging weg.

Mijn moeder en grootmoeder stonden me op te wachten. Ze stonden, met hun neus tegen de ruit gedrukt, achter de voordeur die ze op een kiertje hadden openstaan.

'*Psssst*,' siste mijn grootmoeder. 'Kom gauw. We staan te popelen.'

'Ik kan jullie niets vertellen,' zei ik.

Ik hoorde hun beider adem stokken. Dit was in strijd met de gedragscode van de Wijk. In de Wijk was het hemd áltijd nader dan de rok. Beroepsethiek stelde weinig meer voor wanneer je je familieleden op een sappige roddel kon trakteren.

'Goed dan,' zei ik. 'Eigenlijk kan ik het jullie net zo goed vertellen, want jullie komen er toch wel achter.' We waren ook rationeel in de Wijk. 'Toen Evelyn van haar man scheidde, heeft de rechter haar gedwongen om een voogdijborg te betalen. Omdat ze daar het geld niet voor had, heeft Mabel haar huis als onderpand aangeboden. En nu zijn Evelyn en Annie weggegaan en wordt Mabel door het borgstellingsbedrijf onder druk gezet.'

'O, lieve help,' zei mijn moeder, 'dat wist ik niet.'

'Mabel maakt zich zorgen om Evelyn en Annie. Evelyn heeft haar een briefje geschreven waarin stond dat zij en Annie voor een poosje weggingen, maar sindsdien heeft Mabel niets meer van ze vernomen.'

'Als ik Mabel was, zou ik me eerder zorgen maken om mijn *huis*,' zei oma. 'Zo te horen woont ze binnen afzienbare tijd onder de spoorbrug in een kartonnen doos.'

'Ik heb haar beloofd dat ik haar zou helpen, maar eigenlijk is dit mijn werk niet. Ik ben geen privé-detective.'

'Misschien zou je je vriend Ranger kunnen vragen om haar te helpen,' zei oma. 'En dat is hoe dan ook een beter idee, want hij is zo'n lekker stuk. Ik zou er niets op tegen hebben als hij hier regelmatig in de buurt rondhing.'

Ranger is meer een collega dan een vriend, hoewel je waarschijnlijk wel zou kunnen zeggen dat er ook iets van vriendschap in het spel is. Plus een ietwat angstaanjagende seksuele aantrekkingskracht. Een paar maanden geleden hebben we een afspraak gemaakt die me zo af en toe slapeloze nachten bezorgt. Alweer zo'n spring-van-het-garagedak-situatie, alleen dat het in dit geval om mijn slaapkamer ging. Ranger is Amerikaan van Cubaanse afkomst. Zijn huid heeft een prachtige koffie-met-melkkleur, met wéinig melk en voornamelijk koffie, en een lijf dat het beste omschreven kan worden als *lekker*. Hij heeft een succesvolle aandelenportefeuille, een eindeloze en onverklaarbare voorraad zwarte luxeauto's, en kan dingen waarbij vergeleken Rambo een amateur is. Ik ben er zo goed als zeker van dat hij alleen maar slechteriken vermoordt, en ik vermoed dat hij net zo kan vliegen als Superman, hoewel dat laatste nooit bevestigd is. Ranger is onder andere premiejager. En Ranger krijgt zijn mannetje altijd te pakken.

Mijn zwarte Honda CR-V stond langs de stoep. Oma liep met me mee naar de auto. 'Laat me weten of ik ergens mee kan helpen,' zei ze. 'Ik heb altijd gedacht dat ik, omdat ik zo nieuwsgierig ben, een goede detective zou kunnen zijn.'

'Misschien dat je in de buurt navraag zou kunnen doen.'

'Reken maar. En ik zou morgen naar Stiva's kunnen gaan. Charlie Shleckner ligt opgebaard. Ik heb gehoord dat Stiva een kunstwerk van hem heeft gemaakt.'

New York heeft Lincoln Center. Florida heeft Disney World. De Wijk heeft Stiva's Begrafenisonderneming. Niet alleen is Stiva's de belangrijkste ontmoetingsplaats van de buurt, je kunt er bovendien voor alle laatste nieuwtjes terecht. Als je bij Stiva's geen obscure geheimen over iemand aan de weet kunt komen, dan zijn er geen obscure geheimen te achterhalen.

Het was nog vroeg toen ik bij Mabel was weggegaan, dus ik besloot langs Evelyns huis in Key Street te rijden. Het was een twee-onder-éénkap die in grote lijnen op die van mijn ouders leek. Klein voortuintje, kleine veranda aan de voorzijde, klein huis bestaande uit begane grond en een enkele verdieping. Geen enkel teken van leven in Evelyns helft. Geen auto voor de deur. Geen licht achter de dichte gordijnen. Volgens oma Mazur had Evelyn tijdens haar huwelijk met Steven Soder in dat huis gewoond, en was ze er, nadat Soder naar elders was verhuisd, blijven wonen. Eddie Abruzzi is de eigenaar van het pand en heeft beide woonhelften in de verhuur. Abruzzi bezit meerdere panden in de Wijk, en verder nog een aantal grote kantoorgebouwen in het centrum van Trenton. Ik ken hem niet persoonlijk, maar ik heb me laten vertellen dat hij niet écht een aardig type is.

Ik parkeerde, liep naar Evelyns veranda en klopte op de voordeur. Geen reactie. Ik probeerde door het raam aan de voorkant naar binnen te kijken, maar de gordijnen zaten potdicht. Ik liep om het huis heen en ging op mijn tenen voor de ramen aan de zijkant staan. Ik had geen succes met de zijramen van de voorkamer en de eetkamer, maar bij de keuken werd mijn nieuwsgierigheid beloond. In de keuken waren de gordijnen niet dicht. Op het aanrecht, bij de gootsteen, stonden twee ontbijtkommen en twee glazen. Voor het overige leek alles keurig. Geen spoor van Evelyn of Annie. Ik liep weer naar de voorzijde en klopte aan bij de buren.

De deur ging open en Carol Nadich keek me aan.

'Stephanie!' riep ze uit. 'Hoe ís het met je, meid?'

Ik heb met Carol op school gezeten. Na het eindexamen kreeg ze werk op de knopenfabriek en twee maanden later trouwde ze met Lenny Nadich. We komen elkaar van tijd tot tijd tegen bij Giovichinni's Vleesmarkt, maar afgezien daarvan hebben we geen contact meer met elkaar.

'Ik wist niet dat jij hier woonde,' zei ik. 'Ik ben op zoek naar Evelyn.'

Carol rolde met haar ogen. 'Iedereen is op zoek naar Evelyn. En om je de waarheid te zeggen, ik hoop dat niemand haar vindt. Met uitzondering van jou dan, natuurlijk. Die andere hufters wens je je ergste vijand nog niet toe.'

'Welke andere hufters?'

'Haar ex-man en zijn vriendjes. En de huisbaas, Abruzzi, en zijn handlangers.'

'Zijn jullie goede vriendinnen?'

'Zo goed als je maar een vriendin van Evelyn kunt zijn. We zijn hier twee jaar geleden komen wonen. Dat was vóór hun scheiding. Overdag deed ze niets anders als pillen slikken, en 's avonds dronk ze zich bewusteloos.'

'Wat voor soort pillen?'

'Voorgeschreven door de dokter. Ik geloof dat ze depressief was. Maar dat is begrijpelijk als je met Soder bent getrouwd. Ken je hem?'

'Niet goed.' Ik had Soder negen jaar geleden, tijdens Evelyns huwelijk, voor de eerste keer ontmoet, en kon de man op het eerste gezicht al niet uitstaan. In de jaren daarna hebben onze paden elkaar meerdere keren kortstondig gekruist, maar ik heb nooit iets aan hem kunnen ontdekken op grond waarvan ik mijn oorspronkelijke indruk had moeten bijstellen.

'Hij is een manipulatieve schoft en hij heeft haar mishandeld,' vertelde Carol.

'Lichamelijk?'

'Voor zover ik weet niet, maar in geestelijk opzicht des te meer. Ik hoorde hem aan één stuk door tegen haar schreeuwen. Hij brulde voortdurend dat ze stom was. Ze was een beetje aan de mollige kant, en hij noemde haar "vette koe". En toen, op een goede dag, pakte hij zijn biezen en is bij een andere vrouw ingetrokken. Joanne Nog Wat. Dat was de mooiste dag van Evelyns leven.'

'Denk je dat Evelyn en Annie in gevaar zijn?'

'God, ik hoop van niet. Die twee hebben een beetje rust echt wel verdiend.'

Ik wierp een blik op Evelyns voordeur. 'Je hebt zeker geen sleutel?'

Carol schudde haar hoofd. 'Evelyn vertrouwde niemand. Ze was ontzettend paranoïde. Volgens mij heeft zelfs haar oma nog geen sleutel. En als je me wilt vragen of ik weet waar ze naar toe zijn, dan is het antwoord nee. Op een goede dag pakte ze haar auto vol tassen en koffers, en is vertrokken.'

Ik gaf Carol mijn kaartje en ging naar huis. Ik woon in een drie etages tellend, uit baksteen opgetrokken flatgebouw op ongeveer tien minuten rijden van de Wijk... of vijf, als ik te laat ben voor het eten en mazzel heb met de stoplichten. Het flatgebouw stamde uit de tijd waarin energie nog goedkoop was, en de architectuur door de economie werd geïnspireerd. Mijn badkamer is oranje en bruin, mijn koelkast is avocadogroen, en mijn ramen zijn ouder dan Thermopane. Dat vind ik allemaal best. De huur is redelijk, en over mijn medehuurders heb ik niet te klagen. Het zijn voornamelijk bejaarden met een vast inkomen. Voor het merendeel aardige mensen... zolang je ze maar niet achter het stuur van een auto liet zitten.

Ik zette de auto op de parkeerplaats en duwde de dubbele glazen deuren open die toegang gaven tot de bescheiden entree. Ik zat vol met kip en aardappelen en jus en chocoladetaart en Mabels koffiecake, dus ik besloot voor straf niet met de lift te gaan maar de trap te nemen. Goed, ik woon op de eerste etage, maar het is een begin, zullen we maar zeggen.

Mijn hamster, Rex, zat op me te wachten toen ik de deur van mijn flat opendeed. Rex woont in een soepblikje in een glazen aquarium in mijn keuken. Toen ik het licht aandeed staakte hij zijn rennen op het rad. Hij keek me aan, knipperde met zijn oogjes en bewoog zijn snorharen. Ik maak mezelf wijs dat het *welkom thuis* was, maar het zat er dik in dat het in plaats daarvan *wie heeft er verdomme het licht aangedaan?* was. Ik gaf hem een rozijn en een stukje kaas. Hij propte het lekkers in zijn wangen en verdween in zijn soepblik. Meer communicatie met mijn huisgenoot zat er kennelijk niet in.

In het verleden heeft Rex zijn status van huisgenoot van tijd tot tijd moeten delen met de in Trenton woonachtige smeris Joe Morelli. Morelli is twee jaar ouder dan ik, een half hoofd langer en zijn revolver is groter dan de mijne. Ik was zes toen Morelli de eerste keer onder mijn rok keek, en die gewoonte heeft hij nooit afgeleerd. We hebben onlangs wat meningsverschillen gehad, en op dit moment bevindt Morelli's tandenborstel zich niet in mijn badkamer. Helaas is het een stuk moeilijker om Morelli uit mijn hart en mijn hoofd te zetten dan uit mijn badkamer. Maar ik doe mijn best.

Ik haalde een biertje uit de koelkast en ging ermee voor de televisie zitten. Ik zapte door de zenders maar kon niets interessants ontdekken. Voor mij lag de foto van Evelyn en Annie. Ze stonden naast elkaar en maakten een gelukkige indruk. Annie had rode krullen en de bleke huid van iemand die van nature rood haar heeft. Evelyn had haar bruine krullen in een staart. Conservatieve make-up. Ze glimlachte, maar niet voldoende om de kuiltjes in haar wangen te laten verschijnen.

Een moeder en haar dochter... en ik werd geacht ze te vinden.

Toen ik de volgende ochtend Vinnies kantoor binnenliep, had Connie Rosolli een donut in haar ene en een kop koffie in haar andere hand. Ze schoof de doos met donuts met haar elleboog over haar bureau heen naar me toe, waarbij er wat van de poedersuiker van haar donut omlaag dwarrelde en op haar boezem viel. 'Hier, neem een donut,' zei ze. 'Je ziet eruit alsof je er eentje kunt gebruiken.'

Connie is de manager van het kantoor. Ze beheert de kleine kas en gaat daar verstandig mee om – ze zorgt voor de aanschaf van donuts en opbergmappen, en financiert van tijd tot tijd een werkuitstapje naar Atlantic City. Het was een paar minuten over acht en Connie was gereed om aan de dag te beginnen – volledig opgemaakt met eyeliner, mascara, vuurrode lippenstift en haar haren netjes in model geborsteld. Ik daarentegen, had tijd nodig om langzaam aan de dag te wennen. Mijn haren zaten in een slordige staart en ik droeg mijn gebruikelijke strakke T-shirtje, spijkerbroek en laarzen. Omdat het opbrengen van mascara me deze ochtend voorkwam als een riskante manoeuvre, was ik puur natuur.

Ik pakte een donut en keek om me heen. 'Waar is Lula?'

'Ze is laat. Ze is de hele week al laat. Niet dat het wat uitmaakt.'

Lula was in dienst genomen om het archief bij te houden, maar ze doet doorgaans waar ze zelf zin in heeft.

'Hé, dat heb ik gehoord,' zei Lula, terwijl ze binnenkwam. 'Ik hou er niet van als er over me wordt gepraat. En ik ben laat omdat ik naar avondschool ga.'

'Ja, één avond per week,' zei Connie.

'Dat klopt, maar ik moet leren. Je moet niet denken dat het gemakkelijk is. En je kunt ook niet zeggen dat ik in dat opzicht zoveel aan mijn vorige baan heb, of wel? Voor zover ik kan nagaan gaat het eindexamen niet over handtastelijkheden.'

Lula is een paar centimeter kleiner en heel wat pondjes zwaarder dan ik. Ze koopt haar kleren meerdere maten te klein en moet zich er dan in persen. De meeste mensen zouden er op die manier nogal bekneld uitzien, maar Lula niet. Hoe strakker Lula's topje, hoe levendiger haar uiterlijk.

'Vertel op,' zei Lula. 'Heb ik iets gemist?'

Ik gaf Connie het ontvangstbewijs van Paulson. 'Weten jullie iets van kindervoogdijborg?'

'Ja, dat is iets nieuws,' antwoordde Connie. 'Vinnie doet er nog niet in. Er zit een behoorlijk risico aan. De enige hier in de buurt die ermee werkt is Sebring.'

'Sebring,' zei Lula. 'Is dat niet die man met die mooie benen? Ik heb gehoord dat zijn benen op die van Tina Turner lijken.' Ze keek omlaag naar haar eigen benen. 'Mijn benen hebben de goede kleur, maar ik heb er alleen een beetje te veel van.'

'Sebrings benen zijn blank,' zei Connie. 'En ik heb gehoord dat ze het uitstekend doen bij het achternazitten van blondjes.'

Ik slikte het laatste hapje donut door en veegde mijn handen af aan mijn spijkerbroek. 'Ik moet hem spreken.'

'Nou, vandaag hoef je niet bang voor hem te zijn,' zei Lula. 'Niet alleen ben je niet blond, maar bovendien heb je je ook niet echt opgetut. Heb je een zware nacht achter de rug?'

'Ik ben geen ochtendmens.'

'Het ligt aan je liefdesleven,' zei Lula. 'Je gebrek daaraan, en je hebt niets dat je aan het lachen kan maken. Je laat jezelf gaan, weet je dat?'

'Ik zou genoeg mannen kunnen krijgen als ik dat wilde.'

'Nou dan?'

'Het is gecompliceerd.'

Connie gaf me een cheque voor de arrestatie van Paulson. 'Je denkt er toch niet over om voor Sebring te gaan werken, hè?'

Ik vertelde ze over Evelyn en Annie.

'Misschien dat ik met je mee zou moeten als je met Sebring gaat praten,' zei Lula. 'Misschien dat we hem zover kunnen krijgen dat hij ons zijn benen laat zien.'

'Niet nodig,' zei ik. 'Dit kan ik alleen wel af.' En ik had niet echt behoefte om Les Sebrings benen te zien.

'Kijk, ik heb mijn tas nog niet eens neergezet,' zei Lula. 'Ik kan zó met je mee.'

Lula en ik keken elkaar even aan. Dit ging ik verliezen. Ik voelde het aankomen. Lula wilde per se met me mee. Had waarschijnlijk geen zin in het archief. 'Goed dan,' zei ik. 'Maar er wordt niet geschoten en niet geduwd, en je vraagt hem niet om zijn broekspijpen op te trekken.'

'Moet dat, zoveel regels?' vroeg Lula.

We namen de CR-V naar de andere kant van de stad en parkeerden op de parkeerplaats naast Sebrings kantoor. Het publieke gedeelte van het borgstellingsbedrijf bevond zich op de begane grond en Sebrings kantoren waren op de eerste verdieping.

'Net als bij Vinnie,' zei Lula, terwijl ze met grote ogen om zich heen keek naar de dure vloerbedekking en de recent geschilderde muren. 'Alleen lijkt het alsof hier mensen werken. En moet je die stoelen in het wachtgedeelte zien... er zitten niet eens vlekken op. En zijn receptioniste heeft ook geen snor.'

Sebring begeleidde ons naar zijn eigen kantoor. 'Stephanie Plum. Ik heb van je gehoord,' zei hij.

'Het was niet mijn schuld dat het uitvaartbedrijf is afgebrand,' zei ik. 'En ik schiet zo goed als nooit op mensen.'

'Wij hebben ook van jou gehoord,' zei Lula tegen Sebring. 'We hebben gehoord dat je schitterende benen hebt.'

Sebring droeg een zilvergrijs pak, wit overhemd en een rood-witblauwe das. Hij straalde, vanaf het puntje van zijn glanzend gepoetste zwarte schoenen tot het topje van zijn perfect gekapte witte haar, een gevoel van eerbiedwaardigheid en fatsoen uit. En hoewel hij het beleefde glimlachje van een politicus had, zag hij eruit als iemand bij wie je met dit soort onzin niet hoefde aan te komen. Even was het stil terwijl hij Lula aandachtig opnam. Toen trok hij zijn broekspijpen op. ‘Nou, ik zou zeggen, kijk je ogen uit, meid.’

‘Je zit vast op fitness,’ zei Lula. ‘Je hebt een prachtig stel benen.’

‘Ik had het met u over Mabel Markowitz willen hebben,’ zei ik tegen Sebring. ‘Over een voogdijborg die u van haar eist.’

Hij knikte. ‘Ja, dat geval is mij bekend. Volgens de agenda gaat er vandaag iemand bij haar langs. Tot dusver heeft ze niet echt meegewerkt.’

‘Ze woont naast mijn ouders en volgens mij weet ze werkelijk niet waar haar kleindochter en achterkleindochter zijn.’

‘Dat is jammer,’ zei Sebring. ‘Ben je op de hoogte van hoe de voogdijborg werkt?’

‘Niet echt.’

‘De PBUS, de *Professional Bail Agents Association*, die, zoals je weet, de belangen van ons borgstellingsagenten behartigt, heeft in samenwerking met het Centrum voor Vermiste en Geëxploiteerde kinderen een wet in het leven geroepen om te voorkomen dat ouders hun eigen kinderen ontvoeren.

Het idee is eenvoudig. Wanneer de indruk bestaat dat een van beide ouders, of béide ouders, er weleens met het kind vandoor zou kunnen gaan, kan de rechter een voogdijborg bepalen.’

‘Dus het is net als met de borgstelling voor criminelen, alleen dat het risico hier een kind betreft,’ zei ik.

‘Met één groot verschil,’ zei Sebring. ‘Wanneer het een borgsom voor een crimineel betreft die door een borgstellingsbedrijf is betaald, en de verdachte niet voor zijn rechtszitting komt opdagen, is de borgsteller zijn geld aan de *rechtbank* kwijt. Dan kan de borgsteller alsnog proberen om de verdachte te pakken te krijgen en hem over te dragen aan het systeem, waarmee hij dan in de meeste gevallen alsnog door de rechtbank schadeloos wordt gesteld. Maar wanneer het om een voogdij gaat, raakt de borgsteller zijn geld kwijt aan de *benadeelde partij*. Het idee is dat het geld wordt gebruikt om het vermiste kind op te sporen.’

‘Dus als de borg niet voldoende is om een ontvoerder van zijn plannen te weerhouden, dan is er in ieder geval geld beschikbaar om door een professionele kracht naar het kind te laten zoeken,' zei ik.

'Precies. Het probleem is alleen dat, in tegenstelling tot een criminele borg, de borgsteller van de voogdijborg niet wettig gemachtigd is om het kind op te sporen. Het enige wat de borgsteller in dat geval kan doen, is zijn verlies ongedaan te maken door op het onderpand beslag te laten leggen.

In dit geval beschikte Evelyn Soder niet over de contanten die voor de borgstelling nodig waren. Ze kwam bij ons en gebruikte het huis van haar grootmoeder als garantie voor de borg. Waar je dan op hoopt is dat de grootmoeder, wanneer je haar belt om te zeggen dat ze haar boeltje kan pakken, vertelt waar het vermiste kind kan worden gevonden.'

'En heeft Steven Soder zijn geld al ontvangen?'

'Het geld komt over drie weken vrij.'

Dat betekende dat ik drie weken had om Annie te vinden.

2

'Die Les Sebring leek best een aardige man,' zei Lula, toen we weer in de auto zaten. 'En ik wed dat hij het ook niet met huisdieren doet.'

Lula refereerde aan het gerucht dat mijn neef Vinnie ooit eens een romantische verhouding met een eend had gehad. Het gerucht is nooit officieel bevestigd of ontkend.

'Wat nu?' vroeg Lula. 'Wat staat er als volgende op het lijstje?'

Het was een paar minuten over tien. Soders bar en grill, The Foxhole, moest intussen open zijn voor de lunch. 'Een bezoek aan Steven Soder,' zei ik. 'Het is waarschijnlijk zonde van de tijd, maar ik vind dat we het toch moeten doen.'

'We moeten alles proberen,' zei Lula.

Steven Soders bar was niet ver van Sebrings kantoor. Het pand zat ingeklemd tussen de huishoudelijke apparatuur van Carmine's en een tatoeagesalon. De deur van The Foxhole stond open. Het interieur was donker en niet uitnodigend op dit vroege uur, maar dat nam niet weg dat twee zielen hun weg naar binnen hadden gevonden en aan de houten bar zaten.

'Ik ben hier al eens geweest,' zei Lula. 'Het een acceptabele tent. De hamburgers zijn niet slecht. En als je vroeg bent, voordat het vet ranzig is, zijn de uienringen ook lekker.'

We gingen naar binnen en bleven staan om onze ogen aan de duisternis te laten wennen. Soder stond achter de bar. Hij keek op toen we binnenkwamen en knikte bij wijze van groet. Ik schatte hem ruim één vijfenzeventig lang en hij was forsgebouwd. Roodachtig blond haar. Blauwe ogen. Lichtelijk rood aangelopen gezicht. Zo te zien dronk hij stevig van zijn eigen bier.

We liepen naar de bar, en hij kwam naar ons toe. 'Stephanie Plum,' zei hij. 'Wat heb ik jou lang niet gezien. Wat kan ik voor je doen?'

'Mabel maakt zich zorgen om Annie. Ik heb haar beloofd dat ik hier en daar navraag zou doen.'

'Je bedoelt dat ze bang is dat ze haar huis kwijtraakt.'

'Nee, dat niet. Ze raakt haar huis niet kwijt want ze heeft geld om de borg te betalen.' Soms lieg ik om te oefenen. Eigenlijk is dat het enige facet waarin ik uitblink in mijn vak van premiejager.

'Pech,' zei Soder. 'Het leek me nu juist zo leuk om haar op de stoep te zien zitten. Die hele familie is één grote ramp.'

'Dus je denkt dat Evelyn en Annie er zomaar vandoor zijn gegaan?'

'Dat dénk ik niet, dat wéét ik. Ze heeft een briefje voor me achtergelaten. Ik ging naar het huis om het kind te halen en op het aanrecht lag een briefje voor mij.'

'Wat stond erin?'

'Dat ze wegging en dat ik naar het kind kon fluiten.'

'Zo te horen is ze niet echt dol op je, wel?'

'Ze is geschift,' zei Soder. 'Ze zuipt en ze is geschift. Als ze 's ochtends opstaat moet ze eerst een uur nadenken over hoe ze haar vest dicht moet knopen. Ik hoop dat je het kind gauw vindt, want Evelyn kan niet voor haar zorgen.'

'Heb je enig idee waar ze naar toe kan zijn gegaan?'

Hij maakte een grommend geluid. 'Was dat maar zo. Ze heeft geen vriendinnen en ze is even stom als een zak spijkers. Voor zover ik weet heeft ze vrijwel geen geld. Ik vermoed dat ze ergens in de Pine Barrens zijn, in de auto wonen en hun eten uit de containers vissen.'

Geen plezierige gedachte.

Ik legde mijn kaartje op de bar. 'Voor het geval je iets te binnen mocht schieten waar we wat aan zouden kunnen hebben.'

Hij pakte het kaartje op en gaf me een knipoog.

'Hé,' zei Lula, 'die knipoog bevalt me niet. Als je nog een keer naar haar knipoogt, dan ruk ik je oog uit je kop.'

'Hé, wat heeft die dikke griet?' vroeg Soder aan mij. 'Zijn jullie soms een vast stel, of zo?'

'Ze is mijn lijfwacht,' antwoordde ik.

'Ik ben geen *dikke griet*,' zei Lula. 'Ik ben een forse vrouw. Fors genoeg om die miezerige bleke billen van je alle hoeken van dit lokaal te laten zien.'

Soder keek haar recht aan. 'Iets om me op te verheugen.'

Ik sleurde Lula mee naar buiten en we stonden op de stoep tegen het felle licht te knipperen.

'Die mag ik niet,' zei Lula.

'Je meent het.'

'Vooral de manier waarop hij zijn dochtertje voortdurend *het kind* noemde. En ik vond het ook niet aardig van hem dat hij wou dat die oude vrouw uit haar huis werd gezet.'

Ik pakte mijn mobieltje, belde Connie en vroeg haar om Soders woonadres en autogegevens voor me te achterhalen.

'Denk je dat hij Annie in zijn kelder heeft opgesloten?' vroeg Lula.

'Nee, maar het kan geen kwaad om daar toch even een kijkje te nemen.'

'Wat doen we nu?'

'We brengen een bezoekje aan de advocaat die Soder bij de scheiding heeft geholpen. Er moet iets zijn geweest waardoor de rechter heeft besloten die borg te eisen. Ik zou er graag meer van willen weten.'

'Weet je wie zijn advocaat is?'

Ik stapte in de auto en keek Lula aan. 'Dickie Orr.'

Lula grinnikte. 'Je ex? Telkens wanneer we hem een bezoekje brengen, knikkert hij je er meteen weer uit. Denk je echt dat hij bereid zal zijn om het met je over een van zijn cliënten te hebben?'

Nog nooit had er binnen de Wijk iemand zo'n kort huwelijk gehad als ik. Ik was amper klaar met het uitpakken van alle trouwcadeaus toen ik de schoft met mijn aartsvijandin Joyce Barnhardt op de eettafel betrapte. Achteraf bezien kan ik me niet eens voorstellen dat ik ooit met Orr heb willen trouwen. Ik denk dat ik verliefd was op het idee van verliefd te zijn.

Als meisje binnen de Wijk wordt er een aantal dingen van je verwacht. Je groeit op, je trouwt, je krijgt kinderen, je wordt dikker en je leert om voor veertig gasten een buffet klaar te maken. Mijn *droom* was dat ik net zoals Spiderman zou kunnen vliegen. Mijn *verwachting* was dat ik zou trouwen. Ik deed wat ik kon om aan de verwachting te voldoen, maar het eindigde in een mislukking. Ik was waarschijnlijk gewoon stom. Onder de indruk van Dickies knappe uiterlijk en opleiding. En wég van het feit dat hij advocaat was.

Ik zag de tekortkomingen glad over het hoofd. Het feit dat Dickie absoluut geen respect voor vrouwen heeft. Dat hij kan liegen zonder ook maar een greintje spijt. Hoewel, dát zou ik hem waarschijnlijk niet kwalijk moeten nemen omdat ik zelf ook een aardig potje kan liegen. Maar ík lieg tenminste niet over persoonlijke dingen... zoals liefde en trouw.

'Misschien heeft Dickie wel een goede dag,' zei ik tegen Lula. 'Misschien heeft hij wel zin in een praatje.'

'Ja, en het helpt waarschijnlijk ook als je hem, in tegenstelling tot de laatste keer, niet over zijn bureau heen naar zijn strot vliegt.'

Dickies kantoor was aan de andere kant van de stad. Hij was weggegaan bij een groot kantoor en was voor zichzelf begonnen. Van wat ik hoorde was hij redelijk succesvol. Hij zat in een kantoor van twee kamers in het Carter Building. Ik was daar al eens eerder – heel kort – geweest en had mijn zelfbeheersing verloren.

'Deze keer zal ik me gedragen,' beloofde ik Lula.

Lula draaide met haar ogen en stapte in de CR-V.

Ik reed via State Street en Warren naar Somerset en vond een parkeerplaatsje vlak voor Dickies kantoor. Dat beschouwde ik als een goed voorteken.

'Ach wat,' zei Lula. 'Het is gewoon goed parkeerkarma, en dat heeft niets met persoonlijke relaties te maken. Heb je je horoscoop voor vandaag gelezen?'

Ik keek haar aan. 'Nee. Slecht nieuws?'

'Er stond dat je manen niet op een goede plaats staan en dat je moet uitkijken met het nemen van financiële beslissingen. En verder dat je problemen met mannen krijgt.'

'Ik heb altijd problemen met mannen.' Ik had twee mannen in mijn leven en ik wist niet wat ik met ze moest doen. Voor Ranger deed ik het in mijn broek, en Morelli was min of meer tot de conclusie gekomen dat ik hem, tenzij ik iets aan mijn gedrag veranderde, de kopzorg niet waard was. Ik had al *weken* niets meer van Morelli gehoord.

'Ja, maar in dit geval gaat het om *serieuze* problemen.'

'Dat verzin je.'

'Niet.'

'Wel.'

'Nou, goed, misschien dat ik het voor een deel heb verzonnen, maar dat van die problemen met mannen, dat stond er echt.'

Ik stopte een kwartje in de meter en stak over. Lula en ik gingen het gebouw binnen en namen de lift naar de derde etage. Dickies kantoor bevond zich aan het einde van de gang. Op het bordje naast de deur stond: *Richard Orr, Advocaat.* Ik onderdrukte het verlangen om er *klootzak* onder te schrijven. Ik was uiteindelijk een bedrogen echtgenote en dat brengt bepaalde verplichtingen met zich mee. Maar het zou beter zijn om *klootzak* bij het weggaan te schrijven.

De ontvangstruimte van Dickies kantoor was sober en smaakvol ingericht. Zwarte en grijze tinten en hier en daar een stoel met paarse bekleding. Als de Jetsons Tim Burton voor de inrichting zouden inhuren, zou het resultaat er zo uitzien. Dickies secretaresse zat achter een groot mahoniehouten bureau. Caroline Sawyer. Ik herkende haar van mijn laatste bezoek. Ze keek op toen Lula en ik binnenkwamen. Ze zette grote, geschrokken ogen op en greep onmiddellijk naar de telefoon.

'Als jullie één stap dichterbij komen, bel ik de politie,' zei ze.

'Ik wil met Dickie praten.'

'Dickie is er niet.'

'Ik wed dat ze liegt,' zei Lula. 'Dat voel ik altijd meteen aan, als mensen liegen.' Lula zwaaide haar vinger voor Sawyer heen en weer. 'De Heer houdt niet van leugenaars.'

'Ik zweer bij God, hij is er echt niet.'

'Nu vloekt ze ook nog,' zei Lula. 'Reken maar dat je hiervoor zult moeten boeten.'

De deur van Dickies kamer ging open, en Dickie keek om het hoekje. 'O, shit,' zei hij, toen hij Lula en mij zag. Hij trok zijn hoofd terug en smeet de deur keihard dicht.

'Ik moet met je praten,' riep ik.

'Nee. Ga weg. Caroline, bel de politie.'

Lula leunde op Carolines bureau. 'Als je de politie belt dan breek ik je nagels. Eén voor één. En dat kost je een nieuwe manicure.'

Caroline keek omlaag naar haar nagels. 'Ik heb ze pas gisteren laten doen.'

'Vakwerk,' zei Lula. 'Bij wie was je?'

'Kim's Nails in Second Street.'

'Ja, die zijn de beste. Ik ga daar ook altijd naar toe,' zei Lula. 'En deze keer heb ik er figuurtjes op laten maken. Kijk maar. Zie je die piepkleine sterretjes?'

Caroline keek naar Lula's nagels. 'Te gek,' zei ze.

Ik dook langs Sawyer heen en klopte op Dickies deur. 'Doe open. Ik beloof je dat ik je niet zal proberen te wurgen. Ik wil het met je over Annie Soder hebben. Ze is weg.'

De deur ging op een kiertje open. 'Hoe bedoel je, ze is weg?'

'Het schijnt dan Evelyn met haar is ondergedoken, en Les Sebring wil de borg verzilverd hebben.'

Nu ging de deur helemaal open. 'Ik was al bang dat dit zou gebeuren.'

'Ik probeer Annie te vinden. Ik hoopte dat je me wat achtergrondinformatie zou kunnen geven.'

'Ik weet niet in hoeverre ik je behulpzaam kan zijn. Ik was Soders advocaat. Evelyn werd vertegenwoordigd door Albert Kloughn. Er was zoveel bitterheid bij die scheiding, en er is zoveel over en weer gedreigd, dat de rechter besloot om voor beide partijen een borg te stellen.'

'Ook voor Soder?'

'Ja, hoewel die van hem niet veel voorstelde. Soder heeft een eigen bedrijf en de kans dat hij er vandoor zou gaan is gering. Maar Evelyn daarentegen, heeft hier niets dat haar bindt.'

'Wat vind je van Soder?'

'Hij was een fatsoenlijke cliënt. Heeft zijn rekening keurig op tijd betaald. Tijdens de zitting ging hij een aantal keren bijna door het lint. Ze gunnen elkaar het licht in de ogen niet, hij en Evelyn.'

'Denk je dat hij een goede vader is?'

Dickie hief zijn handen op. 'Geen idee.'

'En Evelyn?'

'Ik heb van haar niet de indruk dat ze altijd even goed bij de les was. Het is waarschijnlijk in het belang van het kind als ze zo snel mogelijk worden gevonden. Evelyn zou haar ergens kunnen neerzetten en zich dat pas dagen later weer herinneren.'

'Verder nog iets?' vroeg ik.

'Nee, maar het voelt zo vreemd dat je me nog niet naar de strot bent gevlogen,' zei Dickie.

'Teleurgesteld?'

'Ja,' zei hij. 'Ik heb pepperspray gekocht.'

Het zou leuk zijn als dit een gezellige babbel was geweest, maar ik vermoedde dat Dicky serieus was. 'Misschien de volgende keer.'

'Je weet waar je me kunt vinden.'

Lula en ik verlieten het kantoor en liepen de gang af naar de lift.

'Dat was niet half zo leuk als de vorige keer,' zei Lula. 'Je hebt hem niet gedreigd. Je hebt hem niet eens rond zijn bureau achternagezeten.'

'Ik geloof dat ik hem niet meer zo erg haat als vroeger.'

'Wat jammer.'

We staken over en keken naar mijn auto. Er zat een parkeerbon op de voorruit.

'Zei ik het niet?' zei Lula. 'Je manen staan niet goed. Je hebt een slechte financiële beslissing genomen toen je deze kapotte parkeermeter koos.'

Ik propte de bon in mijn tas en trok het portier open.

'Ik zou maar uitkijken als ik jou was,' zei Lula. 'Voor je het weet begint het gedonder met de mannen.'

Ik belde Connie en vroeg haar het adres van Albert Kloughn op te zoeken. Enkele minuten later gaf ze me de adressen van Kloughns kantoor en Soders huis. Beide waren in Hamilton Township.

Als eerste reden we langs Soders huis. Hij woonde in een appartementencomplex met een groenzone er omheen. De in koloniale stijl gebouwde flatgebouwen met witte luiken en witte zuilen, telden slechts twee verdiepingen. Soder woonde op de bovenste etage.

'Het lijkt me onwaarschijnlijk dat hij zijn dochter in de kelder heeft,' zei Lula, 'want hij heeft geen kelder.'

We bleven een poosje naar de flat zitten kijken, maar toen er niets gebeurde besloten we door te rijden naar Kloughn.

Albert Kloughns bescheiden, uit twee vertrekken bestaande kantoor bevond zich naast een wasserette in een winkelstraat. Er was een bureau voor een secretaresse, maar er zat geen secretaresse achter. Het was Kloughn zelf die achter het bureau zat en bezig was om op de computer te typen. Hij was even lang als ik en zag eruit alsof hij weldra in de puberteit zou komen. Hij had zandkleurig haar, een engelachtig gezicht en het weke lichaam van de Pillsbury Doughboy.

We gingen naar binnen en hij keek aarzelend op en glimlachte. Hij dacht waarschijnlijk dat we om kwartjes voor de wasautomaten kwamen vragen. Ik kon de grond onder mijn voeten voelen trillen van de industriële machines in het aangrenzende pand, die als een zacht gebrom te horen waren.

'Albert Kloughn?' vroeg ik.

Hij droeg een wit overhemd, een rood-groen gestreepte das en een kaki broek. Hij stond op en streek verlegen zijn das glad. 'Ik ben Albert Kloughn,' zei hij.

'Nou, dat is echt een ontzéttende teleurstelling,' zei Lula. 'Waar is je rode neus die *piep-piep* zegt? En waar zijn je grote clownsvoeten?'

'Ik ben niet zo'n soort clown. Tjees. Dat moet ik altijd van iedereen horen. Al sinds de kleuterschool. Mijn naam spel je K-l-o-u-g-h-n. Kloughn!'

'Het had nog veel erger kunnen zijn,' zei Lula. 'Stel dat je Albert Fuch heette.'

Ik gaf Kloughn mijn kaartje. 'Mijn naam is Stephanie Plum en dit is mijn partner, Lula. Ik heb begrepen dat je Evelyn Soder bij haar echtscheidingszaak hebt vertegenwoordigd?'

'Wow,' zei hij. 'Ben je echt een premiejager?'

'Borgstellingsfunctionaris,' zei ik.

'Ja, maar dat is toch hetzelfde als premiejager, of niet?'

'Voor wat Evelyn Soder betreft...'

'O, best. Wat wil je weten? Zijn er problemen?'

'Evelyn en Annie zijn verdwenen. En het heeft er alle schijn van dat Evelyn met Annie is ondergedoken om haar geen contact met haar vader te laten hebben. Ze heeft een paar briefjes achtergelaten.'

'Daar moet ze een goede reden voor hebben gehad,' zei Kloughn. 'Ik kan me niet voorstellen dat ze het huis van haar grootmoeder zomaar op het spel zou willen zetten. Ze had geen andere keus. Ze kon het geld voor de borg nergens anders vandaan halen.'

'Heb je er enig idee van waar Evelyn en Annie zouden kunnen zijn?'

Kloughn schudde zijn hoofd. 'Nee. Evelyn zei niet veel. Voor zover ik weet woonde haar hele familie in de Wijk. Ik wil niet roddelen of zo, maar ze kwam niet bijster intelligent over. Ik weet zelfs niet eens of ze wel een rijbewijs had. Ze liet zich altijd brengen wanneer ze bij me kwam.'

'Waar is je secretaresse?' vroeg Lula.

'Ik heb op dit moment geen secretaresse. Ik had een parttime kracht, maar ze zei dat ze last had van het ronddwarrelende stof van de drogers. Ik zou waarschijnlijk moeten adverteren, maar ik ben alles nog een beetje aan het ordenen. Ik heb dit kantoor pas twee maanden geleden geopend, en Evelyn was een van mijn eerste cliënten. Daarom kan ik mij haar nog zo goed herinneren.'

Ik vermoedde dat Evelyn zijn *enige* cliënt was.

'Heeft ze haar rekening betaald?'

'Die betaalt ze af in maandelijkse termijnen.'

'Als je een cheque van haar krijgt, zou ik het fijn vinden als je voor me naar het poststempel wilde kijken om te zien waar ze hem op de post heeft gedaan.'

'Dat wilde ik net zeggen,' zei Lula. 'Daar dacht ik ook net aan.'

'Ja, ik ook,' zei Kloughn. 'Ik dacht precies hetzelfde.'

Er klopte een vrouw op Kloughns openstaande deur terwijl ze haar hoofd naar binnen stak. 'De droger achteraan doet het niet. Ik heb al mijn kwartjes erin gestopt en hij vertikt het. En daarbij komt nog dat ik de deur niet open kan krijgen.'

'Hé,' zei Lula, 'zien we eruit alsof ons dat iets aangaat? Deze man hier is advocaat en jouw kwartjes interesseren hem geen reet.'

'O, dit gebeurt voortdurend,' zei Kloughn. Hij haalde een formulier uit de bovenste la van zijn bureau. 'Hier,' zei hij tegen de vrouw. 'Vul maar in en dan krijg je je geld terug.'

'Krijg je daarvoor een lagere huur?' vroeg Lula aan Kloughn.

'Nee. Ik denk eerder dat ik erdoor op straat kom te staan.' Hij keek om zich heen. 'Dit is mijn derde kantoor in zes maanden. In mijn eerste kantoor ontstond er per ongeluk brand in mijn prullenbak, en het vuur verspreidde zich min of meer door het hele gebouw. En het kantoor daarna werd onbewoonbaar verklaard toen er problemen waren met de wc erboven en het plafond naar beneden kwam.'

'Openbare toiletten?' vroeg Lula.

'Ja. Maar ik zweer je dat het niet mijn schuld was. Dat weet ik bijna zeker.'

Lula keek op haar horloge. 'Het is lunchpauze.'

'Hé, zal ik met jullie mee gaan lunchen?' opperde Kloughn. 'Ik heb een paar ideeën over deze zaak en daar zouden we het onder het eten over kunnen hebben.'

Lula keek hem scherp aan. 'Je hebt zeker niemand anders om mee te gaan lunchen, hè?'

'Natuurlijk wel. Er zijn ik weet niet hoeveel mensen met wie ik kan gaan lunchen. Iedereen wil altijd met mij lunchen. Maar ik had nog geen plan voor vandaag.'

'Je bent een wandelende ramp,' zei Lula. 'Het zou me niets verbazen dat we, als we met jou gaan lunchen, voedselvergiftiging oplopen.'

'Als je er echt ziek van werd, zou ik waarschijnlijk wel een schadevergoeding voor je kunnen regelen,' zei hij. 'En als je eraan overleed, zou het écht een heel fors bedrag kunnen zijn.'

'We houden het op simpel fastfood,' zei ik.

Zijn ogen begonnen te stralen. 'Ik ben *dol* op fastfood. Het is altijd hetzelfde. Je weet van te voren precies wat je krijgt en komt niet voor verrassingen te staan.'

'En het is goedkoop,' zei Lula.

'Dat bedoel ik!'

Hij zette een bordje met *Met Lunchpauze* voor het raam en deed de deur achter zich op slot. Hij ging achter in de CR-V zitten en leunde naar voren.

'Hé, ben je soms een golden retriever?' vroeg Lula. 'Je zit tegen me aan te hijgen. Ga normaal op de achterbank zitten. Doe je gordel om. En als je gaat kwijlen, dan zet ik je eruit.'

'Tjonge, dit is enig,' zei hij. 'Wat gaan we eten? Kip van 't spit? Een broodje vis? Een cheeseburger?'

Tien minuten later verlieten we McDonald's Drive In met een berg hamburgers, patat en milkshakes.

'Nou, zo denk ik erover,' zei Kloughn. 'Volgens mij moet Evelyn in de buurt zijn. Ze is een leuke meid, maar ze is niet erg slim, oké? Ik bedoel, waar zou ze naar toe moeten gaan? En hoe weten we of ze niet gewoon bij haar oma zit?'

Lula keek hem via de achteruitkijkspiegel aan. 'Waar heb je gestudeerd? Ergens in het verre buitenland, of zo?'

'Leuk hoor.' Opnieuw streek hij zijn das glad. 'Ik heb een schriftelijke opleiding gedaan.'

'Is zoiets officieel?'

'Ja hoor. Je moet allerlei examens doen en zo.'

Ik reed de parkeerplaats van de wasserette op en stopte. 'Ziezo, we zijn weer terug van de lunch,' zei ik.

'Nu al? Maar dat was veel te kort. Ik heb mijn patat nog niet eens op,' zei hij. 'En daarna moet ik nog een stuk taart.'

'Het spijt me, maar wij moeten aan het werk.'

'O ja? Wat voor soort werk? Gaan jullie achter een gevaarlijk iemand aan? Ik weet zeker dat ik jullie zou kunnen helpen.'

'Moet je dan niet aan je eigen werk?'

'Dit is mijn lunchpauze.'

'Je wilt heus niet echt met ons mee,' zei ik. 'We zijn niets interessants van plan. Ik wilde nog eens naar Evelyns huis en misschien een praatje met haar buren maken.'

'Ik ben heel goed in communicatie,' zei hij. 'Dat was een van mijn beste vakken... communicatie.'

'Het lijkt me niet aardig om hem eruit te zetten voor hij zijn taart op heeft,' zei Lula, terwijl ze zich omdraaide en over haar rugleuning naar hem keek. 'Ben je van plan om dat hele ding op te eten?'

'Goed, dan mag hij mee,' zei ik. 'Maar ik wil niet hebben dat hij met iemand praat. Hij moet in de auto blijven.'

'Je bedoelt dat ik de chauffeur mag zijn?' vroeg hij. 'Voor het geval jullie halsoverkop weg moeten scheuren?'

'Nee. Er wordt niet halsoverkop weggescheurd. En je bent níet de chauffeur. De enige die rijdt, dat ben *ik.*'

'Ja, ja, dat weet ik toch,' zei hij.

Ik reed van de parkeerplaats af en nam Hamilton Avenue naar de Wijk, waar ik bij het St. Francis Hospital linksaf sloeg. Ik reed door de wirwar van straten tot we uiteindelijk bij Evelyns huis waren. Ik parkeerde voor de deur en liet de motor draaien. De buurt was rustig op dit uur. Geen kinderen op fietsen. Geen mensen op de veranda. Geen noemenswaardig verkeer.

Ik wilde met Evelyns buren praten, maar niet met Lula en Kloughn erbij. Lula maakte de mensen aan het schrikken, en niet zo zuinig ook. En met Kloughn erbij zagen we eruit als een stelletje zendelingen. Ik zette de auto langs het trottoir. Lula en ik stapten uit, en ik stopte het contactsleuteltje in mijn zak. 'Laten we even rondkijken,' zei ik tegen Lula.

Ze keek naar Kloughn op de achterbank. 'Moeten we het raampje niet voor hem op een kiertje zetten? Bestaat er niet een wet waarin dat verplicht wordt gesteld?'

'Volgens mij is die wet alleen voor honden.'

'Volgens mij valt hij daar ook zo'n beetje onder,' zei Lula. 'Ik vind hem eigenlijk wel iets schattigs hebben. Voor mij heeft hij wel iets van vers wit brood, of zo.'

Ik wilde niet terug naar de auto om het portier open te doen. Ik was bang dat Kloughn eruit zou springen. 'Ach, hij kan best even zo blijven zitten,' zei ik. 'En we blijven niet lang weg.'

We liepen de veranda op en ik belde aan. Geen reactie. En de gordijnen van de voorkamer zaten nog steeds potdicht.

Lula legde haar oor tegen de deur. 'Ik hoor niets daar binnen,' zei ze.

We liepen om het huis heen en ik keek door het keukenraam. Op het aanrecht stonden nog dezelfde twee kommen en glazen.

'We moeten naar binnen,' zei Lula. 'Ik wed dat het binnen stikt van de aanwijzingen.'

'Niemand heeft de sleutel.'

Lula probeerde het raam. 'Op slot.' Ze liet haar blik over de deur gaan. 'Maar we zijn premiejagers, en als we het vermoeden hebben dat er een boef in dat huis zit, dan hebben we het recht om de deur in te trappen.'

Ik stond erom bekend dat ik de wet zo nu en dan wel eens een beetje naar eigen hand wilde zetten, maar dit was een meervoudige overtreding. 'Ik wil Evelyns deur niet kapotmaken,' zei ik.

Ik zag Lula naar het raam kijken.

'En ik wil haar raam niet inslaan. We zijn hier niet in de functie van borgstellingsfunctionaris en we hebben geen machtiging om in te breken.'

'Ja, maar als het raam per ongeluk brak, dan zou het alleen maar aardig van ons zijn als we, als buren, naar binnen gingen om te zien of we het zouden kunnen repareren, of zo.' Lula haalde uit met haar grote, zwarte schoudertas en sloeg het raam in. 'O, jee,' zei ze.

Ik sloot mijn ogen en steunde mijn voorhoofd tegen de deur terwijl ik diep ademhaalde en mijzelf dwong om kalm te blijven. Goed, ik zou het liefste tegen Lula tekeer zijn gegaan en haar desnoods ook nog gewurgd hebben, maar wat zou ik daarmee opschieten? 'Zo lang je maar weet dat jíj opdraait voor de reparatie van dat raam,' zei ik.

'Mooi niet. Dit is een huurhuis en daar zijn verzekeringen voor.' Ze sloeg nog een paar resterende scherven uit de sponning, stak haar arm door het open raam en maakte de deur open.

Ik haalde twee paar rubber wegwerphandschoenen uit mijn tas en we trokken ze aan. Gezien het feit dat we min of meer illegaal binnendrongen, zou het niet slim zijn om overal vingerafdrukken achter te laten. Met het soort mazzel dat ik altijd had, zou er iemand komen om de boel leeg te roven, waarna de politie mijn vingerafdrukken zou vinden.

Lula en ik glipten door de keukendeur naar binnen en deden hem achter ons dicht. Het was een kleine keuken en Lula en ik konden er maar nét naast elkaar staan.

'Misschien zou je naar de voorkamer willen gaan om daar op de uitkijk te staan,' zei ik. 'Om te voorkomen dat we hier verrast worden.'

'Uitkijk is mijn achternaam,' zei Lula. 'Niemand komt ongezien langs mij heen.'

Ik begon met het aanrecht en doorzocht de gebruikelijke keukenrommel. Er stonden geen notities op het blocnoteje naast de telefoon. Ik bladerde een stapel reclamepost door. Afgezien van een aanbieding aantrekkelijke handdoeken uit de collectie van Martha Stewart, kon ik niets interessants ontdekken. Op de koelkastdeur zat een van rood en groen vetkrijt gemaakte tekening van een huis. Dat moest Annies werk zijn, dacht ik. De borden stonden in een keurige stapel in een van de kastjes boven het aanrecht. De glazen waren glimmend schoon en stonden in groepjes van drie in de kast. De koelkast was opgeruimd en alle bederfelijke waar was verwijderd. Geen melk en geen sinaasappelsap. Geen verse groenten of fruit.

Ik trok een aantal conclusies uit de keuken. Evelyns voorraadkast was beter gevuld dan de mijne. Ze was overhaast vertrokken, maar had nog wel de tijd genomen om de melk weg te gooien. Als ze een alcoholiste was of aan de drugs was, was ze in ieder geval wel een verslaafde met verantwoordelijkheidsgevoel.

De keuken leverde niets bruikbaars op, en ik liep door naar de eetkamer en de zitkamer. Ik trok laden open en keek onder de kussens.

'Weet je waar ík naar toe zou gaan als ik zou moeten onderduiken?' vroeg Lula. 'Naar Disney World. Ben je daar ooit wel eens geweest? En als ik problemen had, dan zou ik er zéker naar toe gaan, want in Disney World zie je alleen maar gelukkige en blije mensen.'

'Ik ben zeven keer in Disney World geweest,' zei Kloughn.

Lula en ik schrokken ons wild van zijn stem.

'Hé,' zei Lula, 'je wordt geacht in de auto te zitten.'

'Ik kreeg genoeg van het wachten.'

Ik keek Lula nijdig aan.

'Ik heb voortdurend opgelet,' zei Lula, 'en ik snap niet hoe hij ongezien langs me heen heeft kunnen glippen.' Ze wendde zich tot Kloughn. 'Hoe ben je hier binnengekomen?'

'De achterdeur stond open. En het raam was ingeslagen. Jullie hebben het raam toch niet ingeslagen, hè? Dat zou jullie wel eens duur te staan kunnen komen. Dat is inbraak.'

'Het raam was al ingeslagen,' zei Lula. 'Daarom hebben we ook handschoenen aan. We willen de vingerafdrukken niet verpesten voor het geval er iets is gestolen.'

'Heel slim,' zei Kloughn. Zijn ogen straalden en zijn stem schoot een octaaf omhoog. 'Denken jullie echt dat er spullen gestolen zijn? Denken jullie dat er iemand in elkaar is geslagen?'

Lula keek hem aan alsof ze van haar leven nog nooit zo'n schlemiel had gezien.

'Ik ga even boven kijken,' zei ik. 'Jullie blijven beneden, en nergens aanzitten.'

'Wat ga je boven zoeken?' wilde Kloughn weten, terwijl hij me de trap op volgde. 'Ik wed dat je op zoek bent naar aanwijzingen om Evelyn en Annie te vinden. Weet je waar ik zou zoeken? Ik zou in de – '

Ik draaide me met zo'n wilde ruk om dat hij bijna zijn evenwicht verloor. '*Naar beneden!*' zei ik, met mijn neus vlak voor de zijne, en met een gestrekte arm omlaag wijzend. 'Ga op de bank zitten en kom daar niet vanaf voordat ik je roep.'

'Tsjees,' zei hij, 'je hoeft heus niet zo tegen me te schreeuwen, hoor. Of heb je soms zo'n je-weet-wel-dag?'

Ik kneep mijn ogen halfdicht. '*Wat* voor je-weet-wel-dag?'

'Nou, je weet wel.'

'Nee, ik heb *niet* zo'n je-weet-wel-dag,' zei ik.

'Ja, zo is ze wanneer ze een goede dag heeft,' zei Lula. 'En als ze zo'n je-weet-wel-dag heeft, dan kun je maar beter zo ver mogelijk uit haar buurt blijven.'

Er lagen en hingen nog kleren in de commode en de kast. Evelyn moest alleen het hoognodige hebben meegenomen. Of haar verdwijning was van tijdelijke aard, of ze had zo'n haast gehad dat ze niet alles had kunnen meenemen. Of misschien alle twee.

Voor zover ik kon overzien viel nergens een spoor van Steven te bekennen. Evelyn moest hem zorgvuldig uit haar huis hebben gebannen. Er stonden geen restjes herentoiletartikelen in de badkamer, er hing geen vergeten mannenbroekriem in de kast en nergens stond een familiekiekje in een zilveren lijstje. Na mijn scheiding van Dickie had ik hetzelfde gedaan. Toch duurde het nog maanden voor ik echt nergens meer iets onverwachts van hem tegenkwam... een herensok die achter de wasmachine was gevallen, een sleutelbos die onder de bank terecht was gekomen en als verloren was beschouwd.

Het medicijnkastje bevatte de gebruikelijke dingen... een potje Tylenol, een fles kinderhoestsiroop, tandflos, nagelschaartje, een pakje pleisters, talkpoeder. Geen uppers en geen downers. Geen hallucinogene middelen. Geen antidepressiva. En verder ook absoluut niets alcoholisch, hetgeen me op zich enigszins verdacht voorkwam. Geen wijn of gin in de keukenkastjes. Geen bier in de koelkast. Misschien had Carol zich wel vergist voor wat de drank en de pillen betrof. Of anders had Evelyn alles meegenomen.

Kloughn keek om het hoekje van de badkamerdeur. 'Je hebt er toch niets op tegen als ik ook mee help zoeken, hè?'

'Ja! Daar heb ik wél wat op tegen. Ik heb je gezegd dat je op de bank moest blijven zitten. En wat doet Lula eigenlijk? Zij werd geacht jou in de gaten te houden.'

'Lula staat op de uitkijk. Daar zijn geen twee mensen voor nodig, dus ik vond dat ik jou beter met zoeken zou kunnen helpen. Heb je al in Annies kamer gekeken? Ik heb er net even gekeken en geen aanwijzingen kunnen vinden, maar die tekeningen van haar zijn echt eng. Heb je die tekeningen van haar gezien? Ik zeg je, dat kind heeft ernstige problemen. Dat komt natuurlijk door de televisie. Al dat geweld.'

'De enige tekening die ik van haar heb gezien is van een rood met groen huis.'

'En leek het rood op bloed?'

'Nee. Het leek op ramen.'

'O, o,' zei Lula vanuit de voorkamer.

Verdomme. Ik haat *O,o.* 'Wat is er?' riep ik naar beneden.

'Er is een auto achter je CR-V gestopt.'

Ik keek door Evelyns slaapkamerraam naar buiten. Het was een zwarte Lincoln Towncar. Er stapten twee mannen uit die naar Evelyns voordeur kwamen gelopen. Ik greep Kloughns hand en trok hem achter me aan de trap af. Kalm blijven, dacht ik. De voordeur is dicht. En ze kunnen niet naar binnen kijken. Ik gebaarde dat iedereen stil moest zijn en we stonden alle drie als nauwelijks ademende zoutpilaren terwijl een van de mannen op de voordeur klopte.

'Niemand thuis,' zei hij.

Langzaam liet ik de lucht uit mijn longen ontsnappen. Nu zouden ze wel weer weggaan. Ja toch? Dus niet. Ik hoorde iemand een sleutel in het slot steken. Het slot klikte en de deur zwaaide open.

Lula en Kloughn doken achter mij. De twee mannen stonden op de veranda.

'Ja?' vroeg ik, terwijl ik de indruk probeerde te wekken alsof ik bij het huis hoorde.

De mannen waren eind veertig, begin vijftig. Gemiddelde lengte. Stevige bouw. Gekleed in donkere pakken. Beiden blank. En ze maakten niet de indruk dat ze blij waren om ons drieën in Evelyns huis te zien.

'We zoeken Evelyn,' zei een van de mannen.

'Ze is er niet,' zei ik. 'En wie zijn jullie?'

'Eddie Abruzzi. En dit is mijn partner, Melvin Darrow.'

3

O jee. Eddie Abruzzi. Nou, daarmee was mijn dag écht wel door de plee.

'Ik heb gehoord dat Evelyn verhuisd is,' zei Abruzzi. 'Je weet zeker niet toevallig waar ze is, hè?'

'Nee,' antwoordde ik. 'Maar zoals je zelf kunt zien, is ze niet verhuisd.'

Abruzzi keek om zich heen. 'Haar meubels staan er, maar dat betekent nog niet automatisch dat ze niet verhuisd zou zijn.'

'Nou, in technisch opzicht...' zei Kloughn.

Abruzzi nam Kloughn met half samengeknepen ogen op. 'Wie ben jij?'

'Albert Kloughn. Evelyns advocaat.'

Daar moest Abruzzi om glimlachen. 'Evelyn heeft een advocaat die clown is. Geweldig.'

'K-l-o-u-g-h-n,' spelde Albert Kloughn.

'En ik ben Stephanie Plum,' zei ik.

'Ik weet wie jij bent,' zei Abruzzi. Zijn stem was griezelig zacht en zijn pupillen waren ineengekrompen tot de maat van een speldenprik. 'Jij hebt Benito Ramirez vermoord.'

Benito Ramirez was een zwaargewicht bokser die mij meerdere keren geprobeerd had te vermoorden en die uiteindelijk was doodgeschoten toen hij zich bij mij op de brandtrap bevond en op het punt had gestaan mijn raam in te slaan. Hij was een door en door slechte, totaal geschifte crimineel die zijn medemens voor de lol pijn liet lijden.

'Ramirez was van mij,' zei Abruzzi. 'Ik had heel wat tijd en geld in hem geïnvesteerd. En ik begreep hem. We hielden er een aantal dezelfde hobby's op na.'

'Ik heb hem niet vermoord,' zei ik. 'Dat weet je toch wel, hè?'

'Je hebt de trekker niet overgehaald... maar je hebt hem wel vermoord.' Hij keek naar Lula. 'En ik weet ook wie jij bent. Je bent een van Benito's hoeren. Hoe was het om tijd met Benito door te brengen? Vond je het lekker? Voelde je je bevoorrecht? Heb je iets geleerd?'

'Ik voel me niet zo goed,' zei Lula. En ze viel ter plekke flauw, boven op Kloughn die samen met haar tegen de vlakte sloeg.

Lula was op de meest onmenselijke manier door Ramirez mishandeld. Hij had haar gemarteld en haar vervolgens zo goed als dood aan haar lot overgelaten. Maar Lula was niet gestorven. Zoals ook nu weer bleek, was het niet zo gemakkelijk om Lula te vermoorden.

Dat in tegenstelling tot Kloughn, die eruitzag alsof hij elk moment de geest kon geven. Kloughn, van wie alleen zijn voeten maar te zien waren, werd door Lula verpletterd. Hij deed een aardige imitatie van de Wicked Witch of the East toen Dorothy's huis boven op haar instortte. Hij produceerde een geluid dat het midden hield tussen een piep en rochelen. 'Help,' fluisterde hij, 'ik krijg geen lucht.'

Darrow greep een van Lula's benen en ik greep haar bij de arm, en samen trokken we haar van Kloughn af.

Kloughn lag even hijgend met verdwaasde, glazige ogen naar ons op te staren. 'Lijkt het alsof ik iets gebroken heb?' vroeg hij. 'Heb ik mijzelf bevuild?'

'Wat doen jullie hier en hoe zijn jullie binnengekomen?' wilde Abruzzi van mij weten.

'We kwamen Evelyn een bezoekje brengen,' zei ik, 'en de achterdeur stond open.'

'Dragen jij en die dikke hoerenvriendin van je altijd rubberen handschoenen?'

Lula sloeg een oog op. 'Wie noem je dik?' Ze deed haar andere oog open. 'Wat is er gebeurd? Hoe kom ik op de vloer?'

'Je bent flauwgevallen,' zei ik.

'Dat is een leugen,' zei ze, overeind krabbelend. 'Ik val niet flauw. Ik ben nog nooit van mijn leven flauwgevallen.' Ze keek naar Kloughn die nog steeds op zijn rug lag. 'Wat heeft hij?'

'Je bent boven op hem gevallen.'

'Je hebt me vermorzeld als een onbeduidend insect,' zei Kloughn. 'Ik bof dat ik nog leef.'

Abruzzi nam ons om beurten even op. 'Dit is mijn huis,' zei hij. 'Breek niet nog eens in. Het kan me niet schelen of jullie vrienden van de familie, advocaten of moordlustige teven zijn. Ben ik duidelijk?'

Ik klemde mijn lippen op elkaar en zei niets.

Lula verplaatste haar gewicht van haar ene op haar andere voet. 'Hm,' zei ze.

En Kloughn knikte ijverig van ja. 'Ja, meneer,' zei hij. 'We hebben het begrepen. No problemo. We kwamen alleen maar even langs om – '

Lula gaf hem een harde trap tegen zijn kuit.

'Au!' riep Kloughn uit, terwijl hij dubbelsloeg en zijn been vastpakte.

'Ga mijn huis uit,' zei Abruzzi tegen mij. 'En kom niet terug.'

'Evelyns familie heeft me verzocht haar belangen te behartigen. En dat betekent dat ik haar van tijd tot tijd een bezoekje kom brengen.'

'Je luistert niet,' zei Abruzzi. 'Ik zeg je dat je je er niet mee moet bemoeien. Ik zeg je dat je hier niet binnen moet komen en dat je je niet met Evelyns zaken moet bemoeien.'

Op slag begonnen er allerlei alarmbellen in mijn hoofd te rinkelen. Waarom maakte Abruzzi zich druk om Evelyn en haar huis? Hij was haar huisbaas, goed. Maar voor zover ik van zijn zaken op de hoogte was, kon dit niet eens een belangrijk pand voor hem zijn.

'En als ik dat weiger?'

'Dan maak ik je leven bijzonder onaangenaam. Dat hadden Benito en ik met elkaar gemeen. We wisten wat we moesten doen met vrouwen die niet wilden luisteren. Zeg eens,' zei Abruzzi, 'hoe waren Benito's laatste momenten? Had hij pijn? Was hij bang? Wist hij dat hij ging sterven?'

'Dat weet ik niet,' antwoordde ik. 'Ik bevond me aan de andere kant van het raam. Ik weet niet wat hij voelde.' Afgezien dan van uitzinnige woede.

Abruzzi keek me nog even aan. 'Het lot is iets grappigs, vind je ook niet? Want kijk, je bent weer terug in mijn leven. En je bevindt je opnieuw aan de verkeerde kant. Ik ben benieuwd hoe deze campagne zich zal ontplooien.'

'Campagne?'

'Ik bestudeer militaire geschiedenis. En tot op zekere hoogte kan dit worden vergeleken met oorlog.' Hij maakte een onduidelijk gebaar. 'Misschien niet met oorlog. Eerder met een schermutseling, denk ik. En omdat ik vandaag in een royale bui ben, geef ik je de keuze. Je kunt

Evelyn en dit huis de rug toekeren, en ik laat je gaan. Daarmee is je amnestie een feit. Maar als je erop staat om aan de strijd deel te blijven nemen, dan beschouw ik je van nu af aan als de vijand. En daarmee gaat het spel van oorlogvoeren van start.'

O jee, de man was totaal geschift. Ik hief mijn handen op. 'Ho, ho, ik speel geen oorlogsspelletjes. Ik ben alleen maar een vriendin van de familie die even bij Evelyn komt kijken. We gaan nu weer weg en ik vind dat jullie dat ook zouden moeten doen.' En ik vind dat je een pil zou moeten slikken. Een heel *grote* pil.

Ik duwde Kloughn en Lula langs Abruzzi en Darrow de deur uit naar buiten. Ik liet ze zo snel mogelijk instappen en reed weg.

'Godallemachtig,' zei Lula. 'Wat was dat? Ik héb het niet meer. Eddie Abruzzi heeft net zulke ogen als Ramirez. En Ramirez heeft geen ziel. Ik dacht dat ik dat alles achter me had gelaten, maar toen ik zonet in die ogen keek, ging opeens het licht voor me uit. Het was net alsof ik weer met Ramirez was. Ik zweer je, ik heb het niet meer. Het zweet druipt van me af. Ik ben aan het hyperventileren. Ik heb een hamburger nodig. Nee, wacht even, ik heb net een hamburger op. Ik heb iets anders nodig. Wat ik nodig heb... wat ik nodig heb... ik moet winkelen. Ik heb nieuwe schoenen nodig.'

Kloughn begon te stralen. 'Dus Ramirez en Abruzzi zijn boeven, klopt dat? En Ramirez is dood, klopt dat? Wat was hij? Een beroepsmoordenaar?'

'Hij was een beroepsmoordenaar.'

'Goeie hemel! *Díe* Ramirez. Ik kan me herinneren dat ik over hem in de krant heb gelezen. Goeie hemel, en dan ben jij degene die Benito Ramirez vermoord heeft.'

'Ik heb hem niet vermoord,' zei ik. 'Hij stond op mijn brandtrap en probeerde in te breken, en iemand anders heeft hem doodgeschoten.'

'Ja, ze schiet bijna nooit op mensen,' zei Lula. 'En mij kan het trouwens niet schelen. Ik wil hier zo snel mogelijk weg. Ik heb behoefte aan winkelcentrumlucht. Ik zou heel wat meer lucht kunnen krijgen als ik winkelcentrumlucht had.'

Ik bracht Kloughn terug naar de wasserette en zette Lula af bij het kantoor. Lula ging er in haar Trans Am als een razende vandoor, en ik ging naar binnen om een praatje met Connie te maken.

'Weet je, die man die je gisteren hebt opgepakt?' begon Connie. 'Martin Paulson? Die loopt weer vrij rond. Er was iets niet in orde met zijn oorspronkelijke arrestatie en de zaak is opgeschort.'

'Die man zou voor de kost achter slot en grendel moeten zitten.'

'En het schijnt dat de eerste woorden die hij bij zijn vrijlating sprak, bepaald geen vleiende complimentjes aan jouw adres waren.'

'Geweldig.' Ik ging op de bank zitten en zakte onderuit. 'Wist jij dat Benito Ramirez van Eddie Abruzzi was? We kwamen hem tegen bij Evelyns huis. En over Evelyns huis gesproken, er is een ruit kapot en die moet vervangen worden. Aan de achterkant.'

'Het was een kind met een honkbal, ja toch?' vroeg Connie. 'En nadat je zag hoe hij zijn bal door de ruit had geslagen, ging hij er als een haas vandoor en je weet niet wie hij is. Of wacht, nóg beter, je hebt het helemaal niet zien gebeuren. Je kwam bij het huis en zag dat er een ruit was ingeslagen.'

'Correct. Vertel op, wat weet je van Abruzzi?'

Connie tikte de naam in op de computer. Nog geen minuut later kwam de informatie binnenrollen. Woonadres, vorig woonadres, werkverleden, echtgenotes, kinderen, strafblad. Ze drukte alles af en gaf me de print. 'Als je wilt kan ik ook uitzoeken welk merk tandpasta hij gebruikt en hoe groot zijn rechterbal is, maar dat duurt wat langer.'

'Verleidelijk, maar ik denk niet dat ik op dit moment al behoefte heb aan de afmeting van zijn ballen.'

'Ik wed dat hij knoeperds heeft.'

Ik drukte mijn oren dicht. 'Ik luister niet!' Ik keek Connie van terzijde aan. 'Wat weet je verder nog van hem?'

'Niet veel. Alleen dat hij aardig wat onroerend goed in de Wijk en in het centrum bezit. Ik heb gehoord dat hij geen aardig type is, maar ik weet geen details. Een tijdje terug is hij gearresteerd wegens chantage, maar uiteindelijk werd de zaak weer ingetrokken wegens gebrek aan *levende* getuigen. Waarom wil je dat allemaal weten?' vroeg Connie.

'Morbide nieuwsgierigheid.'

'Ik heb vandaag twee nieuwe gevallen binnengekregen. Laura Minello is een paar weken geleden opgepakt wegens winkeldiefstal en ze is gisteren niet komen opdagen voor de zitting.'

'Wat had ze gestolen?'

'Een gloednieuwe BMW. Rood. Ze is er op klaarlichte dag zomaar mee van de parkeerplaats gereden.'

'Voor een proefrit?'

'Ja, alleen dat ze niemand had verteld dat ze ermee wegging en dat ze er vier dagen mee had proefgereden voor ze haar te pakken kregen.'

'Op zich valt een vrouw met zoveel initiatief toch te bewonderen.'

Connie reikte me twee dossiers aan. 'De tweede die niet ter zitting is verschenen, is Andy Bender. Hij is al eerder veroordeeld voor huiselijk geweld. Ik geloof dat je hem al eens eerder hebt opgepakt. Op maandag of vrijdag zit hij meestal stomdronken thuis.'

Ik bladerde Benders dossier door. Connie had gelijk. Ik had al eerder met hem in de clinch gelegen. Hij was een waardeloos, schriel mannetje. En hij was een gevaarlijke zuiplap.

'Dit is die man die me met een kettingzaag achterna heeft gezeten,' zei ik.

'Ja, maar bekijk het van de positieve kant,' zei Connie. 'Hij had geen revolver.'

Ik stak de twee dossiers in mijn tas. 'Misschien zou je Evelyn Soder voor me door de computer willen halen, om te zien of je achter haar meest intieme geheimen kunt komen.'

'Voor intieme geheimen heb ik achtenveertig uur nodig.'

'Zet maar op mijn rekening. Ik moet weg. Ik moet de Tovenaar spreken.'

'De Tovenaar heeft niet op zijn pieper gereageerd,' zei Connie. 'Zeg hem dat hij me moet bellen.'

De Tovenaar is Ranger. Hij is de Tovenaar omdat hij magisch is. Hij kan op mysterieuze wijze dwars door alle dichte deuren lopen. Hij schijnt gedachten te kunnen lezen. Hij is in staat toetjes te weigeren. En hij hoeft me maar met zijn vingertop aan te raken, en ik sta al in vuur en vlam. Ik wilde hem bellen, maar aan de andere kant wilde ik dat ook niet. Onze verhouding bevond zich in een vreemde fase die zich kenmerkte door dubbelzinnige opmerkingen en opgekropte seksuele spanning. Maar daarnaast waren we in zekere zin ook partners, en hij had contacten die ik van mijn leven niet zou hebben. Het zoeken naar Annie zou veel sneller gaan als ik Ranger erbij betrok.

Ik ging in mijn auto zitten en belde Ranger met mijn mobieltje. Ik sprak een boodschap voor hem in en las Benders dossier door. Zo te zien was er, sinds ik de man de laatste keer had gezien, niet veel gebeurd. Hij was nog steeds werkloos. Hij reageerde zich nog steeds af op zijn vrouw. En hij woonde nog steeds in de huizen van het woningbouwproject aan de andere kant van de stad. Het zou niet moeilijk zijn om hem te vinden. Wat wél moeilijk zou zijn, was hem in mijn auto krijgen.

Hé, dacht ik, hou op met van begin af aan al negatief te zijn. Bekijk het van de positieve kant, goed? Bekijk het op de fles-is-half-vol-manier. Misschien spijt het meneer Bender wel dat hij zijn zitting is misgelopen. Misschien vindt hij het wel leuk om me weer te zien. Misschien zit er geen benzine meer in zijn kettingzaag.

Ik schakelde en reed naar de andere kant van de stad. Het was een mooie middag en de huizen van het project zagen er bewoonbaar uit. Het zand in de voortuinen straalde een bepaalde hoop uit, alsof er een kans was dat er dit jaar gras uit zou groeien. Misschien dat de wrakken langs de stoeprand zouden ophouden met olie te lekken. Misschien dat er een hoofdprijs op het loterijbriefje zou vallen. Maar aan de andere kant, misschien ook niet.

Ik parkeerde voor Benders huis en bleef er een poosje naar zitten kijken. Bij gebrek aan een beter woord zou dit gedeelte van het project omschreven moeten worden als tuinappartementen. Bender woonde op de begane grond. Hij had een mishandelde vrouw en, goddank, geen kinderen.

Een eindje verderop was een soort van openluchtmarkt aan de gang. De stalletjes waren twee auto's – een oude Cadillac en een nieuwe Oldsmobile. De eigenaars hadden hun wagens langs de stoep gezet en verkochten handtassen, T-shirts, dvd's en de hemel weet wat nog meer vanuit hun kofferbak. Er verdrong zich een aantal mensen rond de auto's.

Ik zocht in mijn tas en vond een klein busje pepperspray. Ik schudde het om het te activeren en stak het, om het gemakkelijk bij de hand te hebben, in mijn broekzak. Ik haalde een stel handboeien uit het handschoenenvakje en stak ze achter in mijn spijkerbroek. Mooi, nu zag ik er tenminste uit als een premiejager. Ik liep naar Benders deur, haalde diep adem en klopte aan.

De deur ging open en Bender keek me aan. 'Ja?'

'Andy Bender?'

Hij boog zich naar me toe en kneep zijn ogen halfdicht. 'Ken ik jou?'

Doe het meteen, dacht ik, terwijl ik mijn hand naar mijn rug bracht om de handboeien te pakken. Wees snel en verras hem. 'Stephanie Plum,' zei ik, terwijl ik de handboeien uit mijn broekriem trok en er een rond zijn linkerpols klikte. 'Borgstellingsfunctionaris. We moeten naar het politiebureau om een nieuwe afspraak voor uw rechtszitting te maken.' Ik legde mijn hand op zijn schouder en draaide hem om, om ook zijn rechterpols in de boeien te slaan.

'Hé, hé, wacht eens eventjes,' zei hij, zich losrukkend. 'Wat heeft dit verdomme te betekenen? Ik ga nergens naar toe.'

Hij haalde naar mij uit, verloor zijn evenwicht en viel zijwaarts tegen een bijzettafeltje. Een lamp en een asbak vielen op de grond. Bender keek ongelovig naar de schade. 'Je hebt mijn lamp gebroken,' zei hij. Hij liep rood aan en vernauwde zijn ogen tot spleetjes. 'En daar ben ik niet blij mee.'

'Ik heb die lamp niet gebroken!'

'Ik zeg dat je mijn lamp hebt gebroken. Ben je soms doof, of zo?' Hij raapte de lamp op en gooide hem naar mij toe. Ik deed een stapje opzij en de lamp vloog langs mij heen tegen de muur.

Ik ramde mijn hand in mijn zak, maar Bender had me al getackeld voordat ik de spray te pakken had kunnen krijgen. Hij was een paar centimeter langer dan ik, en mager en pezig. Hoewel hij niet bepaald sterk was, was hij even vals en gemeen als een slang. En hij was gemotiveerd door haat en bier. We kropen een poosje schoppend en krabbend over de vloer. Hij probeerde me zoveel mogelijk letsel toe te brengen en ik probeerde hem te ontwijken, en geen van beiden hadden we erg veel succes.

In de kamer was het een rotzooi van stapels kranten, vuile borden en lege bierblikjes. We stootten tegen tafels en stoelen, waarbij er borden en blikjes op de vloer vielen waar we dan weer overheen kropen. Er ging een schemerlamp tegen de vlakte, gevolgd door een pizzadoos.

Ik wist me uit zijn greep los te rukken en overeind te krabbelen. Hij kwam me achterna en produceerde een twintig centimeter lang slagersmes. Ik neem aan dat hij dat onder de berg vuilnis in zijn zitkamer had liggen. Ik slaakte een angstig kreetje en ging er vandoor. Geen tijd voor de peperspray.

Voor iemand die zo stomlazerus was als hij, was hij bijzonder snel. Ik rende zo hard als ik kon de straat op. Hij zat me op de hielen. Ik bleef staan toen ik bij de venters van de gestolen goederen was gekomen, dook achter de Cadillac en probeerde wat op adem te komen.

Een van de verkopers kwam naar me toe. ‘Ik heb leuke T-shirts,’ zei hij. ‘Precies dezelfde als die ze bij de Gap verkopen. En ik heb ze in alle maten.’

‘Geen interesse,’ zei ik.

‘Ze zijn niet duur.’

Bender en ik dansten rond de auto. Hij deed een stap, en dan deed ik een stap, en dan deed hij er weer een, en ik volgde zijn voorbeeld. Ondertussen probeerde ik de peperspray uit mijn zak te krijgen. Het probleem was dat mijn broek nogal strak was en dat de spray naar het diepste punt van mijn zak was gezakt en dat mijn handen zweetten en beefden.

Er zat een man op de motorkap van de Oldsmobile. ‘Andy,’ riep hij, ‘waarom zit je dat meisje met een mes achterna?’

‘Ze heeft mijn lunch verpest. Ik was net gaan zitten om mijn pizza te eten, toen zij kwam en alles verpestte.’

‘Ja, dat zie ik,’ zei de man op de Oldsmobile. ‘Ze zit onder de pizza. Het lijkt wel alsof ze erin heeft liggen rollen.’

Er zat nóg een man op de Oldsmobile. ‘Lekker kinky.’

‘Misschien zouden jullie me een handje willen helpen,’ zei ik. ‘Zeg hem dat hij dat mes moet laten vallen. Of bel de politie. Het maakt niet uit wat, maar dóe iets!’

‘Hé, Andy,’ zei een van de mannen. ‘Ze wil dat je dat mes laat vallen.’

‘Ik snij haar open als een vis,’ zei Bender. ‘En dan fileer ik haar als een forel. Ik laat door geen enkele teef mijn lunch verpesten.’

De twee mannen op de auto grijnsden. ‘Andy zou eens zo’n cursus moeten doen waarin ze je leren hoe je met woede moet omgaan,’ zei een van hen.

De T-shirt-verkoper was naast me komen staan. ‘Ja, en van vissen weet hij ook niet veel. Dat is bepaald geen fileermes.’

Eindelijk had ik de spray uit mijn zak gekregen. Ik schudde het busje en richtte het op Bender.

De drie mannen kwamen op slag in actie, sloegen de kofferbakken dicht en maakten dat ze uit mijn buurt kwamen. ‘Hé, let je wel even op de windrichting met dat spul,’ zei er een. ‘Ik heb geen behoefte aan een niesbui. En ik heb het ook liever niet op mijn handel. Ik ben een zakenman, hoor je me? En dit is onze inventaris hier, weet je wel?’

‘Ik ben niet bang voor dat spul,’ zei Bender, terwijl hij met zijn mes zwaaiend om de Cadillac heen kwam. 'Ik ben er gek op. Spuit me er maar mee in. Ik ben er al zo vaak mee behandeld dat ik er aan verslaafd ben.'

'Wat heb je daar om je pols?' vroeg een van de mannen aan Bender. 'Het lijkt wel een armband. Doen jij en je vrouw tegenwoordig aan dat SM-gedoe?'

'Dat zijn mijn handboeien,' zei ik. 'Hij is in overtreding van zijn borgcontract.'

'Hé, ik ken jou,' zei een van de mannen. 'Ik heb je foto in de krant gezien. Je hebt een uitvaartbedrijf in de as gelegd en je wenkbrauwen in brand gestoken.'

'Daar kon ik niets aan doen!'

Ze moesten weer grijnzen met z'n allen. 'Heeft Andy je vorig jaar niet met een kettingzaag achternagezeten? En nu ben je alleen maar met dat speelgoedbusje peperspray gekomen? Waar is je revolver? Je bent waarschijnlijk de enige in deze buurt die geen revolver op zak heeft.'

'Geef me de sleutels,' zei Bender tegen de T-shirt-man. 'Ik smeer 'm. Voordat ik hier nog depressief van word.'

'Ik ben nog niet klaar met verkopen.'

'Dat doe je dan maar een andere keer.'

'Shit,' zei de man en gooide hem de sleuteltjes toe.

Bender stapte in de Cadillac en reed vol gas weg.

'Wat had dat te betekenen?' vroeg ik. 'Waarom heb je hem de sleutels gegeven?'

De T-shirt-man haalde zijn schouders op. 'Het is zijn auto.'

'Het borgcontract maakt geen melding van een auto,' zei ik.

'Nou, het zou me niets verbazen als die ouwe Andy niet alles vertelde. En daarbij, hij heeft hem nog maar pas.'

Waarschijnlijk afgelopen nacht gestolen, dacht ik. Met de T-shirts.

'Weet je zeker dat je geen T-shirt wilt? In de Oldsmobile hebben we er nog meer,' zei de man. Hij maakte de kofferbak open en haalde er een aantal shirts uit. 'Moet je kijken. Hier heb je het V-halsmodel. Er zit zelfs wat lycra in. Dit shirt zou je heel goed staan. En je borsten komen er lekker in uit.'

'Wat moet het kosten?' vroeg ik.

'Hoeveel heb je?'

Ik stak mijn hand in mijn zak en haalde er twee dollar uit.

'Dit is je geluksdag,' zei de man. 'Want je treft het. Dit shirt is toevallig afgeprijsd en kost twee dollar.'

Ik gaf hem het geld, pakte het shirt van hem aan en liep terug naar mijn auto.

Er stond een glanzende zwarte auto vlak voor de mijne. Er stond een man tegenaan geleund die me glimlachend observeerde. Ranger. Zijn zwarte haar zat strak naar achteren gekamd in een staartje. Hij droeg een zwarte cargobroek, zwarte Bates-laarzen en een zwart T-shirt dat strak over de spieren spande die hij had verworven toen hij bij de Speciale Eenheid had gezeten.

'Wezen winkelen?' vroeg hij

Ik gooide het T-shirt in mijn Honda. 'Ik heb hulp nodig.'

'Alweer?'

Een tijdje eerder had ik Ranger gevraagd om me te helpen bij de aanhouding van een zekere Eddie DeChooch. DeChooch was beschuldigd van sigarettensmokkel en maakte me het leven op verschillende manieren uiterst lastig. In ruil voor zijn hulp wilde Ranger, die de mentaliteit van een huursoldaat had, een door hem te bepalen nacht met me doorbrengen. En hij zou mogen bepalen hóe we die nacht zouden doorbrengen. Dat was niet echt een straf, want ik voelde me als een mot tot een kaarsvlam tot Ranger aangetrokken. Dat nam evenwel niet weg dat ik het een angstaanjagend idee vond. Ik bedoel, hij is de Tovenaar, nietwaar? Ik krijg al bijna een orgasme van gewoon maar naast hem te staan. Dus hoe moest de feitelijke penetratie dan wel niet zijn? Goeie god, mijn hele vagina zou wel eens in vlammen op kunnen gaan. En dan heb ik het nog niet eens over het feit dat ik er nog steeds niet uit ben of ik nu wel of niet nog steeds bij Morelli hoor.

Ik had DeChooch niet zonder Rangers hulp kunnen inrekenen. En het was een op zich goede arrestatie geweest, zij het dan dat er een paar kleine dingetjes mis waren gegaan... zoals dat DeChoochs oor eraf werd geschoten. Ranger had DeChooch afgevoerd naar de bewaakte afdeling van het St. Francis Hospital en ik was naar huis gegaan en in bed gekropen, en had geweigerd om aan de gebeurtenissen van die dag te denken.

Ik kan me nog steeds levendig herinneren wat er daarna was gebeurd. Om één uur hoorde ik eerst het slot van mijn voordeur draaien en daarna hoe het beveiligingskettinkje eraf werd gehaald. Ik ken een heleboel mensen die een slot kunnen forceren. Ik ken maar één man die in staat is om van buitenaf een beveiligingskettinkje los te maken.

Ranger verscheen op de drempel van mijn slaapkamer en klopte zachtjes op de sponning. 'Ben je wakker?'

'Ja, nu wel. Ik ben me wezenloos geschrokken. Waarom heb je niet gewoon aangebeld?'

'Ik wilde je niet uit bed halen.'

'Wat is er aan de hand?' vroeg ik. 'Is alles goed afgelopen met DeChooch?'

Ranger maakte zijn wapengordel los en liet hem op de grond vallen. 'Met DeChooch is alles in orde, maar wij hebben nog iets af te ronden.'

Nog iets af te ronden? O, lieve help, hij had het over het verzilveren van zijn prijs. De kamer tolde om me heen en onwillekeurig drukte ik het laken tegen mijn borst.

'Dit komt een beetje onverwacht,' zei ik. 'Ik bedoel, ik had niet verwacht dat het al zo snel zou moeten gebeuren. En dát het zou moeten gebeuren. Ik wist niet eens of je het wel echt meende. Niet dat ik terug wil krabbelen of zo, maar, eh, wat ik bedoel is...'

Ranger trok zijn wenkbrauwen op. 'Maak ik je nerveus?'

'Ja.' Verdomme.

Hij ging zitten op de schommelstoel in de hoek. Hij zakte een beetje onderuit, zette zijn ellebogen op de leuningen van de stoel en drukte zijn vingertoppen tegen elkaar.

'Nou?' vroeg ik.

'Rustig maar. Ik wil nog niets van je hebben.'

Ik knipperde met mijn ogen. 'Nee? Waarom heb je je gordel dan afgedaan?'

'Ik ben moe. Ik wilde zitten en dat ding zit me in de weg.'

'O.'

Hij glimlachte. 'Teleurgesteld?'

'Nee.' Liegbeest.

Zijn glimlach werd breder.

'Wat valt er dan nog af te ronden?'

'Het ziekenhuis houdt DeChooch tot morgenochtend vast. Morgenochtend vroeg wordt hij overgebracht naar de gevangenis. Daar zou iemand bij moeten zijn om ervoor te zorgen dat er geen administratieve fouten worden gemaakt.'

'En die iemand, dat ben ik?'

Ranger keek me over zijn vingertoppen heen aan. 'Dat ben jij.'

'Je had ook kunnen bellen om me dat te vertellen.'

Hij raapte zijn gordel op en ging staan. 'Ja, dat had ik kunnen doen, maar dat zou niet half zo interessant zijn geweest.' Hij gaf me een luchtige zoen op mijn mond en liep naar de deur.

'Hé,' zei ik, '... die deal tussen ons. Dat was toch zeker een grapje, hè?'

Dat was de tweede keer dat ik dat vroeg, en ik kreeg dezelfde reactie. Een glimlach.

En sindsdien was er een aantal weken verstreken. Ranger had de hem toekomende beloning nog steeds niet geïncasseerd, en ik verkeerde in de bepaald niet benijdenswaardige positie dat ik opnieuw om zijn hulp verlegen zat. 'Weet jij iets van borgcontracten in kindervoogdijzaken?' vroeg ik hem.

Hij liet zijn hoofd een fractie van een centimeter zakken. Dit was Rangers manier van overdreven knikken. 'Ja.'

'Ik ben op zoek naar een moeder en haar dochtertje.'

'Hou oud is dat dochtertje?'

'Zeven.'

'Uit de Wijk?'

'Ja.'

'Het is moeilijk om een kind van zeven verstopt te houden,' zei Ranger. 'Ze gluren door vensters en staan in deuropeningen. Als het kind zich in de Wijk bevindt, dan is dat zo bekend. In de Wijk kunnen geen geheimen bewaard worden.'

'Ik heb niets gehoord. Ik heb geen enkel aanknopingspunt. Connie is bezig om via de computer het een en ander te achterhalen, maar op die uitslag moet ik nog zeker twee dagen wachten.'

'Vertel me wat je weet, en ik zal navraag doen.'

Ik keek langs Ranger in de verte en zag de Cadillac aan komen rijden. Bender zat nog steeds achter het stuur. Hij nam gas terug toen hij bij ons was, stak zijn middelvinger naar me op, en reed door – de hoek om en uit het zicht.

'Vriendje van je?' vroeg Ranger.

Ik trok het linkerportier van mijn Honda open. 'Ik word geacht hem in te rekenen.'

'En?'

'Morgen.'

'Daar zou ik je ook mee kunnen helpen. We zouden een rekening voor je kunnen openen.'

Ik keek hem aan en trok een gezicht. 'Ken je Eddie Abruzzi?'

Ranger haalde een plakje salami uit mijn haar en veegde wat kruimels van chips van mijn T-shirt. 'Abruzzi is geen aardige man. Ik raad je aan om zoveel mogelijk uit zijn buurt te blijven.'

Ik deed mijn best om Rangers handen op mijn borst te negeren. Zo op het eerste gezicht leek het heel onschuldig wat hij deed, maar diep in mijn buik voelde het als seks. 'Hou op me te strelen,' zei ik.

'Misschien kun je er maar beter zo snel mogelijk aan wennen, met het oog op wat je me verschuldigd bent.'

'Hé, ik probeer een gesprek met je te voeren! De voortvluchtige moeder woont in een huurhuis dat het eigendom van Abruzzi is. Ik ben hem vanochtend min of meer tegen het lijf gelopen.'

'Drie keer raden. Je hebt in zijn lunch liggen rollen?'

Ik keek omlaag naar mijn shirt. 'Nee. De lunch was van die man die net zijn middelvinger naar me opstak.'

'Waar ben je Abruzzi dan tegengekomen?'

'In dat huurhuis. En dat is nu juist zo vreemd... Abruzzi wilde niet dat ik in dat huis was en hij wilde niet dat ik me met Evelyn bemoeide. Ik bedoel, wat kan hem dat nou schelen? Hij heeft panden die veel en veel meer huur opbrengen. En hij deed bijna griezelig eng over dat dit een militaire campagne en een oorlogsspelletje zou zijn.'

'Abruzzi komt in de eerste plaats aan de kost door het verstrekken van dubieuze leningen,' vertelde Ranger. 'En het geld dat hij daarmee verdient investeert hij in onroerend goed – een manier om zwart geld wit te wassen. Zijn hobby is het spelen van oorlogsscenario's. Weet je wat dat is?'

'Nee.'

'Het gaat om de studie van militaire strategieën. Het is oorspronkelijk begonnen met een aantal mannen die tinnen soldaatjes over een landkaart heen en weer schoven. Een soort bordspel, zeg maar. Er worden denkbeeldige gevechten in scène gezet en uitgevochten. Tegenwoordig worden de meeste van dat soort spelletjes per computer gespeeld. Het is het Dungeons en Dragons voor volwassenen. En ik heb me laten vertellen dat het voor Abruzzi geen spel, maar een bloedserieuze zaak is.'

'Hij is gek.'

'Daar zijn de meesten het over eens. Verder nog iets?' vroeg Ranger.

'Nee. Dat is het wel zo ongeveer.'

Ranger stapte in zijn auto en reed weg.

En daarmee zat het gedeelte van de dag waarin ik probeerde wat geld te verdienen er voor mij op. Ik zou Laura Minello, de autodievegge, nog kunnen doen, maar ik voelde me moedeloos en bovendien was ik mijn handboeien kwijt. Bovendien deed ik er waarschijnlijk beter aan om naar dat kind te zoeken. Als ik nu weer naar Evelyns huis ging, was de kans groot dat Abruzzi er niet zou zijn. Nadat hij me gedreigd had, was hij waarschijnlijk meteen weer vertrokken om ergens met zijn tinnen soldaatjes te spelen.

Ik reed terug naar Key Street en parkeerde voor Carol Nadichs helft van het huis. Ik belde aan en schraapte onder het wachten wat pizzakaas van mijn borst.

'Hé,' zei Carol, terwijl ze opendeed. 'Wat nu weer?'

'Speelde Annie met kinderen uit de buurt? Weet je of ze een beste vriendin had?'

'De meeste kinderen hier in de straat zijn ouder en Annie was veel binnen. Is dat pizza, in je haar?'

Ik bracht mijn hand naar mijn hoofd en voelde. 'Zit er ook nog salami in?'

'Nee. Alleen maar kaas en tomatensaus.'

'Nou ja,' zei ik, 'zo lang er maar geen salami in zit.'

'Wacht even,' zei Carol. 'Ik herinner me dat Evelyn me vertelde dat Annie een nieuw vriendinnetje op school had. Evelyn maakte zich er zorgen om, want dat meisjes dacht dat ze een paard was.'

Een mentale dreun. Mijn nichtje, Mary Alice.

'Het spijt me, ik weet niet hoe dat paardenkind heet,' zei Carol.

Ik nam afscheid van Carol en reed twee straten verder, naar het huis van mijn ouders. Het was halverwege de middag. De school moest al uit zijn en Mary Alice en Angie zaten waarschijnlijk in de keuken koekjes te eten en naar de instructies van mijn moeder te luisteren. Een van haar lessen was dat alles een prijs heeft. Als je na school koekjes wilde, dan moest je vertellen hoe het op school was geweest.

Toen we nog klein waren, had Valerie altijd van alles te vertellen gehad.

Ze had in het koor mogen zingen. Ze had het hoogste cijfer voor grammatica gehaald. Ze mocht Maria in het kerstspel spelen. Susan Marrone had haar verteld dat Jimmy Wizneski haar knap vond.

Ik had ook van alles te vertellen. Ik had niet in het koor mogen zingen. Ik had een onvoldoende voor grammatica. Ik had geen rol in het kerstspel gekregen. En ik had Billy Bartolucci per ongeluk van de trap geduwd en hij had een scheur in zijn broek.

Oma deed de deur voor me open. 'Net op tijd voor een koekje en om ons te vertellen hoe je dag is geweest,' zei ze. 'Ik wed dat je het zwaar hebt gehad. Je zit onder de etensresten. Heb je een moordenaar achternagezeten?'

'Ik zat een man achterna die gezocht wordt wegens het mishandelen van zijn vrouw.'

'Ik hoop dat je hem getrapt hebt waar het pijn doet.'

'Zover ben ik niet gegaan, maar ik heb wel zijn pizza verpest.' Ik ging bij Angie en Mary Alice aan tafel zitten. 'Hoe gaat het met jullie?' vroeg ik.

'Ik heb in het koor gezongen,' zei Angie.

Ik onderdrukte een wilde schreeuw en nam een koekje. 'En jij?' vroeg ik aan Mary Alice.

Mary Alice nam een slok melk en veegde haar mond af met de rug van haar hand. 'Ik ben geen rendier meer omdat ik mijn gewei kwijt ben.'

'Hij is op weg van school naar huis van haar hoofd gevallen, en toen heeft er een hond op geplast,' vertelde Angie.

'Ik wilde ook eigenlijk geen rendier zijn,' zei Mary Alice. 'Rendieren hebben niet van die mooie staarten zoals paarden.'

'Ken je Annie Soder?'

'Natuurlijk,' antwoordde Mary Alice. 'Ze zit in mijn klas. Ze is mijn beste vriendin, alleen is ze al een paar dagen niet meer op school geweest.'

'Ik ben vandaag bij haar langsgegaan, maar ze was niet thuis. Weet jij waar ze is?'

'Nee,' zei Mary Alice. 'Ze zal wel weg zijn. Dat gebeurt wanneer je gescheiden bent.'

'Als Annie zou kunnen kiezen waar ze naar toe wilde... waar zou ze dan naar toe gaan?'

'Disney World.'

'En verder?'

'Haar oma.'

'En verder?'

Mary Alice haalde haar schouders op.

'En haar moeder? Waar zou haar moeder naar toe willen gaan?'

Opnieuw haalde ze haar schouders op.

'Kom, help me, alsjeblieft,' zei ik. 'Ik probeer Annie te vinden.'

'Annie is ook een paard,' zei Mary Alice. 'Annie is een bruin paard, maar ze kan alleen niet zo hard galopperen als ik.'

Oma schoof, gedreven door de radar van de Wijk, naar de voordeur. Hier miste een goede huisvrouw nooit wat er op straat gebeurde. Hier kon een goede huisvrouw geluiden horen die een normaal menselijk oor ontgingen.

'Moet je kijken,' zei oma. 'Mabel heeft bezoek. Van iemand die ik nog nooit eerder heb gezien.'

Mijn moeder en ik voegden ons bij oma in de deuropening.

'Mooie auto,' zei mijn moeder.

Het was een zwarte Jaguar. Gloednieuw. Geen spatje modder erop, en zelfs geen stofje. Er stapte een vrouw uit. Ze droeg een zwartleren broek, zwartleren laarzen met hoge hakken en een strakzittend zwartleren jasje. Ik wist wie ze was. Ik was haar al eens tegengekomen. Ze was de vrouwelijke tegenhanger van Ranger. Voor zover ik wist was ze onder meer lijfwacht, premiejager en privé-detective. En ze heette Jeanne Ellen Burrows.

4

'Mabels bezoekster lijkt op Catwoman,' zei oma. 'Behalve dat ze geen spitse kattenoren en snorharen heeft.'

En het kattenpak was van Donna Karan.

'Ik ken haar,' zei ik. 'Ze heet Jeanne Ellen Burrows en ze heeft waarschijnlijk op de een of andere manier met dat voogdijborgcontract te maken. Ik ga met haar praten.'

'Ik ook,' zei oma.

'*Nee.* Dat lijkt me geen goed idee. Blijf hier. Ik ben zo weer terug.'

Jeanne Ellen zag me aankomen en bleef halverwege de stoep op me wachten. Ik stak mijn hand naar haar uit. 'Stephanie Plum,' zei ik.

Ze gaf een stevige hand. 'Ja, ik weet nog wie je bent.'

'Ik neem aan dat je bent ingehuurd door iemand die met dat borgcontract te maken heeft.'

'Steven Soder.'

'En ik werk voor Mabel.'

'Ik hoop dat we het elkaar niet lastig zullen maken.'

'Dat hoop ik ook,' zei ik.

'Wil je me vertellen wat je weet?'

Ik nam even de tijd om na te denken en kwam tot de conclusie dat ik niets te vertellen had. 'Nee.'

Haar lippen plooiden zich in een zuinig, beleefd glimlachje. 'Tja, in dat geval.'

Mabel deed open en keek ons aan.

'Dit is Jeanne Ellen Burrows,' zei ik tegen Mabel. 'Ze werkt voor Steven Soder. Ze zou je een paar vragen willen stellen. En ik zou het fijn vinden als je daar geen antwoord op gaf.' Ik had een vreemd gevoel bij de verdwijning van Evelyn en Annie, en ik wilde niet dat Annie aan

Steven uitgeleverd zou worden vóór ik wist waarom Evelyn had besloten onder te duiken.

'Het is in uw eigen belang om mee te werken,' zei Jeanne tegen Mabel. 'Uw achterkleindochter verkeert mogelijk in gevaar. Ik kan u helpen haar te vinden. Ik ben heel goed in het opsporen van mensen.'

'Stephanie is ook goed in het opsporen van mensen,' zei Mabel.

Opnieuw plooiden Jeanne Ellens lippen zich in een zuinig glimlachje. 'Ik ben beter,' zei ze.

En dat was waar. Jeanne Ellen was beter in het opsporen van mensen. Ik vertrouwde grotendeels op stom geluk en vasthoudendheid.

'Ik weet niet,' zei Mabel. 'Ik luister liever naar Stephanie. Je lijkt me een heel aardige vrouw, maar ik wil hier liever niet met je over praten.'

Jeanne Ellen gaf Mabel haar kaartje. 'Mocht u van gedachten veranderen, dan kunt u me onder een van deze nummers bereiken.'

Mabel en ik zagen Jeanne Ellen in haar auto stappen en wegrijden.

'Ze doet me aan iemand denken,' zei Mabel. 'Maar ik kan niet precies zeggen wie.'

'Catwoman,' zei ik.

'Ja! Precies, alleen de oren kloppen niet.'

Ik nam afscheid van Mabel, vertelde mijn moeder en grootmoeder over Jeanne Ellen, pakte een koekje mee voor onderweg en ging via een snelle stop bij kantoor op weg naar huis.

Lula parkeerde achter mij. 'Wacht maar tot je mijn nieuwe laarzen ziet. Ik heb motorlaarzen gekocht.' Ze gooide haar tas en haar jack op de bank en haalde de deksel van de schoenendoos. 'Moet je kijken. Te gek, hè?'

Ze waren zwart met een uit laagjes bestaande hak en op de zijkant was een adelaar geborduurd. Connie en ik waren het met haar eens. De laarzen waren te gek.

'En wat heb jij intussen uitgespookt?' vroeg ze. 'Heb ik iets belangrijks gemist?'

'Ik ben Jeanne Ellen Burrows tegengekomen,' zei ik.

Connie en Lula's mond viel open. Jeanne Ellen liet zich niet vaak zien. Ze werkte meestal 's nachts en was even ongrijpbaar als de wind.

'Vertel op,' zei Lula. 'Daar wil ik alles van weten.'

'Steven Soder heeft haar ingehuurd om Evelyn en Annie te vinden.'

Connie en Lula wisselden een blik. 'Weet Ranger dat?'

Er deden heel wat geruchten de ronde over Ranger en Jeanne Ellen. Zo werd er gefluisterd dat ze in het geheim samenwoonden, maar een ander gerucht wilde dat hij alleen haar mentor maar was. Het was duidelijk dat ze ooit eens een relatie hadden gehad. En ik was er zo goed als zeker van dat die niet langer bestond, hoewel je het met Ranger nooit helemaal zeker kon weten.

'Dit wordt spannend,' zei Lula. 'Jij en Ranger en Jeanne Ellen Burrows. Als ik jou was, zou ik maar gauw naar huis gaan, mijn haren wassen en mascara opdoen. En ik zou ook maar even bij de Harley-winkel langsgaan om een paar van die gave laarzen te kopen. Die heb je nodig voor het geval je over Jeanne Ellen heen moet lopen.'

Mijn neef Vinnie stak zijn hoofd om het hoekje van zijn deur. 'Hebben jullie het over Jeanne Ellen Burrows?'

'Stephanie is haar vandaag tegengekomen,' zei Connie. 'Ze werken aan dezelfde zaak, maar elk voor de andere partij.'

Vinnie keek me grinnikend aan. 'Je wilt het opnemen tegen Jeanne Ellen? Heb je ze niet allemaal op een rijtje? Dit is toch niet een van míjn klanten, hè?'

'Het gaat om een kindervoogdijborgstelling,' zei ik. 'Mabels achterkleindochter.'

'Mabel die naast je ouders woont? Die heel, heel oude Mabel?'

'Precies. Evelyn en Steven zijn gescheiden, en Evelyn is er met Annie vandoor gegaan.'

'Dus Jeanne Ellen werkt voor Soder. Ja, ja, daar kan ik inkomen. Sebring heeft de borg uitgeschreven, correct? Sebring kan Evelyn niet zelf achterna, maar hij kan Soder het advies geven om Jeanne Ellen in te huren. En echt een zaakje voor haar, bovendien. Een verdwenen kind. Ellen vindt het heerlijk als ze zich ergens voor kan inzetten.'

'Hoe komt het dat jij zoveel van Jeanne Ellen af weet?'

'Iedereen weet alles van Jeanne Ellen,' antwoordde Vinnie. 'Ze is een levende legende. Maar, Jezus, bedenk wel dat je er goed van langs zult krijgen.'

Die Jeanne Ellen begon me steeds meer dwars te zitten.

'Ik moet gaan,' zei ik. 'Ik moet nog van alles doen. Ik kwam alleen maar even langs om een stel handboeien te lenen.'

Iedereens wenkbrauwen schoten een paar centimeter omhoog.

'Heb je een nieuw stel handboeien nodig?' vroeg Vinnie.

Ik schonk hem mijn PMS-blik. ‘Ja, is daar iets mee?’

‘O, nee,’ zei Vinnie. ‘Ik hou het maar gewoon op SM. Ik zal net doen alsof je ergens een naakte man in de boeien hebt liggen. Dat is een geruststellender gedachte dan die dat er ergens een van mijn klantjes rondloopt met jouw armband om zijn pols.’

Ik parkeerde achter aan de parkeerplaats, naast de container, en liep de paar meter naar de achteringang van de flat waar ik woon. Meneer Spiga had zijn twintig jaar oude Oldsmobile zojuist op een van de felbegeerde gehandicaptenplaatsen dicht bij de deur gezet. De gehandicaptensticker prijkte trots op de voorruit. Hij was in de zeventig, gepensioneerd van zijn baan op de knopenfabriek en verkeerde, afgezien van zijn verslaving aan Metamucil, in uitstekende gezondheid. Hij bofte met het feit dat zijn vrouw officieel blind en verlamd was als gevolg van een mislukte heupoperatie. Niet dat hij er op deze parkeerplaats veel aan had. De helft van de bewoners heeft zichzelf, om de status van gehandicapte te verkrijgen, een oog uitgestoken of is over zijn eigen voeten gereden. In Jersey staat parkeren vaak hoger op het prioriteitenlijstje dan goed kunnen zien.

‘Lekker weertje,’ zei ik tegen meneer Spiga.

Hij pakte zijn tas met boodschappen van de achterbank. ‘Heb je onlangs nog kippengehakt gekocht? Wie beslist er eigenlijk over die prijzen? Wie kan het zich nog veroorloven om te eten? En waarom is het vlees zo rood? Is het je ooit wel eens opgevallen dat alleen de buitenkant ervan maar rood is? Ze spuiten het ergens mee in om je de indruk te geven dat het vers is. De hele voedselindustrie is niet meer te vertrouwen.’

Ik deed de deur voor hem open.

‘En nog iets,’ zei hij. ‘De helft van de mannelijke bevolking in dit land heeft borsten. Ik zweer je, dat komt van al die hormonen die de koeien krijgen. Je drinkt de melk van die koeien, en je krijgt borsten.’

Ah, dacht ik, wás het maar zo eenvoudig.

De liftdeuren schoven open en mevrouw Bestler tuurde naar buiten. ‘Ik ga naar boven,’ zei ze.

Mevrouw Bestler was ongeveer tweehonderd jaar oud en vond het leuk om voor liftboy te spelen.

‘Tweede verdieping,’ zei ik tegen haar.

'Tweede verdieping, dameshandtassen en duurdere damesconfectie,' zong ze, terwijl ze op het knopje drukte.

'Get,' zei meneer Spiga, 'het lijkt wel alsof hier alleen maar gekken wonen.'

Het eerste wat ik deed toen ik mijn flat binnenkwam, was kijken of iemand gebeld had en een boodschap had ingesproken. Ik werk samen met een mysterieuze mannelijke premiejager die me vlinders in de buik bezorgt en me vage seksuele voorstellen doet die hij nooit waarmaakt. En ik bevind me in de uit-fase van de aan-en-uit-relatie met een smeris met wie ik, denk ik, op den duur misschien wel zou willen trouwen, maar nu nog niet. Dat is mijn liefdesleven. Met andere woorden, mijn liefdesleven is één grote nul. Ik kan me niet herinneren wanneer ik voor het laatst met een man op stap ben geweest. Een orgasme is nog slechts een vage herinnering. En er waren geen ingesproken berichten op mijn antwoordapparaat.

Ik plofte languit op de bank en sloot mijn ogen. Mijn leven was één grote ellendige puinhoop. Ik deed ongeveer een half uurtje zelfmedelijden en wilde net opstaan en gaan douchen, toen er werd aangebeld. Ik ging naar de deur en gluurde door het kijkgaatje. Niemand te zien. Ik draaide me om en wilde weer weglopen, toen ik aan de andere kant van de deur geritsel hoorde. Ik keek nog eens. Nog steeds niemand te zien.

Ik belde mijn buurman aan de overkant van de gang en vroeg hem of hij even op de gang wilde kijken om te zien of er iemand bij mijn deur was. Goed, dat was niet zo heel nobel van mij, maar er is niemand die meneer Wolesky wil vermoorden, en zo af en toe is er iemand die het op mijn leven heeft voorzien. Een beetje voorzichtigheid kan geen kwaad, wel?

'Ben je gek?' zei meneer Wolesky. 'Ik zit net naar de *Brady Bunch* te kijken. Je hebt midden onder de *Brady Bunch* gebeld.'

En hij hing op.

Ik hoorde nog steeds geritsel, dus ik haalde mijn revolver uit mijn koekjespot, vond een kogel onder in mijn tas, stopte de kogel in de revolver en deed open. Aan mijn deurknop hing een donkergroene canvas tas. Het koordje zat strak dicht getrokken, en er bewoog iets in de tas. Mijn eerste gedachte was, een te vondeling gelegd katje. Ik haalde de tas van de deurknop, trok het touwtje open en keek erin.

Slangen. De tas zat vol grote, zwarte slangen.

Ik zette het op een krijsen, liet de tas op de grond vallen en de slangen kropen eruit. Ik dook mijn flat weer in en smeet de deur achter me dicht. Ik gluurde door het kijkgaatje. De slangen waren zich aan het verspreiden. Verdomme. Ik deed de deur open en schoot een slang dood. En daarmee had ik geen kogels meer. Nogmaals verdomme.

Meneer Wolesky deed zijn deur open en keek de gang op. 'Wat heeft dit...?' begon hij, en hij smeet de deur weer dicht.

Ik vloog naar de keuken om meer kogels te zoeken, en een van de slangen kwam achter me aan. Ik krijste opnieuw en klom op het aanrecht.

Ik stond nog steeds op het aanrecht toen de politie arriveerde. Carl Constanza en zijn partner, Big Dog. Ik had met Carl op school gezeten en we waren in zekere zin op een vage manier met elkaar bevriend.

'We kregen een vreemd telefoontje van je buurman. Iets over slangen,' zei Carl. 'En aangezien er een aan flarden geschoten exemplaar op de overloop ligt en jij op het aanrecht staat, neem ik aan dat het geen vals alarm was.'

'Ik had geen kogels meer,' zei ik.

'Om hoeveel slangen denk je, grof geschat, dat het gaat?'

'Ik weet zo goed als zeker dat er vier in de tas zaten. Eén daarvan heb ik doodgeschoten. Een tweede heb ik de gang af zien gaan. Een derde is in de richting van mijn slaapkamer gekropen, en waar nummer vier is, dat zou ik echt niet weten.'

Carl en Big Dog keken grinnikend naar me op. 'Is onze grote, stoere premiejager bang voor slangen?'

'O, doe me een lol, ja? *Vind* die beesten nou maar gewoon, oké?' *Tjees.*

Carl trok zijn wapengordel recht en ging, op de voet gevolgd door Big Dog, op zoek.

'Kom, kom, slangetje, slangetje, kom dan, kom dan,' kraaide Carl.

'Ik denk dat we het beste in haar onderbroekenla kunnen kijken,' zei Big Dog. 'Daar zou ík me verstoppen als ik een slang was.'

'Smeerlap!' schreeuwde ik.

'Ik kan nergens een slang ontdekken,' zei Carl.

'Ze kruipen ónder dingen, verstoppen zich in hoekjes,' zei ik. 'Heb je onder de bank gekeken? In mijn kast? Onder mijn bed?'

'Ik kijk niet onder je bed,' zei Carl. 'Ik ben veel te bang om daar een lijk aan te treffen.'

Dat leverde hem een lach van Big Dog op. Ik vond het niet leuk omdat ik daar vrijwel voortdurend bang voor was.

'Even serieus, Steph,' riep Carl uit de slaapkamer. 'We hebben echt overal gezocht, maar we zien hem nergens. Weet je zeker dat hij hier naar binnen is gegaan?'

'Ja!'

'In haar kast misschien?' opperde Big Dog. 'Heb je in haar kast gekeken?'

'De deur is dicht. Die slang kan er niet naar binnen.'

Ik hoorde een van hen de kastdeur opentrekken en toen begonnen ze in koor te schreeuwen.

'Jezus *Christus!*'

'Godallemáchtig!'

'Schiet dan. *Schiet dan!*' brulde Carl. 'Schiet dat kolerebeest dan dood!'

Er werd meerdere malen geschoten en nog meer geschreeuwd.

'We hebben hem niet geraakt. Hij komt eruit,' zei Carl. 'O, verdomme, het zijn er twéé!'

Ik hoorde de deur van mijn slaapkamer dichtslaan.

'Blijf hier en hou die deur in de gaten,' zei Carl tegen Big Dog. 'Zorg ervoor dat hij er niet uit kan.'

Carl kwam mijn keuken binnengevlogen en begon in mijn kasten te zoeken. Hij vond een halflege fles gin waar hij twee vingers uit dronk.

'Jezus,' zei hij, de dop weer op de fles schroevend, waarna hij de fles weer terugzette in de kast.

'Ik dacht dat jullie onder diensttijd niet mochten drinken.'

'Dat klopt, behalve wanneer je slangen in kasten vindt. Ik bel de Dierenambulance.'

Ik zat nog steeds op het aanrecht toen de twee mannen van de Dierenambulance kwamen. Carl en Big Dog stonden met getrokken pistool in mijn zitkamer naar de deur van mijn slaapkamer te kijken.

'Ze zijn in de slaapkamer,' zei Carl tegen de leider van het tweetal. 'Het zijn er twee.'

Een paar minuten later kwam Joe Morelli binnen. Morelli draagt zijn haar kort, maar moet altijd naar de kapper. Die dag was geen uitzondering. Zijn donkere haar krulde over zijn oren en zijn kraag en viel over zijn voorhoofd. Zijn ogen hadden de kleur van gesmolten chocola. Hij droeg een spijkerbroek, sportschoenen en een groengrijze bodywarmer. Zijn lichaam onder zijn T-shirt was hard en volmaakt. Gelukkig was hij op dit moment onder zijn spijkerbroek *alleen maar volmaakt.* Hoewel ik dat deel van hem hard had gezien, en het was ronduit fantastisch. Zijn revolver en zijn schildje bevonden zich ook onder de bodywarmer.

Morelli grinnikte toen hij me op het aanrecht zag. 'Wat is er aan de hand?'

'Iemand heeft een tas vol slangen aan mijn voordeur gehangen.'

'En jij hebt ze vrij gelaten?'

'Ik wist niet dat er slangen in die tas zaten.'

Hij keek achterom naar het exemplaar dat ik had doodgeschoten en dat nog steeds onaangeroerd op de overloop lag. 'Is dat de slang die *jij* hebt doodgeschoten?'

'Ik had geen kogels meer.'

'Met hoeveel kogels ben je begonnen?'

'Eén.'

Zijn grijns werd breder.

De mannen van de Dierenambulance kwamen met de beide slangen in een zak de slaapkamer uit. 'Het is een ongevaarlijke soort.' Een van de twee gaf een schopje tegen het dode dier op de gang. 'Zullen we deze ook maar meenemen?'

'Ja!' riep ik uit. 'En er moet er ergens nóg eentje zijn.'

Aan de het uiteinde van de gang hoorden we iemand gillen.

'Nummer vier, neem ik aan,' zei Joe.

De mannen van de Dierenambulance vertrokken met de slangen en Carl en Big Dog schuifelden van de zitkamer naar het halletje.

'Nou, dan gaan we maar weer,' zei Carl. 'Ik zou mijn kast maar even controleren als ik jou was. Ik geloof dat Big Dog een paar schoenen heeft doodgeschoten.'

Joe deed de deur achter hen dicht. 'Je kunt wel weer van het aanrecht komen.'

'Het was doodeng.'

'Honnepon, jouw hele léven is doodeng.'

'Wat bedoel je dáár nu weer mee?'

'Die baan van je, dat is een nachtmerrie.'

'En die van jou zeker niet?'

'Ik heb nog nooit iemand gehad die slangen aan mijn voordeur hangt.'

'Die mannen zeiden dat ze ongevaarlijk waren.'

Hij maakte een hulpeloos gebaar. 'Je bent onmogelijk.'

'Wat kom je hier eigenlijk doen? Ik heb al weken niets meer van je gehoord.'

'Ik hoorde de oproep over de radio en had het onredelijke verlangen om te kijken of alles goed met je was. En je hebt niets van me gehoord, omdat we het uit hadden gemaakt, weet je nog?'

'Ja, maar je hebt uit en uit.'

'O ja? En welke soort uit is dit? Eerst besluit je dat je niet met me wilt trouwen...'

'Daar waren we het alle twee over eens.'

'Dan ga je met Ranger aan de haal...'

'Dat was voor werk.'

Hij zette zijn handen in zijn zij. 'Laten we het maar liever weer over de slangen hebben, goed? Heb je er enig idee van wie ze bezorgd kan hebben?'

'Ik zou een lijstje kunnen maken.'

'Jezus,' zei hij, 'hoeveel mensen verdenk je er wel niet van? Niet één of twee, maar een hele lijst. Je hebt een hele lijst van mensen die mogelijk slangen aan je deur willen hangen.'

'De afgelopen paar dagen waren nogal druk.'

'Is dat pizza, in je haar?'

'Ik heb per ongeluk in Andy Benders lunch liggen rollen. Hij staat ook op mijn lijstje. En dan is er een zekere Martin Paulson die niet echt blij met me is. Mijn ex-echtgenoot, om nog maar eens iemand te noemen. En verder heb ik een niet al te fortuinlijke ontmoeting met Eddie Abruzzi achter de rug.

Morelli keek op. 'Eddie Abruzzi?'

Ik vertelde hem over Evelyn en Annie en de Abruzzi-connectie.

'Ik zou je kunnen zeggen dat je uit Abruzzi's buurt moet blijven, maar je luistert toch niet naar me.'

'Ik probéér uit Abruzzi's buurt te blijven.'

Morelli greep me bij de voorkant van mijn T-shirt, trok me tegen zich aan en kuste me. Zijn tong raakte de mijne en ik voelde op slag hoe er vloeibaar vuur vanuit mijn buik in zuidelijke richting gleed. Hij liet me los, draaide zich om en liep weg.

'Hé!' riep ik. 'Wat was dat?'

'Tijdelijke waanzin. Je maakt me krankzinnig.'

En met die woorden stapte hij de gang op en de lift in, en verdween.

Ik nam een douche en trok een schone spijkerbroek en T-shirt aan. Deze keer maakte ik me ook een beetje op en deed gel in mijn haar. Zoiets als de put dempen nadat het kalf verzopen is.

Ik ging naar de keuken en tuurde een poosje in de koelkast, maar er wilde niets zichtbaar worden. Geen cake. Geen hotdog. En ook geen macaroni die op magische wijze verscheen. Ik haalde een zak chocoladekoekjes uit de diepvries en at er een. Je werd geacht ze eerst af te bakken, maar dat leek me een onnodige inspanning.

Ik had met Annies beste vriendin gesproken en daar was ik niet veel mee opgeschoten. Goed, nou wat zou ík doen als ik mijn dochter tegen haar vader in bescherming zou willen nemen? Waar zou ik naar toe gaan?

Ik had niet veel geld, dus ik zou de hulp inroepen van een vriendin of van familie. Ik zou ver genoeg uit de buurt moeten gaan om te voorkomen dat iemand mijn auto zou herkennen en zodat ik niet bang hoefde te zijn dat ik Soder of een van zijn vriendjes tegen het lijf zou lopen. Dit reduceerde mijn onderzoek tot de hele wereld met uitzondering van de Wijk.

Net toen ik over de wereld begon na te denken, werd er aangebeld. Ik verwachtte niemand en ik had zojuist een tas met slangen ontvangen, dus ik stond niet echt te popelen om open te doen. Ik gluurde door het kijkgaatje en trok een gezicht. Het was Albert Kloughn. Wacht even, hij had een pizzadoos in zijn handen. *Hallo.*

Ik deed open en keek snel de gang even af. Ik wist zo goed als zeker dat er vier slangen in die tas hadden gezeten... maar het kon nooit kwaad om op je hoede te zijn voor verraderlijke reptielen.

'Ik hoop niet dat ik je stoor,' zei Klough, terwijl hij zijn nek zo lang mogelijk maakte en langs me heen naar binnen keek. 'Je hebt toch geen bezoek, of zo? Ik wist niet of je met iemand samenwoont.'

'Wat is er?'

'Ik heb over die zaak van Soder zitten denken en ik heb een paar ideeën. Ik had gedacht dat we er misschien over zouden kunnen, je weet wel, brainstormen.'

Ik keek naar de doos in zijn handen.

'Ik heb een pizza meegebracht,' zei hij. 'Ik wist niet of je al gegeten had. Hou je van pizza? Als je niet van pizza houdt, dan kan ik iets anders halen. Mexicaans of zo, of Chinees of Thai...'

O, alsjeblieft, Heer, zeg me dat hij geen romantische gevoelens voor me koestert. 'Ik heb een soort relatie.'

Hij knikte heftig. Op en neer, op en neer, als zo'n hondje dat mensen wel op de hoedenplank achter in de auto hebben staan. 'Natuurlijk. Dat wist ik ook wel. Begrepen. Ik ben zelf ook bijna verloofd. Ik heb een vriendin.'

'Echt?'

Hij haalde diep adem. 'Nee. Dat verzin ik maar.'

Ik nam de pizzadoos van hem over en trok hem naar binnen. Ik pakte servetten en twee biertjes, en we gingen aan mijn kleine eettafel zitten en aten pizza.

'En wat heb je bedacht ten aanzien van Evelyn Soder?'

'Ik vermoed dat ze bij een vriendin is, ja? Ze heeft op de een of andere manier contact moeten opnemen met die vriendin. Ze heeft haar moeten vertellen dat ze zou komen logeren. Ik neem aan dat ze dat via de telefoon heeft gedaan. Dus wat we nodig hebben, is een telefoonrekening.'

'En?'

'Verder niets.'

'Maar goed dat je een pizza hebt meegebracht.'

'Nou, eigenlijk is het een tomatenpastei. In de Wijk noemen ze het een tomatenpastei.'

'Soms. Ken je iemand bij de telefoondienst? Iemand op de debiteurenafdeling?'

'Ik ging er vanuit dat *jij* daar iemand zou kennen. Zie je, daarom zijn we zo'n goed team. Ik heb de ideeën en jij hebt de contacten. Premiejagers hebben toch contacten, of niet?'

'Ja, dat klopt.' Maar helaas niet bij de telefoondienst.

We aten onze pizza op en ik haalde de zak met diepvrieskoekjes voor toe.

'Ik heb gehoord dat je kanker krijgt van rauw koekjesdeeg,' zei Kloughn. 'Zou je ze niet liever bakken?'

Ik at een zak rauw deeg per week. Ik beschouwde het als een van de vier voornaamste voedselgroepen. 'Ik eet altijd rauw koekjesdeeg,' zei ik.

'Ik ook,' zei Kloughn. 'Ik eet voortdurend rauw koekjesdeeg. Ik geloof er niets van dat je daar kanker van krijgt.' Hij keek in de zak en haalde er aarzelend een bevroren deegklomp uit. 'En wat doe je hier nu mee? Knabbel je erop, of zo? Of stop je hem helemaal in zijn geheel in je mond?'

'Je hebt nog nooit rauw koekjesdeeg gegeten, wel?'

'Nee.' Hij nam er een hap van en kauwde. 'Lekker,' zei hij. 'Dat smaakt goed.'

Ik keek op mijn horloge. 'Je moet gaan. Ik moet nog een paar dingen doen.'

'Premiejagerdingen? Je kunt het me gerust vertellen. Ik zal het aan niemand verder vertellen, dat zweer ik je. Wat ga je doen? Ik wed dat je iemand achternagaat. Je wachtte alleen maar tot het donker was, niet?'

'Precies.'

'En wie ga je dan volgen? Ken ik diegene? Is het een, je weet wel, een belangrijke zaak? Een moordenaar?'

'Nee, het is niemand die je kent. Het is een man die zijn vrouw heeft mishandeld. En dat heeft hij al een paar keer eerder gedaan. Ik wacht tot hij zoveel heeft gedronken dat hij bewusteloos is, en dan arresteer ik hem.'

'Ik zou je kunnen helpen – '

'Nee!'

'Je hebt me niet laten uitspreken. Ik kan je helpen hem naar je auto te slepen. Hoe had je hem naar je auto willen krijgen? Daar zul je toch hulp bij nodig hebben, of niet?'

'Lula helpt me.'

'Lula moet naar avondschool vandaag. Weet je nog dat ze zei dat ze vanavond naar avondschool moest? Heb je iemand anders die je kan helpen? Ik wed dat je niemand anders hebt, klopt dat?'

Ik begon een zenuwtrekking bij mijn oog te krijgen. Kleine, irritante spiertrekkinkjes onder mijn rechterooglid. 'Goed dan,' zei ik, 'dan mag je mee, maar je houdt je mond. *Je zegt geen woord.*'

'Goed. Geen woord. Mijn lippen zijn verzegeld. Kijk maar, ik doe mijn lippen op slot en gooi de sleutel weg.'

Ik parkeerde, midden tussen twee straatlantaarns in, een paar huisnummers bij Andy Benders flat vandaan. Er was nauwelijks verkeer. De ambulante kooplieden hadden hun toko voor die dag gesloten en waren op pad gegaan om nieuwe voorraden in te slaan. De bewoners zaten met bier in de hand achter gesloten deuren naar misdaadfilms op de tv te kijken. Een leuke afwisseling van hun eigen realiteit die niet echt rooskleurig was.

Kloughn keek me aan alsof hij wilde zeggen: *en wat nu?*

'Nu wachten we,' zei ik. 'Tot we er zeker van zijn dat er geen ongewone dingen gaande zijn.'

Kloughn knikte en maakte opnieuw het gebaar van zijn mond dichtritsen. Als hij dat nóg een keer deed, kreeg hij een dreun voor zijn kop.

Na een halfuur zitten wachten was ik ervan overtuigd dat ik niet langer wilde zitten wachten. 'Laten we maar eens wat dichterbij gaan kijken,' zei ik tegen Kloughn. 'Kom maar achter me aan.'

'Moet ik geen revolver hebben of zo? Stel dat er wordt geschoten? Heb jij een revolver? Waar is je revolver?'

'Ik heb mijn revolver thuisgelaten. We hebben geen wapens nodig. Niemand heeft Andy Bender ooit met een wapen gezien.' Het leek me verstandig om er niet bij te vertellen dat hij de voorkeur gaf aan keukenmessen en kettingzagen.

Ik naderde Benders huis alsof ik er de baas was. Premiejagers regel nummer zeventien – maak geen stiekeme, sluiperige indruk. Binnen brandde licht. De gordijnen waren dicht, maar ze waren aan de krappe kant en je kon door de kieren kijken. Ik drukte mijn neus tegen het raam en keek bij de Benders naar binnen. Andy zat met zijn voeten omhoog en een zak chips op zijn borst in een grote luie stoel. Hij gaf geen enkel levensteken. Zijn vrouw zat op de versleten bank geboeid naar de televisie te kijken.

'Ik weet zeker dat dit bij de wet verboden is,' fluisterde Kloughn.

'Daar heb je gradaties in. Dit is maar een heel klein beetje verboden.'

'Ik neem aan dat het voor een premiejager geen kwaad kan. Er zijn toch speciale regels voor premiejagers, niet?'

Ja hoor. En de paashaas bestaat écht.

Ik wilde naar binnen, maar ik wilde Bender niet wakker maken. Ik liep om het gebouw heen en probeerde voorzichtig aan de achterdeur. Op slot. Ik liep terug naar de voorzijde en probeerde de voordeur. Ook op slot. Ik liet mijn knokkels een paar keer in een zachte roffel over de deur gaan in de hoop dat ik daarmee de aandacht van Benders vrouw zou kunnen trekken zonder hem te wekken.

Kloughn keek door het raam naar binnen. Hij schudde zijn hoofd. Er stond niemand op om open te doen. Ik roffelde wat luider. Nog steeds niets. Benders vrouw was volledig in de ban van de tv. Verdorie. Ik belde aan.

Kloughn sprong bij het raam vandaan en haastte zich naar mij toe. 'Ze komt eraan!'

De deur ging open en Benders vrouw stond platvoets voor ons. Ze was een forse vrouw met een bleke huid en de tatoeage van een dolk op haar arm. Haar ogen waren roodomrand en dof. Haar gezicht was uitdrukkingsloos. Ze was niet zo verloederd als haar man, maar ze was hard op weg. Ze deed een stap naar achteren toen ik mij voorstelde.

'Andy wordt niet graag gestoord,' zei ze. 'Als hij wordt gestoord dan krijgt hij een ontzettende boze bui.'

'Misschien kunt u maar beter naar het huis van een vriendin gaan, zodat u er niet bij bent als we hem storen.' Ik zou niet willen dat Andy zijn vrouw in elkaar sloeg omdat zij zich niet had verzet toen wij hem wilden storen.

Ze keek naar haar man die op zijn stoel zat te slapen. Toen keek ze naar ons. En toen vertrok ze, via de achterdeur, de duisternis in.

Kloughn en ik slopen naar Bender en namen hem aandachtig op.

'Misschien is hij wel dood,' zei Kloughn.

'Dat geloof ik niet.'

'Hij ruikt dood.'

'Zo ruikt hij altijd.' Deze keer was ik goed voorbereid. Ik had mijn verdovingspistool bij me. Ik boog naar voren, drukte mijn verdovingspistool tegen Bender en drukte de knop in. Er gebeurde niets. Ik bekeek het wapen. Niets vreemds aan te ontdekken. Ik zette de loop opnieuw op Bender. Niets. Godvergeten waardeloos elektronisch prul. Nou, ook goed. Plan B. Ik pakte de handboeien die ik in mijn achterzak had gestoken en klikte de eerste armband heel zachtjes rond Benders rechterpols.

Benders ogen schoten open. 'Wat heeft dit verdomme te betekenen?'

Ik trok zijn rechterhand over zijn lijf en klikte armband nummer twee rond zijn linkerpols.

'Godverdomme,' brulde hij. 'Ik kan het niet uitstaan als ik word gestoord terwijl ik tv zit te kijken! En wat doe je, verdomme nog aan toe, in mijn huis?'

'Hetzelfde als ik gisteren in uw huis deed. Ik ben borgstellingsfunctionaris,' zei ik. 'U had u op grond van uw borgcontract bij de rechtbank moeten melden, en nu moet u een nieuwe afspraak maken.'

Hij keek woedend naar Kloughn. 'En wat is er met dat papgezicht?'

Kloughn gaf Bender zijn visitekaartje. 'Albert Kloughn, advocaat.'

'Ik heb een bloedhekel aan clowns. Ik kan er niet tegen.'

Kloughn wees op zijn naam op het kaartje. 'K-l-o-u-g-h-n,' spelde hij. 'Mocht u ooit een advocaat nodig hebben, ik ben een heel goeie.'

'O ja?' zei Bender. 'Nou, ik heb een nóg grotere hekel aan advocaten dan aan clowns.' Hij dook naar voren en trof Kloughn met een kopstoot tegen zijn gezicht, waardoor hij achteroverviel. 'En jou háát ik,' zei hij, terwijl hij met zijn hoofd vooruit op mij af dook.

Ik ontweek hem en probeerde het opnieuw met het verdovingspistool. Geen effect. Ik rende achter hem aan en probeerde het nog eens. Hij bleef even hard doorlopen. Hij was bij de voordeur gekomen en haastte zich naar buiten. Ik slingerde het verdovingspistool achter hem aan. Het trof hem op zijn hoofd, hij riep 'au!', en weg was hij, in de duisternis verdwenen.

Ik moest kiezen tussen hem achternagaan en Kloughn helpen. Kloughn lag met open mond en een wazige blik in zijn ogen op zijn rug, en er druppelde bloed uit zijn neus. Ik kon werkelijk niet zeggen of hij alleen maar verdoofd was van de klap, of dat hij echt in coma was.

'Hé, gaat het?' schreeuwde ik tegen Kloughn.

Kloughn zei niets. Zijn armen bewogen, maar hij kwam niet overeind. Ik ging naar hem toe en ging op één knie naast hem zitten.

'Gaat het?' vroeg ik opnieuw.

Hij richtte zijn blik, stak zijn hand naar me uit en greep me bij mijn T-shirt. 'Heb ik hem geraakt?'

'Ja. Met je gezicht.'

'Ik wíst het wel. Ik wíst gewoon dat ik onder druk zou functioneren. Ik ben een keihard type, hè?'

'Ja, dat ben je.' God sta me bij, ik begon hem aardig te vinden.

Ik trok hem overeind en ging naar de keuken om papier van de keukenrol te halen. Bender was al lang, met inbegrip van mijn handboeien, verdwenen. Alweer.

Ik raapte het waardeloze verdovingspistool op, zette Kloughn in de auto en reed weg. Het was een bewolkte, maanloze avond. De buurt was donker. Er brandde licht achter de luiken en de gordijnen, maar het was niet voldoende om de straten te verlichten. Ik reed blokjes door de buurt en tuurde in de schaduw op zoek naar eventuele bewegingen.

Kloughn zat met zijn hoofd naar achteren gebogen en het keukenpapier in zijn neus gepropt. 'Gebeurt dit soort dingen vaak?' vroeg hij. 'Ik had het me heel anders voorgesteld. Ik bedoel, dit was leuk, maar hij is ontsnapt. En hij rook niet lekker. Ik had niet verwacht dat hij zo onaangenaam zou ruiken.'

Ik keek Kloughn van terzijde aan. Hij leek veranderd. Op de een of andere manier verwrongen. 'Heeft je neus altijd de linkerkant op gewezen?' vroeg ik hem.

Hij voelde voorzichtig aan zijn neus. 'Hij voelt vreemd. Je denkt toch niet dat hij gebroken is, hè? Ik heb nog nooit iets gebroken.'

Ik had nog nooit zo'n gebroken neus gezien. 'Voor mij ziet hij er niet gebroken uit,' zei ik, 'maar het kan misschien geen kwaad om er even door een dokter naar te laten kijken. Misschien moesten we maar even bij de Eerste Hulp langsgaan.'

5

Ik deed mijn ogen open en keek op de klok. Half negen. Niet bepaald een vroeg begin van de dag. Ik kon de regen op mijn brandtrap en tegen het raam horen slaan. Ik vind van regen dat het 's nachts zou moeten vallen, wanneer de mensen slapen. Regen 's nachts is gezellig. Overdag is het behoorlijk irritant. Nog zo'n miskleun van de natuur. Net als afvalverwerking. Wanneer je een wereld schept, moet je vooruitdenken.

Ik kwam met moeite uit bed en slaapwandelde naar de keuken. Rex had genoeg gerend voor één nacht en lag in zijn soepblik te slapen. Ik zette het koffiezetapparaat aan en schuifelde naar de badkamer. Een uur later zat ik in mijn auto, klaar om aan mijn dag te beginnen, maar ik wist niet goed wat ik als eerste zou doen. Waarschijnlijk een condoleancebezoek aan Kloughn. Die gebroken neus van hem was mijn schuld. Tegen de tijd dat ik hem bij zijn auto had afgezet, waren zijn ogen bijna zwart geweest en werd zijn neus door een pleister op zijn plaats gehouden. Het probleem was alleen dat ik, als ik hem nu opzocht, het risico liep dat ik hem de rest van de dag niet meer kwijt zou raken. En ik had echt geen behoefte aan Kloughn. Ik had het in mijn eentje al moeilijk genoeg. Met Kloughn erbij konden er alleen maar échte rampen gebeuren.

Ik zat op mijn parkeerplaats naar de regen op de voorruit te turen, toen het ineens tot me doordrong dat er een plastic zakje aan mijn ruitenwisser hing. Ik deed het portier open en griste het zakje eraf. Erin zat een in vieren gevouwen blocnotevelletje. De boodschap erop was met zwarte viltstift geschreven.

Was je blij met de slangen?

Geweldig. Ik had me geen beter begin van de dag kunnen voorstellen. Ik deed het briefje weer in het zakje en stopte dat in het handschoenenvak. Op de stoel naast me lagen de twee dossiers die ik van Connie had gekregen. Andrew Bender, nog steeds voortvluchtig. En Laura Minello. Ik zou mijn ochtend aan het inrekenen van een van die twee kunnen besteden, maar ik had geen handboeien. En ik zou mezelf nog liever met een vork in mijn oog prikken dan naar het kantoor gaan om alweer een nieuw stel handboeien te halen. En daarmee bleef alleen Annie Soder over.

Ik schakelde en ging op weg naar de Wijk. Ik parkeerde voor het huis van mijn ouders, maar klopte op Mabels deur.

'Wie was Evelyns beste jeugdvriendin?' vroeg ik aan Mabel. 'Had ze een beste vriendin?'

'Dotty Palowski. Ze hebben samen op de lagere, en daarna op de middelbare school gezeten. Daarna is Evelyn getrouwd, en Dotty is verhuisd.'

'Zijn ze bevriend gebleven?'

'Volgens mij zijn ze elkaar uit het oog verloren. Toen Evelyn eenmaal getrouwd was sloot ze zich steeds meer af voor de buitenwereld.'

'Weet je waar Dotty nu woont?'

'Nee, maar haar ouders wonen nog steeds hier in de Wijk.'

Ik kende de familie. Dotty's ouders woonden in Roebling Street, en afgezien daarvan had ze nog een aantal nichten en neven in de Wijk. 'Ik heb nog één ding nodig,' zei ik tegen Mabel. 'Een volledige lijst van Evelyns familie.'

Toen ik wegging had ik de lijst in mijn hand. Het was geen lange lijst. Een oom en tante in de Wijk. Drie nichten in de buurt van Trenton, en een neef in Delaware.

Ik sprong over de balustrade die de beide veranda's van elkaar scheidde en ging het huis van mijn ouders binnen om met oma Mazur te praten.

'Ik ben bij Shleckner geweest,' zei oma. 'Ik zweer je, die Stiva is een genie. 'Geen enkele begrafenisondernemer kan tegen hem op. Weet je nog dat Shleckner al die dikke korsten op zijn gezicht had? Nou, vraag me niet hóe, maar Stiva heeft ze allemaal weg gekregen. En je kon niet eens zien dat Shleckner een glazen oog had. Ze zien er alle twee precies hetzelfde uit. Het was een wonder.'

'Hoe weet je dat van dat glazen oog? Hij had zijn ogen toch zeker niet open?'

'Nee, maar toen ik daar stond moeten ze even open zijn gegaan. Het kan gebeurd zijn toen ik mijn leesbril per ongeluk in de kist had laten vallen.'

'Hmmm,' zei ik tegen oma.

'Nou je kunt het iemand niet kwalijk nemen dat hij zich die dingen afvraagt. En het was ook niet mijn schuld. Als ze zijn ogen open zouden hebben gelaten, dan had ik het me niet af hoeven vragen.'

'Heeft iemand je Shleckners ogen zien openduwen?'

'Nee, ik heb het heel onopvallend gedaan.'

'Heb je nog iets bruikbaars gehoord ten aanzien van Evelyn of Annie?'

'Nee, maar des te meer over Steven Soder. Hij houdt van een borrel. En hij houdt van gokken. Het gerucht gaat dat hij een heleboel geld heeft verloren, en dat hij de bar is kwijtgeraakt. Het verhaal gaat dat hij de zaak, tijdens een pokeravond achter in de bar, heeft verloren en dat hij nu *partners* heeft.'

'Ja, ik heb iets dergelijks gehoord. Heb je ook gehoord hoe die partners heten?'

'Eddie Abruzzi is de naam die ik heb gehoord.'

O, jee. En waarom kijk ik daar niet van op?

Ik zat weer in de auto en wilde net wegrijden toen mijn mobieltje ging. Het was Kloughn.

'Wauw, je zou me eens moeten zien,' zei hij. 'Ik heb twee blauwe ogen. En een dikke neus. Maar hij staat gelukkig weer recht. Ik ben heel voorzichtig geweest met slapen.'

'Het spijt me. Het spijt me echt heel erg.'

'Hé, niks aan de hand. Ik neem aan dat je zulk soort dingen kunt verwachten als je tegen de misdaad strijdt. Wat gaan we vandaag doen? Zullen we het nog eens met Bender proberen? Ik heb een paar ideeën. Misschien dat we voor de lunch kunnen afspreken.'

'Weet je, Albert... ik werk meestal alleen.'

'O, best, maar zo af en toe werk je met een partner, of niet? En soms kan ik je partner zijn, of niet? Ik heb me er helemaal op ingesteld. Ik heb een zwarte pet, waar ik vanmorgen BORGSTELLINGSFUNCTIONARIS op heb laten drukken. En ik heb pepperspray en handboeien...'

Handboeien? Mijn hart ging onmiddellijk sneller slaan. 'Zijn dat officiële handboeien met een sleutel en zo?'

'Ja. Ik heb ze gekocht bij die wapenhandel in Rider Street. Ik had ook een revolver willen kopen, maar ik had niet genoeg geld.'

'Om twaalf uur pik ik je op.'

'O, jee, dit wordt geweldig. Ik zal helemaal klaarstaan. Kom maar naar mijn kantoor. Misschien dat we deze keer kip van het spit kunnen halen. Tenzij je geen zin hebt in kip van het spit. Als je geen zin hebt in kip van het spit, dan zouden we een hamburger kunnen halen, of anders zouden we – '

Ik maakte wat krakende geluiden in de telefoon. 'Ik kan je niet verstaan,' riep ik. 'De lijn valt weg. Om twaalf uur ben ik bij je.' En ik verbrak de verbinding.

Ik verliet de Wijk en reed Hamilton op. Enkele minuten later was ik bij mijn kantoor. Ik parkeerde langs het trottoir achter een nieuwe zwarte Porsche, waarvan ik vermoedde dat die van Ranger was.

Iedereen keek mijn kant op toen ik binnenkwam. Ranger stond bij Connies bureau. Hij was weer helemaal in het zwart. Hij keek me recht aan en mijn maag balde zich samen van de zenuwen.

'Een vriendin van me werkte gisteravond op de Eerste Hulp en ze vertelde me dat je een mannetje binnen hebt gebracht dat helemaal in elkaar was geslagen,' zei Lula.

'Kloughn. En hij was niet helemáál in elkaar geslagen. Hij had alleen maar een gebroken neus. Maar vraag me alsjeblieft niet hoe hij daaraan is gekomen.'

Vinnie hing tegen de deurpost van zijn kamer. 'Wie is die clown?' wilde hij weten.

'Albert Kloughn,' zei Ranger. 'Een advocaat.'

Ik vroeg Ranger niet hoe hij wist dat Kloughn advocaat was. Het antwoord lag voor de hand. Ranger wist alles.

'Laat me raden,' zei Vinnie tegen mij, 'je hebt een nieuw stel handboeien nodig.'

'Mis. Wat ik nodig heb is een adres. Ik moet met Dotty Palowski praten.'

Connie voerde de naam in het zoeksysteem in. Een minuut later begon de informatie binnen te komen. 'Tegenwoordig heet ze Dotty Rheinhold. En ze woont in South River.' Connie printte de pagina voor me uit en gaf hem aan mij. 'Ze is gescheiden, heeft twee kinderen en ze werkt voor de Turnpike Authority in East Brunswick.'

Normaal gesproken zou ik zijn gebleven voor een praatje, maar ik was bang dat iemand het fijne van Kloughns neus zou willen weten.

'Ik ga meteen weer weg,' zei ik. 'Ik heb van alles te doen.'

Ik trok de buitendeur achter me dicht en bleef staan. Boven mijn hoofd was een klein afdak. Vóór het afdak kwam een dichte motregen uit de lucht die, hoewel het geen echte stortbui was, wél voldoende was om mijn haar te verpesten en mijn spijkerbroek te doorweken.

Ranger volgde me naar buiten. 'Het is misschien geen slecht idee om meer dan één kogel in je revolver te hebben, schat.'

'Heb je het gehoord, van de slangen?'

'Ik liep Constanza tegen het lijf. Hij zat door de bodem van een bierglas naar het leven te kijken.'

'Ik heb niet echt succes bij mijn speurtocht naar Annie Soder.'

'Je bent niet de enige.'

'Bedoel je dat Jeanne Ellen haar ook niet kan vinden?'

'Nog niet.'

We keken elkaar even recht in de ogen. 'Tot welke partij reken je jezelf?' vroeg ik.

Hij duwde mijn haar achter mijn oor, waarbij zijn vingertoppen zachtjes over mijn wang gleden en zijn duim langs mijn kin streek. 'Ik heb mijn eigen partij.'

'Vertel me over Jeanne Ellen.'

Ranger glimlachte. 'Die informatie heeft een prijs.'

'En die prijs is, wat?'

Zijn glimlach werd breder. 'Probeer een beetje droog te blijven vandaag,' zei hij. En hij was verdwenen.

Verdomme. Wat was dat toch, met de mannen in mijn leven? Waarom gaan zíj altijd als eerste weg? Waarom kon ík nou nooit eens als eerste weggaan? Omdat ik een stommeling ben. Daarom. Ik ben een ontzettende stommeling.

Ik pikte Kloughn op bij de wasserette. Hij droeg een zwart T-shirt en een zwarte spijkerbroek, en hij had zijn nieuwe borgstellingsfunctionarispet op. En hij droeg bruine instappers met kwastjes. De peperspray hing aan zijn broekriem. De handboeien zaten in zijn achterzak. Zijn ogen en neus zagen griezelig blauw en groen.

'Wauw,' zei ik, 'wat zie jij er verschrikkelijk uit,'

'Je bedoelt de kwastjes, hè? Ja, ik vroeg me al af of ze wel bij deze outfit pasten. Ik kan naar huis gaan om me te verkleden. Ik had zwarte schoenen aan kunnen trekken, maar dat leek me een beetje te gekleed.'

'Nee, ik heb het niet over de kwastjes, maar over je ogen en je neus.' Nou goed, én de kwastjes.

Kloughn stapte in en deed zijn gordel om. 'Ach, dat heb je nu eenmaal bij dit soort werk. Soms loop je klappen op, nietwaar? Dat krijg je als je in dit vak zit, als je snapt wat ik bedoel.'

'Jouw vak is de advocatuur.'

'Ja, maar ik ben ook assistent-borgstellingsfunctionaris, of niet? Ik vergezel jou in het hol van de leeuw, niet?'

Zie je nou wel, Stephanie, zei ik bij mezelf, dat krijg je wanneer je je geld uitgeeft aan onnodige spullen zoals schoenen en ondergoed, in plaats van aan handboeien.

'Ik had een verdovingspistool willen kopen,' zei Kloughn, 'maar die van jou deed het niet gisteravond. Dat gebeurt nou zo vaak. Je betaalt goed geld voor dat soort spullen, en dan doen ze het niet. Dat zie je altijd. Weet je wat je nodig hebt? Een advocaat. Je bent het slachtoffer van misleidende propaganda.'

Ik stopte voor een rood licht, haalde het verdovingspistool uit mijn tas en bekeek het. 'Ik snap het niet,' zei ik tegen Kloughn. 'Hij heeft het altijd goed gedaan.'

Hij nam het wapen van me over en bekeek het van alle kanten. 'Misschien moeten er nieuwe batterijen in.'

'Nee, er zitten pas nieuwe batterijen in. En ik heb ze gecontroleerd.'

'Misschien deed je iets verkeerd?'

'Dat kan ik me niet voorstellen. Zo gecompliceerd is het niet. Je drukt de punt op iemands huid en drukt op de knop.'

'Je bedoelt, zo?' vroeg Kloughn, terwijl hij de punt op zijn arm zette en op de knop drukte. Hij slaakte een klein gilletje en zakte slap voorover.

Ik pakte het pistool uit zijn hand en bekeek het aandachtig. Ineens scheen hij het weer te doen.

Nadat ik het pistool in mijn tas had teruggestopt, reed ik terug naar de Wijk en stopte bij Corner Hardware. Corner Hardware was een bouwvallig geheel dat ik me al uit mijn vroegste jeugd herinnerde. De winkel zelf besloeg twee aangrenzende panden die via een in de scheidingsmuur aangebrachte deur met elkaar in verbinding stonden. De vloer was van ongelakt hout en gebarsten linoleum. De planken waren stoffig en het rook er naar mest en gereedschap. Je kon er alles krijgen wat je nodig had, maar je betaalde er meer voor dan je elders zou doen. Het voordeel van Corner Hardware was zijn locatie. De winkel bevond zich in de Wijk. Je hoefde er niet Route 1 voor op, en je hoefde er niet helemaal voor naar Hamilton Township. En vandaag had Corner Hardware nóg een voordeel voor mij – niemand zou opkijken als ik er binnenkwam met een man die twee blauwe ogen had. Ik ging er vanuit dat iedereen in de Wijk intussen al wist wie Kloughn was.

Toen ik bij de winkel kwam, begon Kloughn alweer bij te komen. Hij trok met zijn vingers en had één oog open. Ik liet hem in de auto zitten terwijl ik snel even naar binnen ging om zes meter middelzware ketting en een hangslot te kopen. Ik had een plan om Bender te pakken te krijgen.

Ik liet de ketting achter de auto op de straat vallen, haalde de handboeien uit Kloughns achterzak en maakte het ene uiteinde van de ketting aan de handboeien vast. Daarna bevestigde ik het andere uiteinde van de ketting met het hangslot aan het oog voor de sleepkabel, gooide de resterende ketting en handboeien door het achterraampje in de auto en stapte in. Ik was doorweekt, maar het was het waard. Bender zou er deze keer níet met mijn handboeien vandoor gaan. Op het moment waarop ik hem in de boeien sloeg, zat hij vast aan mijn auto.

Ik reed naar de andere kant van de stad, zette de auto een blok van Benders flat vandaan langs de kant en draaide zijn nummer. Toen hij op opnam, hing ik op.

'Hij is thuis,' zei ik tegen Kloughn. 'We gaan.'

Klough bekeek zijn hand en bewoog zijn vingers. 'Alles tintelt.'

'Dat komt doordat je met mijn verdovingspistool op jezelf hebt geschoten.'

'Ik dacht dat hij het niet deed.'

'Kennelijk heb je hem gerepareerd.'

'Ik ben ontzettend handig,' zei Kloughn. 'Ik ben heel goed in dat soort dingen.'

We waren bij Benders flat. Ik reed de stoep op, reed door de modderige voortuin en zette de Honda met de achterkant tegen het stoepje van Benders voordeur. Ik sprong uit de auto, rende naar Benders deur en viel zijn zitkamer binnen.

Bender zat op zijn stoel tv te kijken. Hij zag me binnenkomen, waarop zijn mond openzakte en zijn ogen uit zijn hoofd puilden. 'Jij!' zei hij. 'Wat heeft dít verdomme te betekenen?' Hij volgende moment sprong hij op en vloog naar de achterdeur.

'Grijp hem!' riep ik tegen Kloughn. 'Spuit hem in met de peperspray. Laat hem struikelen. *Doe iets!'*

Kloughn nam een duik en greep Bender bij zijn broekspijpen. Beide mannen sloegen tegen de vloer. Ik dook boven op Bender, deed hem de handboeien om en rolde opgetogen van hem af.

Bender krabbelde overeind en rende, de ketting achter zich aan slepend, naar de deur.

Klough en ik gaven elkaar een high five.

'Tjonge, wat ben jij slim,' zei Kloughn. 'Dat zou ik nou nooit bedacht hebben, om hem aan de bumper vast te maken. Echt, je bent een kei. Je bent een echte kei.'

'Ga even kijken of de achterdeur op slot is,' zei ik tegen Kloughn. 'Ik zou niet willen dat de boel hier werd leeggeroofd.' Ik zette de televisie uit en Kloughn en ik liepen op ons dooie gemak naar de deur. We waren nog net op tijd om te zien hoe Bender er in mijn CR-V vandoor ging.

Shit.

'Hé,' riep Kloughn Bender achterna. 'Je hebt mijn handboeien om!'

Bender had zijn arm uit het raampje en hield het linkerportier dicht. De ketting liep van het portier naar de achterbumper, en het overtollige deel sleepte over straat en maakte vonken op het asfalt. Bender hief zijn arm op en stak, vlak voordat hij de hoek om ging en uit het zicht verdween, zijn middelvinger op.

'Je had het sleuteltje in het contact laten zitten,' zei Kloughn. 'Dat zou wel eens in strijd met de wet kunnen zijn. En ik wed dat je je portier ook niet had afgesloten. Dat moet je altijd doen, je sleuteltje uit het contact halen en het portier afsluiten.

Ik trakteerde Kloughn op mijn meest krengerige blik.

'Maar dit waren natuurlijk uitzonderlijke omstandigheden,' voegde hij eraan toe.

Kloughn schuilde onder het kleine afdakje boven de voordeur van Benders flat. Ik stond, doorweekt en in de gietende regen, op de stoep op de politie te wachten. Er komt met regen altijd een moment waarop het er niet meer toe doet.

Toen ik naar de politie had gebeld om de autodiefstal te melden, had ik gehoopt dat ik Constanza of mijn vriendje Eddie Gazarra zou krijgen. De auto die kwam was van geen van beiden.

'Ha, dus jij bent de beroemde Stephanie Plum, hè?' zei de agent.

'Ik schiet zo goed als nooit op mensen,' zei ik, terwijl ik achter in de patrouillewagen ging zitten. 'En de brand bij de begrafenisondernemer was niet mijn schuld.' Ik leunde naar voren en het water droop van het puntje van mijn neus op de vloer van de auto. 'Normaal gesproken komt Constanza altijd als ik bel.'

'Hij had de weddenschap verloren.'

'Hadden jullie een weddenschap?'

'Ja. Maar na dat incident met de slangen doen er opeens veel minder mee.'

Vijftien minuten later reed de patrouilleauto weg en kwam Morelli de hoek om gereden.

'Heb je weer naar de radio zitten luisteren?' vroeg ik.

'Dat is tegenwoordig al niet meer nodig. Zodra je naam ergens binnen het systeem opduikt, staat mijn telefoon acuut roodgloeiend.'

Ik trok een gezicht waarvan ik hoopte dat het innemend was. 'Dat spijt me.'

'Even zien of ik het goed heb begrepen,' zei Morelli. 'Bender is er, aan de auto geketend, vandoor gegaan.'

'En het leek aanvankelijk nog wel zo'n goed idee.'

'En je tas lag in de auto.'

'Ja.'

Morelli keek naar Kloughn. 'Wie is dat mannetje met die kwastjesschoenen en de blauwe ogen?'

'Albert Kloughn.'

'En je hebt hem meegenomen omdat...'

'Hij handboeien had.'

Morelli deed verschrikkelijk zijn best om niet te lachen, maar faalde. 'Stappen jullie maar in, dan breng ik jullie naar huis.'

We brachten Kloughn naar zijn kantoor.

'Hé, weet je wat?' zei Kloughn. 'We hebben nog helemaal niet gegeten. Hebben jullie geen zin om met z'n allen te gaan lunchen? Er is een Mexicaan vlakbij. Of we zouden een hamburger kunnen halen, of een broodje ei. Ik weet een plek waar ze ontzettend lekkere broodjes ei maken.'

'Ik bel je wel,' zei ik.

Hij zwaaide ons na. 'Dat is geweldig. Bel me. Heb je mijn nummer?

Je kunt me op elk uur van de dag en van de nacht bellen. Ik slaap zo goed als nooit.'

Morelli stopte voor een rood licht, keek me aan en schudde zijn hoofd.

'Ja, ik weet dat ik nat ben,' zei ik.

'Albert heeft een oogje op je.'

'Ach wat, hij wil er gewoon bij horen.' Ik streek een natte piek uit mijn gezicht. 'En jij? Heb jij ook een oogje op me?'

'Voor mij ben je geschift.'

'Ja, maar afgezien daarvan, heb je niet ook een oogje op me?' Ik schonk hem mijn Miss America-glimlach en fladderde met mijn oogleden.

Hij keek me aan met een totaal uitdrukkingsloos gezicht.

Ik voelde me zo'n beetje als Scarlett O'Hara op het eind van *Gejaagd door de wind*, wanneer ze zich heeft voorgenomen om Rhett Butler terug te winnen. Het probleem was alleen dat ik, als het me lukte om Morelli terug te krijgen, niet goed wist wat ik met hem zou moeten doen.

'Het leven is gecompliceerd,' zei ik tegen Morelli.

'Je meent het, honnepon.'

Ik zwaaide Morelli uit en liep druipend het halletje van mijn flatgebouw binnen. Ik droop in de lift en ik droop door de gang naar de deur van mijn buurvrouw, mevrouw Karwatt. Ik vroeg haar om mijn reservesleutel, en droop ten slotte mijn eigen flat binnen. Ik ging midden in de keuken staan en trok mijn kleren uit. Ik wreef mijn haren droog met een handdoek, tot ze niet meer dropen. Ik keek of iemand had opgebeld en een boodschap had ingesproken. Niemand. Rex kroop uit zijn soepblik, keek me geschrokken aan, en ging snel weer naar binnen. Niet bepaald het soort reactie waar je als vrouw op zit te wachten... zelfs wanneer het van een hamster komt.

Een uur later had ik droge kleren aan en stond ik beneden op Lula te wachten.

'Oké, even kijken of ik het wel goed begrepen heb,' zei Lula, toen ik in haar Trans Am was gestapt. 'Je moet surveilleren en je hebt geen auto.'

Ik stak mijn hand op om te voorkomen dat ze de volgende vraag zou stellen. 'Vraag me niets.'

'Dat "vraag me niets" hoor ik de laatste tijd steeds vaker.'

'Hij is gestolen. Mijn auto is gestolen.'

'Dat méén je niet!'

'Ik weet zeker dat de politie hem zal vinden. Ondertussen wilde ik eens even bij Dotty Palowski Rheinhold gaan kijken. Ze woont in South River.'

'En wáár is South River?'

'Ik heb een kaart. Vanaf de parkeerplaats links.'

South River ligt aan Route 18. Het is een gehucht dat ligt ingeklemd tussen winkelcentra en kleiputten, en nergens in het hele land zijn er zoveel bars per vierkante kilometer als daar. Als je het binnen komt rijden, heb je een prachtig uitzicht op de vuilstortplaats. Als je eruit komt, ga je de rivier over en rij je Sayreville binnen, dat bekend is van de grote zwendelaffaire in 1957 en Jon Bon Jovi.

Dotty Rheinhold woonde in een wijk die in de jaren zestig was gebouwd. Kleine tuinen en nog kleinere huizen. De auto's waren er groot en in overvloed.

'Heb je ooit zoveel auto's bij elkaar gezien?' vroeg Lula. 'Bij elk huis staan op zijn minst drie auto's. Overal staan auto's.'

Het was een gemakkelijke wijk om te surveilleren. Hij had de leeftijd bereikt waarin de huizen gevuld waren met tieners. De tieners hadden hun eigen auto's, en ze hadden vrienden met auto's. Nieuwe auto's vielen er niet op. En wat nóg beter was, was dat dit een voorstad was. Hier zaten de mensen niet op hun veranda naar het passerende leven te kijken. Hier hielden de bewoners zich op in hun minuscule achtertuintjes die stonden volgepropt met grills, demonteerbare zwembaden en massa's tuinstoelen.

Lula parkeerde één huis van Dotty af, aan de overkant. 'Denk je dat Annie en haar moeder bij Dotty wonen?'

'Als dat zo is, dan zullen we dat zo weten. Als je kinderen hebt, kun je geen mensen in je kelder verstoppen. Dat is te abnormaal. En kinderen praten. Als Annie en Evelyn hier zijn, dan bewegen ze zich als normale logees.'

'En we blijven hier zitten tot we dat weten? Zo te horen zou dat wel eens een flinke poos kunnen gaan duren. Ik weet niet of ik hier wel zo lang wil zitten. Ik bedoel, wat doen we met eten? En ik moet plassen. Ik heb een extra groot glas fris gedronken voor ik je heb afgehaald. Je hebt helemaal niets gezegd van dat het wel eens lang zou kunnen gaan duren.'

Ik keek Lula bedenkelijk aan.

'Nou, ik moet plassen,' zei ze. 'Daar kan ik niets aan doen. Ik moet naar de wc.'

'Goed, wat vind je hiervan. We zijn net langs een klein winkelcentrum gekomen. Wat zou je ervan zeggen als ik je daar afzette, en dat ik dan de auto meeneem en hier de boel blijf observeren?'

Een half uur later stond ik alleen, op hetzelfde plekje, naar Dotty's huis te loeren. De motregen was overgegaan in echte regen en in sommige huizen brandde licht. Dotty's huis was donker. Er reed een blauwe Honda Civic langs me heen, die vervolgens Dotty's oprit in reed. Er stapte een vrouw uit, die het volgende moment twee kinderen uit de kinderzitjes op de achterbank haalde. De vrouw ging gehuld in een ruimvallende regenjas met capuchon, maar ik kon voldoende van haar overschaduwde gezicht ontwaren om te zien dat het Dotty was. Of liever, ik was er zeker van dat het Evelyn niet was. De kinderen waren nog klein – ik schatte ze op twee en zeven. Niet dat ik zo'n deskundige op het gebied van kinderen ben. Mijn volledige kinderkennis is gebaseerd op mijn twee nichtjes.

Het gezinnetje ging het huis in en er werd licht aangedaan. Ik schakelde en reed een klein stukje verder tot ik recht voor het huis van de Rheinholds stond. Nu kon ik Dotty duidelijk zien. Ze had haar regenjas uitgetrokken en liep door het huis. De zitkamer bevond zich aan de voorzijde van het huis. Er werd een televisie aangezet. Er ging een deur open en de ruimte erachter kon eigenlijk alleen de keuken maar zijn. Dotty liep heen en weer tussen de beide ruimtes – van de koelkast naar de tafel. Er kwam geen andere volwassene in beeld. Dotty had kennelijk ook geen enkele behoefte om de gordijnen dicht te doen.

De kinderen werden naar bed gebracht en om negen uur ging hun licht uit. Om kwart over negen werd Dotty opgebeld. Om half tien was Dotty nog steeds aan de telefoon en ging ik weg om Lula bij het winkelcentrum op te pikken. Toen ik twee straten van Dotty's huis af was, kwam mij een glanzende, zwarte auto tegemoet. Ik ving een glimp op van de bestuurder. Jeanne Ellen Burrows. Het scheelde een haar of ik was de stoep op gevlogen en dwars door een voortuin gereden.

Lula stond bij de ingang van het winkelcentrum op me te wachten.

'Stap in!' riep ik. 'Ik moet terug naar Dotty's huis. Toen ik wegreed, kwam Jeanne Ellen Burrows mij tegemoet.'

'Weet je iets van Annie en Evelyn?'

'Van hen geen spoor.'

Toen we terugkwamen was het huis donker. De auto stond op de oprit. Jeanne Ellen was nergens te bekennen.

'Weet je zeker dat het Jeanne Ellen was?' vroeg Lula.

'Heel zeker. Ik kreeg op slag kippenvel, en van die hoofdpijn die ik altijd krijg wanneer ik ijs eet.'

'Ja hoor, dat móet Jeanne Ellen zijn geweest.'

Lula zette me af bij de deur van mijn flat. 'Als je weer op surveillance wilt, dan bel je me maar,' zei Lula. 'Surveilleren is een van mijn favoriete tijdsbestedingen.'

Rex zat in zijn rad toen ik de keuken binnenkwam. Hij hield op met rennen en keek me met stralende oogjes aan.

'Goed nieuws, grote jongen,' zei ik. 'Ik ben op weg naar huis bij de supermarkt langsgegaan en heb avondeten meegenomen.'

Ik kiepte de inhoud van de boodschappentas op het aanrecht. Zeven Tastykakes. Twee Butterscotch Krimpets, een Coconut Junior, twee Peanut Butter KandyKakes, twee Creme-filles Cupcakes en een Chocolate Junior. Veel beter dan dit kan het leven niet zijn. Tastykakes behoren tot de vele voordelen van het leven in Jersey. Ze worden in Philadelphia gemaakt en worden vers uit de oven naar Trenton vervoerd. Ik heb ooit eens ergens gelezen dat er per dag 439.000 Butterscotch Krimpets worden gebakken. En je moet niet denken dat daar zo heel veel van in New Hampshire terechtkomen. Wat heb je aan al die sneeuw en die fraaie landschappen als je het zonder Tastykakes moet stellen?

Ik at een Coconut Junior, een Butterscotch Krimpet en een Kandy-Kake. Rex kreeg een stuk van de Butterscotch Krimpet.

De laatste tijd zat het me niet echt mee. In de afgelopen week ben ik drie paar handboeien en een auto kwijtgeraakt, en heeft iemand een tas met slangen bij me bezorgd. Aan de andere kant had het ook nog veel slechter kunnen gaan. Héél veel slechter. Ik had in New Hampshire kunnen wonen, waar ik gedwongen zou zijn geweest om Tastykakes per post te bestellen.

Het liep tegen twaalven toen ik in bed kroop. Het regende niet meer en de maan keek tussen een kier in het wolkendek door. Mijn gordijnen waren gesloten en het was donker in mijn kamer.

Aan mijn slaapkamerraam zat een ouderwetse brandtrap vast. Die brandtrap was handig wanneer je op een warme avond een beetje koelte zocht. Je kon er je kleren drogen, met luis besmette kamerplanten in quarantaine zetten en het bier koelen zodra het wat frisser was geworden. Helaas was het echter ook een plek waar zeer onaangename dingen gebeurden. Benito Ramirez was op mijn brandtrap doodgeschoten. Het is niet gemakkelijk om mijn brandtrap op te komen, maar ondoenlijk is het ook niet.

Ik lag in het donker de voordelen van een Coconut Junior te vergelijken met die van een Butterscotch Krimpet, toen ik achter de slaapkamergordijnen schrapende geluiden hoorde. Er was iemand op mijn brandtrap. Ik voelde de adrenaline in mijn hart branden en naar mijn buik schieten. Ik sprong uit bed, rende naar de keuken en belde de politie. Toen haalde ik mijn revolver uit de koekjespot. Geen kogels. Verdomme. Denk na, Stephanie – waar heb je de kogels gelaten? Vroeger zaten er een stel in de suikerpot. Maar nu niet meer. De suikerpot was leeg. Ik zocht in de rommella en vond in totaal vier kogels. Ik stopte ze in mijn Smith & Wesson vijfschots .38, en rende terug naar mijn slaapkamer.

Ik bleef in het donker staan luisteren. De schrapende geluiden waren opgehouden. Mijn hart ging als een gek tekeer en de revolver beefde in mijn hand. Stel je niet zo aan, dacht ik. Het was waarschijnlijk gewoon maar een vogel. Een uil. Uilen vliegen toch 's nachts? Domme Stephanie, volkomen van de kaart door een uil.

Ik sloop naar het raam en luisterde opnieuw. Stilte. Ik deed het gordijn op een kiertje open en keek naar buiten.

Getver!

Er stond een enorme man op mijn brandtrap. Ik zag hem alleen maar in een flits, maar hij leek heel sterk op Benito Ramirez. Hoe kon dat? Ramirez was dood.

Er was een heleboel lawaai, en ik realiseerde me dat ik alle vier de kogels dwars door mijn raam had afgevuurd – op de man die op mijn brandtrap stond.

Verdikkie. Dat was geen goede zaak. Om te beginnen zou ik wel eens iemand vermoord kunnen hebben. Ik kan het niet úitstaan wanneer dat gebeurt. En ten tweede weet ik werkelijk niet of die man gewapend was, en justitie houdt er niet zo van wanneer er op ongewapende mensen wordt geschoten. Justitie is niet eens zo héél erg dol op burgers die op gewápende mensen schieten. En het ergste was nog wel dat mijn ruit aan diggelen lag.

Ik rukte het gordijn open en drukte mijn neus tegen het glas. Geen mens te zien. Ik keek nog eens wat beter en zag dat ik op een grote, kartonnen pop had geschoten. De pop lag plat op de brandtrap en er zat een stel gaten in.

Ik stond, met mijn revolver nog in de hand, als met stomheid geslagen en hijgend naar die pop te kijken, toen ik in de verte politiesirenes hoorde aankomen. Leuk gedaan, Stephanie. Voor die ene keer dat ik de politie belde, blijkt het vals alarm te zijn. Een gemene streek. Net als de slangen.

De vraag was natuurlijk wie zoiets zou doen. Iemand die wist dat Ramirez op mijn brandtrap was doodgeschoten. Ik slaakte een zucht. De hele staat was daarvan op de hoogte. Het had in alle kranten gestaan. Goed dan, iemand die aan een levensgrote pop had kunnen komen. In de tijd dat Ramirez nog in het circuit actief was, hadden er heel wat van dat soort grote poppen van hem gecirculeerd. Tegenwoordig niet meer. Er wilde me maar één naam te binnen schieten. Eddie Abruzzi.

Er kwam een patrouillewagen met zwaailicht mijn parkeerplaats op rijden en er stapte een agent uit.

Ik deed mijn raam open en leunde naar buiten. 'Vals alarm!' schreeuwde ik naar beneden. 'Er is niemand. Het moet een vogel zijn geweest.'

Hij keek naar boven. 'Een vogel?'

'Ik denk dat het een uil was. Een heel grote uil. Het spijt me dat jullie voor niets zijn gekomen.'

Hij zwaaide, stapte weer in en reed weg.

Ik deed het raam weer dicht, maar die moeite had ik me net zo goed kunnen besparen omdat er vrijwel geen glas meer in zat. Ik haastte me naar de keuken en at de Chocolate Junior.

Ik was alweer half in slaap en lag te denken over de voedingswaarde van een Creme-filled Cupcake voor het ontbijt, toen er op mijn deur werd geklopt.

Het was Tank, Rangers rechterhand. 'Je auto is bij een heler boven water gekomen,' zei hij. Hij gaf me mijn tas aan. 'Dit lag achter in op de vloer.'

'En mijn auto?'

'Op de parkeerplaats.' Hij gaf me mijn sleutels. 'Alles is in orde met je auto, behalve dat er een ketting aan het sleepoog zit. We wisten niet waar dat voor was.'

Ik deed de deur dicht en op slot, strompelde naar de keuken en at het hele pak cakejes. Ik hield mezelf voor dat het niet uitmaakte omdat ik iets te vieren had. Calorieën tellen niet als ze verband houden met een viering. Dat weet iedereen.

Koffie zou lekker zijn, maar het leek me op dit vroege uur wat al te veel werk. Ik moest de filter verwisselen, er koffie en water in doen en op de schakelaar drukken. Om nog maar te zwijgen over het feit dat ik, als ik koffie dronk, mogelijk wakker zou worden, en ik was nog niet zover dat ik de dag al onder ogen wilde zien. Ik kon maar beter weer naar bed gaan.

Ik was er net weer in gekropen toen er opnieuw werd gebeld. Ik trok het kussen over mijn hoofd en sloot mijn ogen. Het bellen hield niet op. 'Ga weg!' riep ik. 'Er is niemand thuis!' Nu werd er geklopt. En wéér gebeld. Ik gooide het kussen van me af en hees mezelf uit bed. Ik liep met nijdige stappen naar de deur, rukte hem open en keek boos de gang op. 'Ja?'

Het was Kloughn. 'Het is zaterdag,' zei hij. 'Ik heb donuts meegebracht. Ik eet altijd donuts op zaterdagochtend.' Hij keek me wat beter aan. 'Heb ik je gewekt? O jee, je ziet er niet al te best uit wanneer je net wakker bent, hè? Geen wonder dat je niet getrouwd bent. Slaap je altijd in je trainingspak? Hoe krijg je dat voor elkaar, dat je haar alle kanten op staat?'

'Hoe zou je het vinden om nóg een keer een gebroken neus op te lopen?' vroeg ik.

Kloughn liep langs me heen naar binnen. 'Ik zag je auto op de parkeerplaats staan. Heeft de politie hem gevonden? Heb je mijn handboeien?'

'Nee, ik heb je handboeien niet. En ga mijn huis uit. Duvel op.'

'Ik heb alleen maar koffie nodig,' zei Kloughn. 'Waar heb je de filters? Ik heb ook altijd last van een ochtendhumeur. Maar zodra ik mijn koffie op heb, ben ik als herboren.'

Waarom ik? dacht ik.

Kloughn haalde de koffie uit de koelkast en deed het koffiezetapparaat aan. 'Ik wist niet of premiejagers op zaterdag werken,' zei hij. 'Maar ik besloot het zekere voor het onzekere te nemen. Dus hier ben ik.'

Ik was sprakeloos.

De voordeur stond open en er werd achter me op de deurpost geklopt. Het was Morelli. 'Stoor ik?'

'Het is niet wat het lijkt,' zei Kloughn. 'Ik kwam alleen maar jamdonuts brengen.'

Morelli nam me van top tot teen op. 'Griezelig,' zei hij.

Ik keek hem aan en kneep mijn ogen halfdicht. 'Ik heb een beroerde nacht achter de rug.'

'Ja, dat heb ik gehoord. Als ik het goed heb begrepen, heb je bezoek gehad van een grote vogel. Een uil?'

'En?'

'Heeft die uil schade aangericht?'

'Niet noemenswaard.'

'Ik zie je de laatste tijd vaker dan toen we nog samenwoonden,' zei Morelli. 'Je doet dit toch niet allemaal omdat je me zo graag over de vloer wilt hebben, hè?'

6

'Tjees, ik wist niet dat jullie samenwoonden,' zei Kloughn. 'Hé, ik wil nergens tussenkomen of zo, hoor. We zijn alleen maar collega's van elkaar, ja toch?'

'Ja,' zei ik.

'Dus dit is je verloofde?' vroeg Kloughn.

Rond Morelli's mondhoeken speelde een glimlachje. 'Ben je verloofd?'

'Zoiets,' zei ik. 'En ik wil het er niet over hebben.'

Morelli stak zijn hand in de zak en zocht een donut uit. 'Ik zie geen ring om je vinger.'

'Ik wil het er níet over hebben.'

Kloughn klonk verontschuldigend. 'Ze heeft nog geen koffie op.'

Morelli nam een hap van de donut. 'Denk je dat koffie zal helpen?'

Beiden keken me aan.

Ik wees met een strakke arm op de deur. 'Erúit!'

Ik smeet de deur achter hen dicht en deed het nachtslot erop. Ik leunde tegen de deur en sloot mijn ogen. Morelli had er fantastisch uitgezien. T-shirt en spijkerbroek en een rood flanellen hemd dat hij open had gedragen als een jasje. En hij had ook zo lekker geroken. De geur hing nog in mijn halletje, vermengd met die van de jamdonuts. Ik haalde diep adem en had een lustaanval. De lustaanval werd gevolgd door een keiharde mentale dreun. Ik had hem weggestuurd! Hoe haalde ik het in mijn hoofd? O ja, nu wist ik weer waarom. Het kwam doordat hij had gezegd dat ik griezelig was. *Griezelig!* Ik krijg een opvlieger van een man die mij griezelig vindt. Maar aan de andere kant was hij wel langsgekomen om te zien of alles goed met me was.

Daar dacht ik verder over na terwijl ik naar de badkamer liep. Ik was intussen klaarwakker. Ik kon net zo goed opstaan, nu. Ik deed het licht aan en zag mezelf in de spiegel. Getver! Griezelig.

Zaterdag leek me een goede dag om Dotty te volgen. Ik wist niet echt zeker of ze Evelyn hielp, maar het was een gevoel. Soms is gevoel echter genoeg. Jeugdvriendschappen hebben iets speciaals. Je kunt lange tijd om wat voor reden dan ook geen contact met iemand hebben, maar vergeten doe je zo'n vriendschap zelden.

Mary Lou Molnar is altijd mijn beste vriendin geweest. In alle eerlijkheid moet ik bekennen dat we tegenwoordig niet meer zo heel veel met elkaar gemeen hebben. Tegenwoordig heet ze Mary Lou Stankovik. Ze is getrouwd en heeft een stel kinderen. En ik woon samen met een hamster. Dat nam evenwel niet weg dat ik, als ik iemand een geheim zou moeten vertellen, daarvoor naar Mary Lou zou gaan. En als ik Evelyn was, zou ik me tot Dotty Palowski wenden.

Het was bijna tien uur toen ik South River binnenreed. Ik reed langs Dotty's huis en parkeerde een eindje verderop in de straat. Dotty's auto stond op de oprit. Langs de stoep stond een rode Jeep. Dat was niet Evelyns auto. Evelyn reed in een negen jaar oude, grijze Sentra. Ik schoof mijn stoel naar achteren en strekte mijn benen. Als ik een man was die voor een huis stond te wachten, zou ik verdacht zijn geweest. Gelukkig werd er nauwelijks op een vrouw gelet.

Dotty's voordeur ging open en er stapte een man naar buiten. Dotty's twee kinderen kwamen achter hem aan gehuppeld en renden in kringetjes om hem heen. Hij pakte hen bij de hand, waarna ze allemaal naar de Jeep liepen en instapten.

De ex-man die zijn kinderen een dagje meekreeg.

De Jeep reed weg, en vijf minuten later sloot Dotty het huis af en stapte in haar Honda. Ik volgde haar moeiteloos de buurt uit en de snelweg op. Ze vermoedde niet dat ze gevolgd werd en merkte niet dat ik achter haar aan reed.

We reden regelrecht naar een van de winkelcentra langs Route 18 en parkeerden voor een grote boekhandel. Ik zag Dotty uitstappen en over de parkeerplaats naar de winkel lopen. Ze had blote benen en droeg een zonnejurk met een trui. Ik zou het koud hebben gehad in die kleren. De zon scheen, maar het was fris. Ik neem aan dat Dotty het wachten op warmer weer beu was. Ze duwde de deur open en liep rechtstreeks naar de koffiebar. Ik kon haar door de winkelruit zien. Ze bestelde koffie en liep ermee naar een tafeltje. Ze zat met haar rug naar het raam en keek om zich heen. Ze keek op haar horloge en nipte van haar koffie. Ze zat op iemand te wachten.

Ik hoopte vurig dat het Evelyn zou zijn. Dat zou alles er zoveel gemakkelijker op maken.

Ik stapte uit en liep het eindje naar de winkel. Ik neusde rond op de afdeling achter de koffiebar en hield me schuil achter de stellingen met boeken. Ik kende Dotty niet persoonlijk, maar toch was ik bang dat ze me zou herkennen. Ik keek de winkel rond of ik Annie en Evelyn ergens zag. Ik wilde ook niet dat zij me zouden zien.

Dotty keek op van haar koffie en ik zag hoe ze haar blik duidelijk ergens op richtte. Ik volgde haar blik, maar kon Annie en Evelyn nergens ontdekken. Ik was zo intens op zoek naar Annie en Evelyn, dat ik de roodharige man die naar Dotty toe kwam gelopen bijna over het hoofd had gezien. Het was Steven Soder. Mijn eerste reactie was om hem te onderscheppen. Ik wist niet wat hij hier deed, maar hij zou alles verpesten. Evelyn zou onmiddellijk op de vlucht slaan wanneer ze hem zag. En toen begreep ik het opeens, lekker licht dat ik ben. Dotty had met Soder afgesproken.

Soder haalde koffie en liep ermee naar Dotty's tafeltje. Hij ging tegenover haar zitten en zakte onderuit. Een verwaande houding. Ik kon zijn gezicht zien en hij keek bepaald niet vriendelijk.

Dotty boog zich naar voren en zei iets tegen hem. Zijn lach klonk als een snauw en hij knikte. Ze hadden een kort gesprek. Soder prikte zijn vinger in Dotty's gezicht en hij zei iets waar Dotty bleek van werd. Hij stond op, maakte een laatste opmerking en ging weg. Zijn koffie stond onaangeroerd op tafel. Dotty bleef even zitten bijkomen, wachtte tot Soder uit het zicht was verdwenen, en toen ging ze ook weg.

Ik volgde Dotty naar de parkeerplaats. Ze stapte in haar auto en ik maakte dat ik naar de mijne kwam. Eén momentje. Geen auto. Goed, ik weet ook wel dat ik soms wat verstrooid ben, maar ik herinner me doorgaans goed waar ik mijn auto neerzet. Ik liep het vak op en neer. En liep het vak nóg eens op en neer. Geen auto.

Dotty reed het vak uit en koerste naar de uitgang. Ze werd, op korte afstand, gevolgd door een glanzende zwarte auto. Jeanne Ellen.

'Verdómme!'

Ik ramde mijn hand in mijn tas, vond mijn mobiel en toetste Rangers nummer in.

'Bel Jeanne Ellen en vraag haar wat ze met mijn auto heeft gedaan,' zei ik tegen Ranger. 'Nu metéén!'

Een minuut later belde Jeanne Ellen me. 'Ik geloof dat ik een zwarte CR-V voor de delicatessenzaak heb zien staan,' zei ze.

Ik drukte de ophangtoets zó hard in dat ik een nagel brak. Ik liet de telefoon weer in mijn tas vallen en ging met nijdige stappen op weg naar de delicatessenzaak. Ik vond mijn auto en bekeek hem van alle kanten. Ik kon geen krassen ontdekken op de plek waar Jeanne Ellen het slot had geforceerd. Geen losse elektrische bedrading van het zonder sleutel starten. Het was haar op wonderbaarlijke wijze gelukt om in mijn auto te komen en hem te verplaatsen, zonder daarbij ook maar een spoor achter te laten. Dat was een truc die voor Ranger een koud kunstje was, maar ik zou het niet kunnen. Het feit dat Jeanne Ellen het wél kon, stak me meer dan ik kon zeggen.

Ik verliet het winkelcentrum en keerde terug naar Dotty's huis. Er was niemand thuis. Geen auto op de oprit. Waarschijnlijk had Dotty Jeanne Ellen regelrecht naar Evelyn gebracht. Best. Wat kan het schelen. Ik verdien hier niet eens wat mee. Ik rolde met mijn ogen. Het was niet best. Als ik met lege handen bij Mabel aankwam, zou ze opnieuw een huilbui krijgen. En ik zou nog liever over gesmolten lava en glasscherven lopen, dan opnieuw met een huilende Mabel geconfronteerd te worden.

Ik hing rond tot aan het begin van de middag. Ik las de krant, vijlde mijn nagels, ruimde mijn schoudertas op en telefoneerde een half uur met Mary Lou Stankovik. Mijn benen waren onrustig van het lange stilzitten in een kleine ruimte, en mijn billen sliepen. Ik had ruimschoots de tijd om over Jeanne Ellen Burrows na te denken en geen van mijn gedachten was aardig. Sterker nog, nadat ik ongeveer een uur aan haar had zitten denken, had ik zo'n geweldige pestbui dat het me niets verbaasd zou hebben als er stoom uit mijn hoofd was gekomen. Jeanne Ellen had grotere borsten en smallere billen dan ik. Ze was een betere premiejager. Ze had een mooiere auto. En ze had een leren broek. Daar had ik allemaal niet écht moeite mee. Maar waar ik wél echt moeite mee had, was haar relatie met Ranger. Ik dacht dat het uit was tussen hen, maar dat was kennelijk een vergissing. Hij wist elke minuut van de dag waar ze was.

En terwijl zíj een relatie had, moest ík het doen met de boven mijn hoofd hangende dreiging van een enkele nacht gorillaseks. Goed, ik had die deal gesloten op een moment van professionele vertwijfeling. Zijn hulp in ruil voor mijn lijf. En goed, het had me waarschijnlijk in zekere, wat beangstigende zin opwindend en flirtend geleken. En ik geef toe dat ik hem aantrekkelijk vind. Ik bedoel, ik ben tenslotte ook maar een mens, nietwaar? Een vrouw moest dóód zijn om Ranger niet aantrekkelijk te vinden. En ik kan ook niet zeggen dat het me de laatste tijd echt meezat om Morelli in mijn bed te krijgen.

Dus ik moest het met die ene nacht doen, terwijl Jeanne Ellen er een soort van relatie op na hield. Ach, hou maar op ook. Ik weiger te scharrelen met een man die mogelijk een relatie heeft.

Ik draaide Rangers nummer en trommelde met mijn vingers op het stuur in afwachting van het moment waarop hij zou opnemen.

'Hallo,' zei Ranger.

'Ik ben je helemaal níets verschuldigd,' zei ik. 'Onze afspraak gaat niet door.'

Ranger was even stil. Hij vroeg zich waarschijnlijk af wat hem er eigenlijk toe had gebracht om die afspraak te maken. 'Heb je een slechte dag?' vroeg hij ten slotte.

'Mijn slechte dag heeft er niets mee te maken,' zei ik, en ik hing op.

Mijn mobiel ging over en ik vroeg me af of ik op zou nemen. Uiteindelijk was mijn nieuwsgierigheid groter dan mijn lafheid. En dat zouden ze op mijn grafsteen kunnen zetten.

'Ik sta verschrikkelijk onder druk,' zei ik, 'en het zou me niets verbazen als bleek dat ik ook nog koorts had.'

'En?'

'En wat?'

'Ik dacht dat je dat gedeelte van dat onze afspraak niet door zou gaan misschien wel weer zou willen herroepen,' zei Ranger.

Er volgde een lange stilte.

'Nou?' vroeg Ranger.

'Ik denk.'

'Dat is altijd gevaarlijk,' zei Ranger. En hij hing op.

Ik zat nog steeds te piekeren over wel of niet herroepen, toen Dotty aan kwam rijden. Ze parkeerde op de oprit, haalde twee boodschappentassen van de achterbank en ging haar huis binnen.

Mijn telefoon ging opnieuw. Ik rolde met mijn ogen en klikte mijn mobieltje open. 'Ja.'

'Heb je erg lang moeten wachten?' Dat was Jeanne Ellen.

Ik keek met een ruk achterom en tuurde de straat af. 'Waar ben je?'

'Achter het blauwe busje. Het doet je vast plezier om te weten dat je niets hebt gemist vanmiddag. Dotty heeft alleen maar huisvrouwdingen gedaan.'

'Heeft ze gemerkt dat je haar volgde?'

Er viel een stilte waarin ik aannam dat Jeanne Ellen zich verbaasde over het feit dat ik dacht dat iemand haar wel eens in de gaten zou kunnen hebben. 'Natuurlijk niet,' zei Jeanne Ellen. 'Evelyn stond voor vandaag niet op haar agenda.'

'Nou, kop op,' zei ik. 'De dag is nog niet voorbij.'

'Dat klopt. Ik had hier nog een poosje willen blijven, maar het voelt een beetje druk in de straat met ons tweeën hier.'

'En?'

'Het lijkt me een goed idee als jij vertrekt.'

'Geen sprake van. Ga jíj maar weg.'

'Als er iets mocht gebeuren, dan bel ik je,' zei Jeanne Ellen.

'Dat lieg je.'

'Dat klopt. Laat ik je dan maar iets vertellen dat niet gelogen is. Als je niet gaat, dan maak ik een kogelgat in je auto.'

Ik wist uit ervaring dat kogelgaten een absoluut minpunt zijn op het moment waarop je je auto wilt verkopen. Ik verbrak de verbinding, schakelde en reed weg. Ik reed twee straten verder en parkeerde voor een klein wit huis. Ik sloot af en liep een blokje tot ik me één straat terug, pal achter Dotty's huis bevond. Er heerste absolute rust in de straat. Dotty's buren vertoonden geen enkel levensteken. Iedereen was nog steeds in het winkelcentrum, op het sportveld of op de autowasplaats. Ik liep tussen twee huizen door en klom over het witte hekje dat Dotty's achtertuin omsloot. Ik liep door de tuin en klopte op Dotty's achterdeur.

Dotty deed open en trok een stomverbaasd gezicht bij het zien van een onbekende vrouw in haar tuin.

'Ik ben Stephanie Plum,' zei ik. 'Ik hoop dat ik je niet heb laten schrikken door zo achterom te komen.'

De verbazing maakte plaats voor opluchting. 'O, natuurlijk, jouw ouders wonen naast Mabel Markowitz. Ik heb met je zus op school gezeten.'

'Ik zou je graag even over Evelyn spreken. Mabel maakt zich verschrikkelijke zorgen om haar, en ik heb haar beloofd dat ik hier en daar wat navraag zou doen. En ik ben achterom gekomen omdat de voorkant van je huis in de gaten wordt gehouden.'

Dotty's mond zakte open en ze zette grote ogen op. 'Je bedoelt dat ik geschaduwd word?'

'Steven Soder heeft een privé-detective ingehuurd om Annie te vinden. De detective in kwestie heet Jeanne Ellen Burrows en ze zit in de zwarte Jaguar die achter het blauwe busje geparkeerd staat. Ik zag haar toen ik de straat in kwam rijden, maar omdat ik niet wou dat ze me zou zien, ben ik door de achtertuin gekomen.' Daar ga je, Jeanne Ellen Burrows. Eén-nul. *Dreun!*

'O mijn god,' zei Dotty. 'Wat moet ik doen?'

'Weet je waar Evelyn is?'

'Nee. Het spijt me. Evelyn en ik zijn elkaar uit het oog verloren.'

Ze loog. Ze had te lang gewacht met nee zeggen. En bovendien kreeg ze een kleur. Ik had nog nooit iemand gezien die zo slecht kon liegen. Ze maakte de vrouwen van de Wijk te schande. De vrouwen van de Wijk konden fantastisch liegen. Geen wonder dat Dotty naar South River had moeten verhuizen.

Ik liet mijzelf haar keuken binnen en deed de deur achter me dicht. 'Luister,' zei ik, 'maak je geen zorgen om Jeanne Ellen. Ze is niet gevaarlijk. Het enige waar je voor moet uitkijken, is dat je haar niet naar Evelyn brengt.'

'Je bedoelt dat ik, áls ik zou weten waar Evelyn was, uit zou moeten kijken als ik haar wilde opzoeken.'

'Alleen uitkijken is niet voldoende. Jeanne Ellen zal je volgen en je zult er niets van merken. Blijf gewoon zo ver mogelijk uit Evelyns buurt.'

Dotty was niet blij met dit advies. 'Hmm,' zei ze.

'Misschien zouden we het over Evelyn moeten hebben.'

Ze schudde haar hoofd. 'Ik kan niet over Evelyn praten.'

Ik gaf haar mijn kaartje. 'Bel me als je van gedachten mocht veranderen. In het geval dat Evelyn contact met je opneemt en je haar zou moeten opzoeken, verzoek ik je om mijn hulp in overweging te nemen. Je kunt Mabel bellen en navraag naar mij doen.'

Dotty bekeek mijn kaartje en knikte. 'Goed.'

Ik verliet het huis weer via de achterdeur, keerde door de achtertuinen terug naar mijn auto en ging naar huis.

Ik stapte uit de lift en zag Kloughn met zijn rug tegen de muur, zijn benen recht uitgestrekt en zijn armen over elkaar naast mijn voordeur zitten. De moed zonk me in de schoenen. Hij begon te stralen toen hij me zag en krabbelde overeind.

'Jee,' zei hij, 'je bent de hele middag weggeweest. Waar heb je gezeten? Je hebt Bender toch niet opgepakt, hè? Dat zul je toch niet zonder mij proberen, hè? Ik bedoel, we zijn toch een team, nietwaar?'

'Ja,' zei ik, 'we zijn een team.' Een team zonder handboeien.

We gingen naar binnen en liepen rechtstreeks door naar de keuken. Ik wierp een blik op het antwoordapparaat. Geen knipperende lichtjes. Geen boodschap van Morelli die me om een afspraak smeekte. Niet dat Morelli ooit ergens om smeekte. Maar hopen stond vrij. In gedachten slaakte ik een diepe zucht. Ik zou mijn zaterdagavond met Albert Kloughn doorbrengen. Het voelde als de dag des oordeels.

Kloughn keek me afwachtend aan. Hij was als een stralend kijkend, kwispelend jong hondje dat hoopte dat zijn bazinnetje een straatje met hem om wilde gaan. Vertederend, maar dan wel op een bepaald soort irritante manier.

'Wat nu?' vroeg hij. 'Wat gaan we nu doen?'

Daar moest ik over nadenken. In de meeste gevallen kostte het moeite om de voortvluchtige te vinden. In Benders geval was het vinden geen probleem, maar had ik de grootste moeite om hem vast te houden.

Ik trok de koelkast open en tuurde erin. Mijn vaste motto was: Als al het andere niet wil lukken, éét dan iets. 'Laten we iets te eten maken,' zei ik.

'O, geweldig, een zelfbereide maaltijd. Daarmee zou je me een reuze groot plezier doen. Ik heb al in uren geen hap meer gegeten. Goed, ik heb een Mars gegeten voor ik hier naar toe kwam, maar dat telt niet, wel? Ik bedoel, dat is geen echt eten. En ik heb nog steeds honger. Maar een Mars is dan ook geen echte maaltijd, niet?'

'Nee.'

'Wat gaan we koken? Pasta? Heb je vis? We zouden vis kunnen eten.

Of een lekkere biefstuk. Ik eet nog steeds vlees. Heel veel mensen eten geen vlees meer, maar ik nog wel. Ik eet alles.'

'Eet je pindakaas?'

'Natuurlijk. Ik ben gek op pindakaas. Pindakaas is toch hoofdvoedsel, niet?'

'Ja.' Ik at veel pindakaas. Je hoeft het niet te koken. Het enige dat je bij de voorbereiding vies maakt is een mes. En je kunt er van op aan. Het is altijd hetzelfde. In tegenstelling tot het uitzoeken van een moot vis, waarvan ik uit ervaring weet dat dat de nodige risico's met zich meebrengt.

Ik maakte boterhammen met pindakaas, en met boter en zoetzure augurkjes voor ons klaar. En omdat ik bezoek had, voegde ik er een laag chips aan toe.

'Wat creatief,' zei Kloughn. 'Op deze manier krijg je een heleboel verschillende soorten vezels binnen. En je krijgt geen vette vingers, wat je wél krijgt als je de chips afzonderlijk eet. Dit moet ik onthouden. Ik ben altijd op zoek naar nieuwe recepten.'

Goed, ik zou nog een poging met Bender wagen. Ik zou nóg een keer bij hem inbreken. Zodra ik een stel handboeien had gevonden.

Ik draaide Lula's nummer.

'Wat ga je doen vanavond?' vroeg ik aan Lula.

'Nou, het is zaterdagavond en ik vraag me af wat ik aan zal trekken. En je moet niet denken dat ik een loser ben die geen afspraakje kan krijgen. Ik zou al lang het huis uit zijn, maar ik heb twee jurken waar ik niet tussen kan kiezen.'

'Heb je handboeien?'

'Natuurlijk heb ik handboeien. Je weet maar nooit wanneer je ze nodig hebt.'

'Zou ik ze van je mogen lenen? Voor een paar uurtjes maar. Ik moet Bender oppakken.'

'Ga je vanavond achter Bender aan? Heb je hulp nodig? Ik zou mijn afspraakje kunnen afzeggen. Dan zou ik ook geen jurk hoeven kiezen. En je moet toch langskomen om de handboeien te halen. Je zou me net zo goed mee kunnen nemen.'

'Je hebt niet echt een afspraakje, hè?'

'Maar als ik zou willen, zou ik er zó eentje kunnen krijgen.'

'Over een half uur ben ik bij je.'

Lula zat voorin en Kloughn zat op de achterbank. We stonden voor Benders huis en probeerden te beslissen wat de beste aanpak zou zijn.

'Als jij de achterdeur in de gaten houdt,' zei ik tegen Lula, 'dan nemen Albert en ik de voordeur.'

'Dat plan bevalt me niet,' zei Lula. 'Ik wil de voordeur doen. En ik wil degene zijn die de handboeien vasthoudt.'

'Ik vind dat Stephanie de handboeien vast zou moeten houden,' zei Kloughn. 'Zij is de premiejager.'

'Huh,' zei Lula. 'En wat ben ik dan? Gehakte lever? En daarbij, het zijn míjn handboeien. Ik vind dat ík ze vast zou moeten houden. Of ik hou ze vast, of jullie hebben geen handboeien.'

'O, best!' zei ik tegen Lula. 'Dan neem jíj de voordeur maar, en dan hou jíj de handboeien maar vast. Maar zorg er wel voor dat je ze rond Benders polsen krijgt.'

'En ik?' wilde Kloughn weten. 'Welke deur neem ik dan? De achterdeur? En wat moet ik daar dan doen? Moet ik de achterdeur intrappen?'

'Nee! Er worden geen deuren ingetrapt. Je blijft daar staan wachten. Het enige waar je op moet letten, is dat Bender niet door de achterdeur ontsnapt. Dus als Bender de achterdeur opendoet en eruit rent, dan zul je hem tegen moeten houden.'

'Je kunt op me rekenen. Langs mij komt hij niet. Ik weet dat ik er behoorlijk potig uitzie, maar in werkelijkheid ben ik nóg potiger. Ik ben een keiharde jongen.'

'Precies,' zeiden Lula en ik in koor.

Kloughn ging achterom en Lula en ik stevenden op de voordeur af. Ik klopte aan en Lula en ik gingen aan weerszijden van de deur staan. We hoorden het onmiskenbare geluid van een geweer dat werd afgevuurd, en Lula en ik wisselden een *o shit*-blik terwijl Bender een knoeper van een gat in zijn voordeur schoot.

Lula en ik gingen er op een holletje vandoor en doken de auto in terwijl er opnieuw werd geschoten. Ik kroop achter het stuur en ging er met gierende banden vandoor. Ik scheurde om de zijkant van het flatgebouw heen, reed de stoep op en kwam op enkele centimeters van Kloughn slippend tot stilstand. Lula greep Kloughn beet bij de voorkant van zijn hemd, trok hem de auto in en ik gaf meteen weer plankgas.

'Wat is er gebeurd?' vroeg Kloughn. 'Waarom gaan we weg? Was hij niet thuis?'

'We zijn van gedachten veranderd,' zei Lula. 'Vanavond was bij nader inzien toch niet zo'n goed idee. Als we gewild hadden, hadden we hem te grazen kunnen nemen, maar we besloten er vanaf te zien.'

'We besloten er vanaf te zien omdat hij op ons heeft geschoten,' zei ik tegen Kloughn.

'Ik weet zo goed als zeker dat dat bij de wet verboden is,' zei Kloughn. 'Hebben jullie teruggeschoten?'

'Ik heb even met die gedachte gespeeld,' zei Lula, 'maar als je iemand doodschiet moet je ontzettend veel formulieren invullen. En ik had geen zin om daar vanavond zoveel tijd aan te besteden.'

'Je hebt je handboeien tenminste kunnen houden,' zei Klough.

Lula keek omlaag naar haar handen. Geen handboeien. 'O, o,' zei Lula. 'Ik denk dat ik ze in de opwinding heb laten vallen. Het was niet dat ik bang was, of zo. Ik vond het alleen maar verschrikkelijk opwindend.'

Op weg door de stad stopte ik bij Soders bar. 'Dit duurt niet lang,' zei ik tegen mijn passagiers. 'Maar ik moet even iets tegen Steven Soder zeggen.'

'Best,' zei Lula. 'En ik heb ook wel behoefte aan een borrel.' Ze keek achterom naar Kloughn. 'En jij, Kadetje?'

'O ja, ik heb ook wel trek in een borrel. Het is tenslotte zaterdagavond, nietwaar? En op zaterdagavond moet je altijd iets drinken.'

'Ik had met iemand uit kunnen gaan,' zei Lula.

'Ik ook,' zei Kloughn. 'Er zijn bendes vrouwen die met me uit willen. Ik had er alleen geen behoefte aan. Soms is het wel eens prettig om voor de verandering eens even níet een avondje met iemand te gaan stappen.'

'De laatste keer dat ik in deze bar was, ben ik er zo ongeveer uitgegooid,' zei Lula. 'Denk je dat ze hier een wrok tegen iemand koesteren?'

Soder zag me binnenkomen. 'Hé, daar hebben we Juffie Loser,' zei hij. 'En die twee losermaatjes van haar.'

'Schelden doet geen zeer,' zei ik.

'Heb je mijn kind al gevonden?' Dat was geen vraag maar een uitdaging.

Ik haalde mijn schouders op in een gebaar dat uitgelegd kon worden als misschien wel, maar misschien ook niet.

'Loooooser,' zong Soder.

'Je zou eens een cursus Omgang Met Mensen moeten doen,' zei ik tegen hem. 'Je zou beleefder tegen mij moeten zijn. En je had vanochtend aardiger tegen Dotty moeten zijn.'

Dáár keek hij van op. 'Hoe weet je dat van Dotty?'

Ik haalde opnieuw mijn schouders op.

'Hou op met dat schouderophalen,' zei hij. 'Dat minibrein van een ex van mij heeft mijn kind ontvoerd. En als je iets weet, dan kun je mij dat maar beter vertellen.'

Hij vroeg zich af hoeveel ik wist. Dat was waarschijnlijk niet slim, maar voldoening gaf het wel.

'Ik geloof dat ik toch maar liever niets wil drinken,' zei ik tegen Lula en Kloughn.

'Mij best,' zei Lula. 'De sfeer hier bevalt me niet.'

Soder keek nog eens naar Kloughn. 'Hé, ik weet wie jij bent. Jij bent die zak van een advocaat die Evelyn terzijde heeft gestaan.'

Kloughn straalde. 'Weet u dat nog? Ik had niet verwacht dat iemand zich dat zou herinneren. Tjonge, stel je voor.'

'Het kwam door jou dat Evelyn de voogdij over het kind heeft gekregen,' zei Soder. 'Al die ophef die je over deze bar hebt gemaakt. En nu zit mijn kind opgescheept met een achterlijke junk, stomme klootzak die je bent.'

'Ze maakte anders niet de indruk van verslaafd te zijn,' zei Kloughn. 'Hooguit een tikje... afwezig.'

'Hé, wil je een trap voor je reet?' zei Soder, terwijl hij naar het einde van de lange, eikenhouten bar kwam gelopen.

Lula stak haar hand in haar grote leren schoudertas. 'Ik heb hier ergens een bus peperspray in zitten. En een revolver.'

Ik draaide Kloughn om en duwde hem naar de uitgang. 'Lopen!' brulde ik in zijn oor. 'Ren naar de auto!'

Lula stond nog steeds in haar tas te wroeten. 'Ik weet zéker dat ik hier een revolver in heb zitten.'

'Laat maar,' zei ik tegen Lula. 'We moeten hier weg!'

'Há, mooi niet,' zei Lula. 'Die man verdient een kogel in zijn lijf. En daar zou ik persoonlijk voor zorgen, als ik die revolver nu maar kon vinden.'

Soder kwam achter de bar vandaan en ging achter Kloughn aan. Ik ging voor Soder staan en hij duwde me met twee handen opzij.

'Hé, je moet niet denken dat je haar zomaar zo'n zet kunt geven,' zei

Lula. En ze sloeg Soder met haar tas op zijn achterhoofd. Hij draaide zich met een ruk om en ze sloeg opnieuw, waarbij ze hem ditmaal in zijn gezicht trof waardoor hij een paar stappen achteruit wankelde.

'Wat?' riep Soder uit, terwijl hij versuft met zijn ogen stond te knipperen.

Vanaf de andere kant van de bar kwamen twee potige kerels op ons afgestevend, en de helft van de aanwezigen hield ons onder schot.

'O, o,' zei Lula, 'ik denk dat ik mijn revolver in mijn andere tas heb laten zitten.'

Ik greep Lula bij haar mouw, rukte haar mee naar de deur en we zetten het beiden op een lopen. Ik piepte de auto open met de afstandsbediening, we doken erin en ik scheurde weg.

'Zodra ik mijn revolver heb gevonden, ga ik terug en schiet ik hem alsnog in zijn kont,' zei Lula.

Zo lang als ik Lula ken heb ik haar nog nooit iemand in zijn of haar reet zien schieten. Bluf prijkte hoog op het lijstje van premiejagertalenten.

'Ik ben aan een vrije dag toe,' zei ik. 'En waar ik vooral aan toe ben, is een dag zonder Bender.'

Een van de fijne dingen aan hamsters is, dat je ze van alles kunt vertellen. Hamsters zijn het overal mee eens zo lang je ze maar te eten geeft.

'Ik heb geen leven,' zei ik tegen Rex. 'Hoe heeft het zover kunnen komen? Vroeger was ik zo'n interessant mens. Je kon met me lachen. En moet je me nu eens zien. Het is zondagmiddag twee uur en ik heb al twee keer naar *Ghostbusters* gekeken. En het regent niet eens. Er is geen enkel excuus, behalve dat ik een doodsaai mens ben.'

Ik wierp een blik op het antwoordapparaat. Misschien was het wel kapot. Ik nam de hoorn op en kreeg een kiestoon. Ik drukte op het afspeelknopje en de stem vertelde me dat ik geen boodschappen had. Stom ding.

'Ik heb een hobby nodig,' zei ik.

Rex keek me aan van: *ja hoor.* Breien? Tuinieren? Figuurzagen? Nee, toch maar niet.

'Nou, een sport dan misschien? Ik zou kunnen tennissen.' Nee, wacht even. Ik had tennis geprobeerd en ik bracht er niets van terecht. Golf dan? Nee, van golfen bracht ik ook al niets terecht.

Ik droeg een spijkerbroek en een T-shirt, en de bovenste knoop van mijn spijkerbroek stond open. Te veel cakejes. Ik moest denken aan Steven Soder die me een loser had genoemd. Misschien had hij wel gelijk. Ik kneep mijn ogen dicht en probeerde een traan van zelfmedelijden te produceren. Geen succes. Ik hield mijn buik in en deed de knoop van mijn broek dicht. Pijn. En een vetrol die over de tailleband heen hing. Niet aantrekkelijk.

Ik liep met nijdige stappen naar mijn slaapkamer en verruilde mijn broek voor een sportbroek en sportschoenen. Ik was géén loser. Ik had een bescheiden vetrol die over mijn tailleband hing. Niks aan de hand. Een beetje lichaamsbeweging en het overtollige vet zou vanzelf verdwijnen. Om nog maar te zwijgen over het extra voordeel van de endorfinen. Ik wist niet precies wat endorfinen waren, maar ik wist dat ze goed waren en dat je ze van lichaamsbeweging kreeg.

Ik stapte in de auto en reed naar het park in Hamilton Township. Ik had van huis uit kunnen joggen, maar daar was niets leuks aan. In Jersey nemen we elke kans op een ritje met de auto waar. En daarbij, onder het rijden had ik de tijd om mijzelf geestelijk voor te bereiden. Ik moest mezelf moed in praten. Deze keer zou ik het echt serieus aanpakken. Ik zou serieus gaan joggen. Joggen en zweten. En ik zou er een geweldig uiterlijk aan overhouden. Ik zou me er geweldig door voelen. Misschien dat ik er wel een váste sport van zou maken.

Het was een stralende dag en het was erg druk in het park. Ik vond een plekje achter aan de parkeerplaats, sloot de CR-V af en liep naar het joggingpad. Ik deed een paar warming-upoefeningen en begon langzaam te joggen. Na een halve kilometer wist ik weer waarom ik dit nooit deed. Ik háátte het. Ik haatte joggen. Ik haatte zweten. Ik haatte die grote, lompe gympen aan mijn voeten.

Even later moest ik stoppen met pijn in mijn zij. Ik keek naar mijn vetrol. Hij zat er nog steeds.

Na anderhalve kilometer plofte ik uitgeput neer op een bankje. Het bankje keek uit over het meer waar mensen in boten roeiden. Een eendenfamilie dreef in de buurt van de oever. Aan de overkant van het meer zag ik de parkeerplaats en de kiosk. Bij de kiosk verkochten ze water. Bij mijn bankje was geen water. Ach, hou toch op. Ik wílde helemaal geen water. Ik wilde cola. En een pak zoutjes.

Ik zat naar de eendjes te kijken en te bedenken dat er een tijd was geweest waarin vetrollen sexy werden gevonden en dat het eigenlijk reuze jammer was dat ik niet in die tijd leefde. Een enorm, harig, prehistorisch, oranje beest kwam op me afgestoven en drukte zijn neus in mijn kruis. Getsie. Het was Morelli's hond. Bob. Bob was oorspronkelijk bij mij komen wonen, maar had na wat heen en weer gescharrel besloten dat hij toch liever bij Morelli wilde zijn.

'Hij is opgewonden omdat hij je ziet,' zei Morelli, terwijl hij naast me kwam zitten.

'Ik dacht dat je met hem naar hondentraining ging.'

'Dat heb ik gedaan. Hij heeft leren zitten en leren volgen. Kruissnuffelen stond niet op het programma.' Hij nam me van top tot teen op. 'Rood aangelopen gezicht, zweet bij de haargrens, haren in een paardenstaart, joggingschoenen. Mag ik raden? Je hebt gejogd.'

'En?'

'Hé, dat vind ik geweldig. Ik ben alleen maar verbaasd. De laatste keer dat ik met je ben gaan joggen heb je een omweg naar de bakker gemaakt.'

'Ik ben aan een nieuw hoofdstuk in mijn leven begonnen.'

'Krijg je je spijkerbroek niet meer dicht?'

'Niet als ik tegelijkertijd wil ademhalen.'

Bob zag een eend op de oever en ging er achteraan. De eend dook het water in en Bob nam een sprong. Hij remde af en keek geschrokken achterom. Hij was waarschijnlijk de enige retriever ter wereld die niet kon zwemmen.

Morelli liep het water in en trok Bob weer op de kant. Bob sjokte het gras op, schudde zich uit en ging vervolgens een eekhoorn achterna.

'Wat ben je toch een held,' zei ik tegen Morelli.

Hij schopte zijn schoenen uit en rolde zijn broek op tot aan zijn knieën. 'Ik heb me laten vertellen dat jij je ook heldhaftig hebt gedragen. Butch Dziewisz en Frankie Burlew waren gisteravond in Soders bar.'

'Het was niet mijn schuld.'

'Natuurlijk was het jouw schuld,' zei Morelli. 'Het is altijd jouw schuld.'

Ik rolde met mijn ogen.

'Bob mist je.'

'Dan moet Bob maar eens bellen. En een boodschap inspreken op het antwoordapparaat.'

Morelli leunde naar achteren. 'Wat deed je in Soders bar?'

'Ik had met hem over Evelyn en Annie willen praten, maar hij was niet in een al te beste bui.'

'Werd zijn bui er nog slechter op nádat hij met een schoudertas een dreun op zijn hoofd had gekregen?'

'Nou, eigenlijk was hij juist veel meegaander nadat Lula hem had gemept.'

'Versuft is het woord dat Butch gebruikte.'

'Versuft zou er een goed woord voor kunnen zijn, maar we zijn daarna niet lang meer gebleven, dus ik kan het je niet met zekerheid zeggen.'

Bob kwam terug van de eekhoornjacht en begon tegen Morelli te blaffen.

'Bob is onrustig,' zei Morelli. 'Ik had hem een wandeling rond het meer beloofd. Welke kant ga jij op?'

Het was anderhalve kilometer als ik dezelfde weg terug nam, en vierenhalve kilometer als ik met Morelli verder rond het meer zou lopen. Morelli zag er aantrekkelijk uit met zijn opgerolde broekspijpen, en de verleiding was groot. Helaas had ik een blaar op mijn hiel, was de kramp in mijn zij nog steeds niet helemaal weggetrokken en vermoedde ik dat ik er niet op mijn alleraantrekkelijkst uitzag. 'Ik ben op weg naar de parkeerplaats,' zei ik.

Er volgde een pijnlijk moment waarin ik hoopte dat Morelli onze tijd samen nog wat zou willen verlengen. Ik zou het fijn hebben gevonden als hij had aangeboden om samen met mij terug naar de auto te lopen. Ik wilde best toegeven dat ik Morelli miste. Ik miste de hartstocht en ik miste het liefdevolle gekibbel. Hij trok me nooit meer aan mijn haren. Hij probeerde niet meer om onder mijn rok of onder mijn T-shirt te kijken. We bevonden ons in een impasse en ik wist niet hoe ik daar een eind aan moest maken.

'Probeer een beetje voorzichtig te zijn,' zei Morelli. We keken elkaar nog even aan, waarna we elk de andere kant op gingen.

7

Ik strompelde terug naar de kiosk en kocht een blikje cola en een pak Cracker Jacks. Cracker Jacks tellen niet als junkfood omdat ze gemaakt zijn van maïs en pinda's, waarvan we weten dat ze een hoge voedingswaarde hebben. En er zit een verrassing in het pak.

Ik liep de paar meter naar de waterkant, waar ik het pak Cracker Jacks openmaakte. Vrijwel op hetzelfde moment kwam er een gans naar me toe die me in mijn knie beet. Ik deinsde achteruit, maar hij bleef me snaterend aanvallen. Ik gooide een Cracker Jack zo ver mogelijk van me af en de gans waggelde er naar toe. Dat was een grote vergissing. Het blijkt dat ganzen een Cracker Jack beschouwen als een uitnodiging voor een feest. Ik zag hoe opeens, vanuit alle richtingen van het park, ganzen naar me toe kwamen gewaggeld. Sommige gebruikten hun vleugels om sneller vooruit te komen en allen hielden hun zwarte kraaloogjes strak op mijn Cracker Jacks gericht. Ze streden onderling om het hardst en tetterden, snaterden en hapten om zich heen, om maar zo dicht mogelijk in mijn buurt te kunnen komen.

'Ren voor je leven, kind! Geef ze die Cracker Jacks nu maar,' riep een oud dametje dat vlakbij op een bankje zat. 'Als je ze dat pak niet geeft, zullen ze je levend verslinden!'

Ik hield mijn zoutjes stevig vast. 'Ik ben nog niet bij de verrassing. De verrassing zit er nog in.'

'Vergeet die verrassing nu maar!'

Er kwamen drie ganzen over het meer aangevlogen. Voor hetzelfde geld kwamen ze helemaal uit Canada. Eén van het drietal trof me midden op de borst en ik viel wijdbeens achterover. Ik slaakte een gil en verloor mijn greep op het pak. De vechtende ganzen hadden geen greintje respect voor mensen- of ganzenlevens. De herrie was oorverdovend.

Ik werd geslagen door ganzenvleugels en hun teennagels maakten grote scheuren in mijn T-shirt.

Voor mijn gevoel duurde het gevecht uren, maar het kan in werkelijkheid amper langer dan een minuut hebben geduurd. De ganzen verdwenen even snel als ze waren gekomen, en het enige dat ze achter hadden gelaten waren ganzenveren en ganzenpoep. Enorme, gelatineachtige kwakken ganzenpoep... voor zo ver het oog reikte.

Naast de oude vrouw zat een oude man op het bankje. 'Jij weet ook niet veel, hè?' zei hij tegen mij.

Ik krabbelde overeind, kroop naar mijn auto, opende het portier met de afstandsbediening en wurmde mijzelf achter het stuur. Joggen, ha! Ik reed op de automatische piloot van de parkeerplaats en vond de weg terug naar Hamilton Avenue. Ik was bijna thuis toen ik vanuit mijn ooghoeken op de stoel naast me iets zag bewegen. Ik draaide mijn hoofd om beter te kunnen kijken en werd op hetzelfde moment besprongen door een spin ter grootte van een etensbord.

'*Geeeetver! Godsamme! GATVERDAMME!*' Ik raakte een geparkeerde auto, vloog de stoep op en kwam tot stilstand op het gazon van een voortuin. Ik gooide het portier open en maakte dat ik de auto uit kwam. Ik stond nog steeds rond te springen en mijn haren uit te schudden, toen de eerste patrouillewagen arriveerde.

'Even kijken of ik het goed begrepen heb,' zei een van de agenten. 'Je hebt die Toyota die daar langs het trottoir staat bijna total loss gereden, om nog maar te zwijgen over de schade aan je eigen CR-V, en dat alleen maar omdat je door een spin werd aangevallen?'

'Niet slechts één spin. We hebben het over meerdere spinnen. Meerdere gróte spinnen. Mogelijk *gemuteerde* spinnen. Een kudde gemuteerde spinnen.'

'Je komt me bekend voor,' zei hij. 'Ben jij niet toevallig premiejager?'

'Ja, en ik ben onvoorstelbaar moedig. Behalve wanneer het om spinnen gaat.' En om Eddie Abruzzi. Abruzzi wist hoe hij een vrouw de stuipen op het lijf moest jagen. Hij was vertrouwd met alle griezelige kruipende dingen die iemands moed ondermijnen en een irrationele angst oproepen. Slangen en spinnen en geesten op brandtrappen.

De agenten wisselden een onderlinge blik die zoveel wilde zeggen als: *meisjes...* en liepen met vooruitgestoken borst naar mijn Honda. Ze keken erin en het volgende moment hoorde ik twee hoge kreten, waarop het portier met een luide klap werd dichtgeslagen.

'Godsammeliefhebben,' riep de ene van het tweetal uit. 'Jezus Christus nog aan toe!'

Na kort overleg werd overeengekomen dat dit de vermogens van een eenvoudige agent te boven ging en er werd opnieuw met de Dierenbescherming gebeld. Een uur later werd de CR-V spinvrij verklaard, had ik een bekeuring wegens roekeloos rijden te incasseren gekregen en had ik verzekeringsgegevens met de eigenaar van de geparkeerde auto uitgewisseld.

Ik reed het laatste eindje tot aan mijn huis, zette de auto op de parkeerplaats en strompelde naar binnen. Meneer Kleinschmidt was in de hal beneden.

'Wat zie je eruit,' zei hij. 'Wat is er met je gebeurd? Zijn dat ganzenveren, daar, op je T-shirt? En hoe komen al die scheuren in je T-shirt? En waar heb je al die grasvlekken opgelopen?'

'Dat zal ik u maar niet vertellen,' zei ik. 'Het is een waar griezelverhaal.'

'Ik wed dat je de ganzen wilde voeren in het park,' zei hij. 'Dat is geen goed idee. Die ganzen, dat zijn net wilde beesten.'

Ik zuchtte en stapte in de lift. Toen ik mijn flat binnenging, merkte ik vrijwel meteen dat er iets anders dan anders was. Het lampje van mijn antwoordapparaat knipperde aan en uit. *Ja.* Eindelijk! Ik drukte op het knopje en boog me er overheen om beter te kunnen luisteren.

'Was je blij met die spinnen?' vroeg de stem.

Ik stond nog steeds, lichtelijk verdoofd van alle gebeurtenissen die dag, in mijn keuken, toen Morelli kwam. Hij klopte kort op de voordeur, en de deur, die niet op slot zat, zwaaide open. Bob sprong naar binnen en begon onmiddellijk rond te rennen om het huis te onderzoeken.

'Ik begrijp dat je een probleem met spinnen had,' zei Morelli.

'Dat is zwak uitgedrukt.'

'Ik zag je Honda op de parkeerplaats staan. De hele rechterkant zit in elkaar.'

Ik speelde de ingesproken boodschap op het antwoordapparaat voor hem af.

'Dat is Abruzzi,' zei ik. 'Het is niet zijn stem op het bandje, maar hij zit hier achter. Hij beschouwt dit als een soort van oorlogsspelletje. En iemand moet me naar het park zijn gevolgd. Toen ik aan het trimmen was, hebben ze mijn auto opengemaakt en er die spinnen in gezet.'

'Om hoeveel spinnen ging het?'

'Vijf grote tarantula's.'

'Ik zou met Abruzzi kunnen gaan praten.'

'Dank je, maar ik kan het alleen wel af.' Ja, hoor. Daarom heb ik een portier van een geparkeerde auto af gereden. In werkelijkheid zou ik het heerlijk vinden als Morelli zich ermee bemoeide en ervoor zou zorgen dat Abruzzi me met rust liet. Helaas was het echter zo dat ik daarmee een verkeerde boodschap de wereld in zou sturen: dom, hulpeloos vrouwtje zoekt grote, sterke man om haar uit de problemen te helpen.

Morelli liet zijn blik over mijn gestalte gaan – over de grasvlekken, de ganzenveren en mijn gescheurde shirt. 'Toen we het meer rond waren gelopen, heb ik een hotdog voor Bob gekocht, en bij de kiosk werd druk gesproken over een vrouw die door een groep ganzen was aangevallen.'

'Hmm. Stel je voor.'

'Ze zeiden dat ze de aanval veroorzaakt had door een van de ganzen een Cracker Jack te voeren.'

'Ik kon het niet helpen,' zei ik. 'Stomme beesten.'

Bob had mijn flat doorgezocht. Hij kwam de keuken binnen en keek glimlachend naar ons op. Er hing een stukje wc-papier uit zijn bek. Hij deed zijn bek open. '*Kek!*' Hij deed zijn bek nog wat verder open en braakte een hotdog, een pluk gras, een flinke hoeveelheid slijm en een prop wc-papier uit.

We keken alle twee met grote ogen naar de dampende berg kots.

'Nou, dan ga ik maar weer,' zei Morelli, met een blik op de deur. 'Ik wilde alleen maar even kijken of alles goed met je was.'

'Hé, wacht eventjes. Wie gaat dit opruimen?'

'Ik zou je met alle liefde willen helpen, maar... o man, die stank!' Hij drukte zijn hand tegen zijn neus en zijn mond. 'Moet weg,' zei hij. 'Laat. Moet iets doen.' Hij was al halverwege het halletje. 'Laat het toch gewoon liggen en huur een andere flat.'

Nog een kans om de krengerige blik te gebruiken.

Ik sliep niet goed... Hetgeen waarschijnlijk redelijk normaal is na een aanval van moordlustige ganzen en gemuteerde spinnen. Om zes uur kwam ik ten slotte met een zwaar gevoel uit bed, nam een douche en kleedde me aan. Ik besloot dat ik na zo'n ellendige nacht wel een traktatie had verdiend, stapte in de auto en reed de stad in naar Barry's Coffees. Er stond altijd een rij bij Barry's, maar het was de moeite waard want hij had tweeënveertig verschillende soorten koffie, plus alle exotische espressodrankjes.

Ik bestelde een caramel mochaccino met magere melk, en liep ermee naar de bar voor het raam, waar ik naast een bejaard vrouwtje met kortgeknipt, knalrood geverfd stekeltjeshaar ging staan. Ze was klein en rond, met appelwangetjes en een appelvormig lijf. Ze droeg grote zilveren oorbellen met turkoois, opvallende ringen aan elke gekromde vinger, een trainingspak van wit polyester en Skechers met plateauzolen. Haar wimpers waren bedekt met een dikke laag mascara, en een groot deel van haar donkerrode lippenstift was aan haar cappuccinokopje blijven plakken.

'Hallo, schat,' zei ze met een stem van iemand die twee pakjes per dag rookt. 'Is dat een caramel mochaccino? Die dronk ik vroeger ook altijd, maar ik ging er zo van trillen. Te veel suiker. Als je er maar flink veel van drinkt, hou je er gegarandeerd een stevige diabetes aan over. Mijn broer heeft diabetes en ze hebben zijn voet moeten amputeren. Het was verschrikkelijk om te zien. Het begon met zijn tenen die zwart werden, en toen zijn hele voet, en daarna begon zijn huid er in hele brokken vanaf te vallen. Het was net alsof hij was aangevallen door een haai die flinke happen van hem had genomen.'

Ik keek of ik ergens anders een plekje zag om mijn koffie te kunnen drinken, maar de tent was bomvol.

'En nu zit hij in een verpleegtehuis omdat hij niet meer zo goed uit de voeten kan,' ging ze verder. 'Ik ga zo vaak mogelijk bij hem op bezoek, maar ik heb van alles te doen. Als je eenmaal zo oud bent als ik, wil je niet gewoon maar stilzitten en tijd verspillen. Ik kan in principe elke ochtend wakker worden en dood zijn. Maar ik zorg er natuurlijk wel voor dat ik goed in vorm blijf. Hoe oud schat je mij?'

'Tachtig?'

'Vierenzeventig. Op sommige dagen zie ik er beter uit dan op andere,' zei ze. 'Hoe heet je, schat?'

'Stephanie.'

'Ik heet Laura. Laura Minello.'

'Laura Minello. Dat klinkt bekend. Kom je uit de Wijk?'

'Nee. Ik heb mijn leven lang in North Trenton gewoond. In Cherry Street. Ik heb drieëntwintig jaar op het bijstandskantoor gewerkt, maar daar kun je me niet van kennen. Daarvoor ben je te jong.'

Laura Minello. Ik kende haar ergens van, maar ik kon haar niet plaatsen.

Laura Minello wees op een rode Corvette die voor Barry's geparkeerd stond. 'Zie je die mooie rode auto? Die is van mij. Lekker gaaf karretje, hè?'

Ik keek naar de auto. En toen keek in naar Laura Minello. En toen keek ik nog eens naar de auto. Allemachtig nog aan toe. Ik groef in mijn schoudertas en zocht naar de papieren die Connie me had gegeven.

'Heb je die auto al lang?' vroeg ik aan Laura.

'Sinds een paar dagen.'

Ik haalde de papieren uit mijn tas en keek de eerste pagina even vluchtig door. Laura Minello, beschuldigd van diefstal van luxe auto's. Leeftijd: vierenzeventig. Woonachtig in Cherry Street.

Gods wegen zijn ondoorgrondelijk.

'Je hebt die Corvette toch niet gestolen, hè?' vroeg ik aan Minello.

'Ik heb hem geleend. Oude mensen mogen dat soort dingen doen om nog even van het leven te genieten alvorens ze het loodje leggen.'

O, nee. Ik had het borgcontract, voor ik het had aangenomen, eerst moeten doorlezen. Met bejaarden werken is geen goed idee. Of liever, het is altijd een ramp. Oude mensen denken zoals het in hún straatje te pas komt, en als je hen oppakt ben jíj altijd de kwaaie pier.

'Dit is een merkwaardig toeval,' zei ik. 'Ik werk voor Vinnie Plum, de man die je borgsom voor je heeft betaald. Je had voor moeten komen, en omdat je niet bent komen opdagen, zul je een nieuwe afspraak moeten maken.'

'O, best, maar niet vandaag. Ik ga naar Atlantic City. Regel maar iets voor volgende week.'

'Zo werkt het niet.'

Er reed een patrouillewagen langs Barry's. Hij stopte bij de rode Corvette en er stapten twee agenten uit.

'O, o,' zei Laura. 'Dat ziet er niet zo best uit.'

Een van de agenten was Eddie Gazarra. Gazarra was getrouwd met mijn nicht, Shirley de Zeurpiet. Gazarra controleerde het kenteken, liep om de auto heen, keerde terug naar de patrouillewagen en belde op.

'Verrekte smerissen,' zei Laura. 'Hebben niets beters te doen dan bejaarden oppakken. Daar zou een wet tegen moeten zijn.'

Ik tikte tegen het raam van het koffiehuis en trok Gazarra's aandacht. Ik wees op Laura die naast me zat, glimlachte, en vormde met mijn lippen de woorden: *Ze zit hier.*

Het was bijna middag en ik zat in mijn auto voor Vinnies kantoor moed te verzamelen om naar binnen te gaan. Ik was Gazzara en Laura Minello naar het politiebureau gevolgd en had een ontvangstbewijs voor Minello gekregen. Met dat ontvangstbewijs had ik recht op vijftien procent van Minello's borg. En die vijftien procent had ik hard nodig om de huur van te kunnen betalen. Normaal gesproken is het incasseren van een ontvangstbewijs goed voor een triomfantelijk gevoel. Vandaag zou het moment evenwel overschaduwd worden door het feit dat ik, bij mijn pogingen om Andrew Bender in te rekenen, maar liefst vier stel handboeien was kwijtgeraakt. Om nog maar te zwijgen over de manier waarop ik alle vier die keren totaal voor gek had gestaan. En Vinnie, die op kantoor was, keek reikhalzend uit naar het moment waarop hij me dit alles onder de neus zou kunnen wrijven.

Ik klemde mijn kiezen op elkaar, pakte mijn tas en liep naar de deur.

Lula hield op met werken toen ik binnenkwam 'Hé, lekker poepie van me,' zei ze. 'Heb je goed nieuws?'

Connie keek op van haar computer. 'Vinnie is op kantoor. Haal de knoflook en de kruisen maar vast tevoorschijn.'

'Wat heeft hij voor bui?'

'Ben je gekomen om te vertellen dat je Bender in de kraag hebt gevat?' riep Vinnie, vanaf de andere kant van zijn dichte deur.

'Nee.'

'Nou, dan heb ik een pestbui.'

'Zijn deur zit dicht, hoe kan hij ons verstaan?' vroeg ik aan Connie.

Ze hief haar hand op en stak haar middelvinger omhoog.

'Dat heb ik gezien!' schreeuwde Vinnie.

'Hij heeft videocamera's en microfoons laten installeren om niets te hoeven missen,' antwoordde Connie.

'Ja,' zei Lula, 'alles tweedehands. Van de videozaak voor boven de achttien die failliet is gegaan. Ik zou er nog niet met rubber handschoenen aan willen zitten.'

Vinnies deur ging open en hij stak zijn hoofd om het hoekje. 'Andy Bender is een zuiplap, verdomme nog aan toe. Hij wordt 's ochtends wakker, valt in een blikje bier en komt er niet meer uit. Zijn arrestatie zou een makkie moeten zijn. Maar in plaats daarvan zet hij je iedere keer weer voor paal.'

'Hij is zo'n ontzettend uitgekookte zuiplap,' zei Lula. 'Hij kan zelfs rénnen wanneer hij dronken is. En de laatste keer heeft hij op ons geschoten. Je zult me meer moeten betalen als er op me wordt geschoten.'

'Wat een triest stel zijn jullie toch,' zei Vinnie. 'Ik zou die man nog met één hand te pakken kunnen krijgen. Met een blínddoek voor!'

'Ha,' zei Lula.

Vinnie boog zich naar haar toe. 'Geloof je me niet? Denk je dat het mij niet zou lukken om hem op te pakken?'

'De wonderen zijn de wereld nog niet uit,' zei Lula.

'O? Dacht je echt dat er een wonder voor nodig zou zijn? Nou, dan zal ik je een wonder laten zien. Als jullie twee losers vanavond om negen uur hier zijn, dan gaan we hem met z'n drieën halen.'

Vinnie trok zijn hoofd weer in zijn kantoor en smeet de deur hard dicht.

'Ik hoop dat hij handboeien heeft,' zei Lula.

Ik gaf Connie het ontvangstbewijs voor Laura Minello en wachtte terwijl ze mijn cheque uitschreef. We draaiden ons alledrie om en keken toen de voordeur opengeng.

'Hé, jou ken ik,' zei Lula tegen de vrouw die binnenkwam. 'Je hebt geprobeerd me te vermoorden.'

Het was Maggie Mason. We kenden haar van een vorige zaak. Onze relatie met Maggie was slecht begonnen maar goed geëindigd.

'Worstel je nog steeds in de Snake Pit?' vroeg Lula.

'De Snake Pit is dicht.' Maggie haalde haar schouders op. 'Ik had er toch al mee op willen houden. Worstelen is leuk voor een poosje, maar mijn grote droom was altijd een boekhandel openen. Toen de Pit sloot, heb ik een van de eigenaren zo ver weten te krijgen dat hij samen met mij het boekenvak in wilde. En daarom ben ik hier. We worden buren. Ik heb zojuist het huurcontract voor het pand hiernaast getekend.'

Ik zat in mijn gedeukte auto voor Vinnies kantoor me af te vragen wat ik nu weer eens zou moeten doen, toen de telefoon ging.

'Je moet iets doen,' zei oma Mazur. 'Mabel is net weer langs geweest, zeker voor de veertigste keer. We worden knettergek van haar. Om te beginnen is ze de hele dag aan het bakken en nu geeft ze alles aan ons omdat ze er zelf geen plaats meer voor heeft. Haar huis zit bomvol vers gebakken brood. En nu, de laatste keer, begon ze te huilen. Ze *huilde*. En ik hoef jou niet te vertellen dat we hier niet zo goed zijn in het omgaan met huilen.'

'Ze maakt zich zorgen om Evelyn en Annie. Ze zijn de enige familie die ze nog heeft.'

'Nou, zorg dan dat je ze vindt,' zei oma.'Wij weten ons geen raad met zoveel koffiecake.'

Ik reed naar Key Street en parkeerde tegenover Evelyns huis. Ik dacht aan Annie zoals ze in haar kamertje boven had liggen slapen, en in de kleine achtertuin had gespeeld. Een klein meisje met rode krullen en grote, ernstige ogen. Een meisje dat dikke vriendinnen was met mijn nichtje, het paard. Wat voor soort kind wilde dik bevriend zijn met Mary Alice? Niet dat Mary Alice geen geweldig kind zou zijn, maar laten we eerlijk zijn, helemaal normáál is ze niet. Ik vermoedde dat beide meisjes zich overal buitengeplaatst voelden en behoefte hadden aan een vriendinnetje. En dat ze elkaar hadden gevonden.

Praat tegen me, zei ik tegen het huis. *Vertel me een geheim.*

Ik zat daar te wachten tot het huis me iets zou vertellen, toen er een auto achter me parkeerde. Het was de grote, zwarte Lincoln met twee mannen voorin. Ik hoefde mijn hersens niet te pijnigen om te beseffen dat het waarschijnlijk Abruzzi en Darrow waren.

'Je hebt je portier op slot,' zei Abruzzi, toen hij voor mijn raampje was komen staan. 'Ben je bang voor me?'

'Als ik bang voor je was, zou ik de motor hebben gestart. Kom je hier vaak?'

'Ik hou graag een oogje op mijn bezit,' zei hij. 'Wat doe je hier? Je bent toch niet van plan om alweer in te breken, hè?'

'Nee. Ik speel gewoon voor toerist. Maar wat een vreemd toeval dat we elkaar hier altijd tegenkomen.'

'Dat is geen toeval,' zei Abruzzi. 'Ik heb overal informanten zitten. Ik weet altijd precies wat je doet.'

'Altijd?'

Hij haalde zijn schouders op. 'Bíjna altijd. Ik weet bijvoorbeeld dat je zondag in het park was. En dat je daarna dat ongelukje met je auto had.'

'Ach ja, de een of andere idioot vond het een leuk idee om een stelletje spinnen in mijn auto te zetten.'

'Hou je van spinnen?'

'Van spinnen? Ik heb niets tegen spinnen. Maar ze zijn niet zo leuk als, laten we zeggen, konijnen.'

'Ik heb begrepen dat je tegen een geparkeerde auto bent opgereden.'

'Ik werd verrast door een spin.'

'Het element van verrassing is uiterst belangrijk in de strijd.'

'Dit is geen strijd. Het enige wat ik doe is een meisje zoeken, zodat een oude vrouw zich geen zorgen meer hoeft te maken.'

'Je ziet me aan voor een idioot. Je bent een premiejager. Een huursoldaat. Ik hoef jou niet te vertellen waar het in werkelijkheid om gaat. Jij doet dit voor het geld. Je weet wat er op het spel staat. En je weet wat ik terug probeer te krijgen. Maar wat je niet weet, is met wie je hier te maken hebt. Op dit moment speel ik nog een spelletje met je, maar er komt een moment waarop dat spelletje me begint te vervelen. Als je me tegen die tijd nog steeds niet tegemoet bent gekomen, wordt het menens en ruk ik je nog kloppende hart uit je lijf.'

Getsie.

Hij droeg een pak en een stropdas. Uiterst smaakvol. Duur. Geen jusvlekken op de das. Hij mocht dan geschift zijn, maar hij kleedde zich met smaak.

'Dan ga ik nu maar,' zei ik. 'Jij wilt waarschijnlijk ook naar huis om je medicijnen in te nemen.'

'Leuk om te weten dat je van konijnen houdt,' zei hij.

Ik startte de motor en reed weg. Abruzzi bleef staan en keek me na. Ik keek in mijn achteruitkijkspiegel om te zien of ik gevolgd werd. Ik kon niemand ontdekken. Ik reed een paar blokjes door de buurt en werd nog steeds niet gevolgd. Ik had een onaangenaam gevoel in mijn maag. Het leek heel sterk op angst.

Ik reed langs het huis van mijn ouders en zag de Buick van mijn oom Sandor op de oprit staan. Mijn zuster gebruikte de Buick tot ze voldoende geld had om zelf een auto te kopen. Maar mijn zus werd geacht op haar werk te zijn. Ik zette mijn auto achter de Buick en ging naar binnen. Oma Mazur, mijn moeder en Valerie zaten met z'n allen rond de keukentafel. Ze hadden koffie voor hun neus staan, maar niemand dronk.

Ik haalde fris uit de koelkast en ging op de vierde stoel zitten. 'Wat is er?'

'Je zuster is ontslagen. Ze is haar baan op de bank kwijt,' zei oma Mazur. 'Ze kreeg ruzie met haar baas en toen is ze op staande voet ontslagen.'

Had Valerie met iemand ruziegemaakt? De Heilige Valerie? De zuster met het humeur van vanillevla?

Vroeger, toen we klein waren, had Valerie haar huiswerk altijd op tijd af en ze maakte haar bed op voor we naar school toe gingen. Men zei van haar dat ze griezelig veel leek op de serene gipsen beelden van de Heilige Maagd Maria die je in de Wijk op gazons en in de kerken zag staan. Zelfs Valeries menstruatie kwam en ging met de grootste sereniteit, je kon er de klok op gelijkzetten, het was nooit overmatig veel en haar stemming fluctueerde van lief tot liever.

Ik was de zus die altijd buikpijn had.

'Wat is er dan gebeurd?' vroeg ik. 'Hoe bestaat het dat je ruzie met je baas hebt gehad? En je werkte er nog maar pas.'

'Ze was onredelijk,' zei Valerie. 'En gemeen. Ik had een heel klein foutje gemaakt en ze deed alsof het iets verschrikkelijks was. Je had moeten zien hoe ze me, ten overstaan van iedereen, stond uit te schelden. En voor ik het wist begon ik terug te schreeuwen. En toen heeft ze me ontslagen.'

'Jij? Jij hebt geschrééuwd?'

'Ik ben mezelf niet de laatste tijd.'

Dat meen je. Afgelopen maand besloot ze dat ze lesbienne wilde zijn, en deze maand schreeuwde ze. Wat zou het volgende zijn?

'En wat voor foutje had je dan gemaakt?'

'Ik had een beetje soep gemorst. Verder niet. Ik had een beetje soep gemorst.'

'Het was zo'n Cup-a-Soup-ding,' zei oma tegen mij. 'Er zaten van die piepkleine vermicellidingetjes in. Valerie had haar hele beker op de computer laten vallen, de soep droop erin en het hele systeem knalde uit elkaar. Het scheelde een haar of ze hadden de bank moeten sluiten.'

Ik wilde niet dat Val nare dingen overkwamen, maar toch deed het me heimelijk plezier om een leven lang volmaaktheid in rook op te zien gaan.

'Je kunt je zeker niets nieuws over Evelyn herinneren, hè?' vroeg ik aan Valerie. 'Mary Alice zegt dat zij en Annie elkaars beste vriendinnen waren.'

'Ze waren schoolvriendinnen,' zei Valerie. 'Ik kan me niet herinneren dat ik Annie ooit heb gezien.'

Ik keek naar mijn moeder. 'Heb jij Annie gekend?'

'Evelyn kwam wel eens langs met haar toen ze nog jonger was, maar toen Evelyn een paar jaar geleden problemen kreeg zijn ze nooit meer geweest. En Annie is nooit bij Mary Alice komen spelen. Sterker nog, ik kan me niet herinneren dat Mary Alice ooit over Annie heeft verteld.'

'In ieder geval niet op een voor ons begrijpelijke manier,' zei oma. 'Het kan natuurlijk zijn dat ze iets in paardentaal heeft gezegd.'

Valerie maakte een terneergeslagen indruk en zat met haar vinger een koekje over de tafel heen en weer te schuiven. Als ík terneergeslagen was geweest, zou dat koekje al láng verleden tijd zijn geweest. En over koekjes gesproken...

'Eet je dat koekje nog op?' vroeg ik aan Valerie.

'Ik wed dat die vermicellisliertjes op wurmpjes leken,' zei oma. 'Weet je nog dat Stephanie wurmen had? Volgens de dokter kwam het van de sla. Hij zei dat we de sla niet goed genoeg wasten.'

Ik was die wurmen helemaal vergeten. Het was ook niet een van mijn favoriete jeugdherinneringen. Ik moest weer denken aan hoe ik spaghetti met gehaktballen had moeten overgeven en Anthony Balderri helemaal onder had gespuugd.

Ik dronk mijn glas leeg, at Valeries koekje en ging bij Mabel kijken.

'Heb je nieuws?' vroeg ik aan Mabel.

'Ik ben weer opgebeld door dat borgstellingsbedrijf. Je denkt toch niet dat ze zomaar hierheen zullen komen en me op straat zetten, hè?'

'Nee. Zoiets moet via de officiële kanalen. En het borgstellingsbedrijf in kwestie heeft een goede naam.'

'Ik heb al sinds Evelyns vertrek niets meer van haar gehoord,' zei Mabel. 'Ik had intussen toch echt wel een berichtje van haar verwacht.'

Ik keerde terug naar mijn auto en toetste het nummer van Dotty in.

'Met Stephanie Plum,' zei ik. 'Is alles goed?'

'Die vrouw waar je het over had staat nog steeds voor mijn deur. Ik heb vandaag zelfs vrij genomen omdat ik de zenuwen van haar krijg. Ik heb de politie gebeld, maar ze zeiden dat ze er niets aan konden doen.'

'Heb je mijn kaartje met het nummer van mijn pieper?'

'Ja.'

'Bel me als je Evelyn wilt zien. Dan zal ik je helpen om langs Jeanne Ellen heen te komen.'

Ik hing op en wenste mijzelf geluk met dit idee. Bij gebrek aan iemand anders die mij geluk zou kunnen wensen.

Ik schrok toen mijn mobiel ging. Het was Dotty die terugbelde. 'Goed, ik heb je hulp nodig. Ik zeg niet dat ik weet waar Evelyn is. Ik zeg alleen maar dat ik ergens naar toe moet en dat ik niet gevolgd wil worden.'

'Ik begrijp het. Ik ben op dit moment op ongeveer veertig minuten van je vandaan.'

'Kom maar weer achterom.'

Misschien bewees Jeanne Ellen me wel een gunst. Ze had Dotty in een situatie gemanoeuvreerd waarin ze mijn hulp nodig had. Was dat bizar of niet?

Het eerste wat ik deed, was bij kantoor langsgaan en Lula halen.

'We maken er een feessie van,' zei Lula. 'Ik ga die Jeanne Ellen eens lekker afleiden. Niemand kan zo goed afleiden als ik.'

'Geweldig, maar één ding: er wordt níet geschoten.'

'Nou, een autoband, dat misschien wel.'

'Niet één autoband. Niets. *Er wordt niet geschoten.*'

'Ik hoop dat je je realiseert dat je mijn afleidingskunsten daarmee wel een reuze beperking oplegt.'

Lula droeg haar nieuwe laarzen met een citroengeel lycra minirokje. Ik kon me niet voorstellen dat ze problemen met afleiden zou hebben.

'Dit is het plan,' zei ik, toen we South River binnenreden. 'Ik parkeer in de straat achter Dotty's huis en we gaan via de achterdeur naar binnen. En dan hou jij Jeanne Ellen bezig terwijl ik Dotty naar Evelyn breng.'

Ik nam het kortste pad tussen de tuinen door en klopte kort aan op Dotty's achterdeur.

Dotty deed open en onderdrukte een kreet. 'Godallemachtig,' zei ze, 'daar had ik niet op gerekend... Ik verwachtte alleen jou maar.'

Wat ze niet verwacht had, was een grote maat zwarte vrouw die uit een piepklein geel rokje puilde.

'Dit is mijn partner, Lula,' zei ik. 'Ze is heel goed in afleiden.'

'Je meent het.' Dotty had een spijkerbroek en gympen aan. Op de keukentafel stond een tas met boodschappen klaar en ze had een kind van twee onder de arm.

'Mijn probleem is het volgende,' zei Dotty. 'Ik heb een *kennis* die geen eten in huis heeft, terwijl ze het huis niet uit kan om eten te kopen. Ik wil haar deze tas met levensmiddelen brengen.'

'Staat Jeanne Ellen nog steeds voor de deur?'

'Ze is ongeveer tien minuten geleden weggegaan. Dat doet ze wel meer. Ze staat uren en uren voor de deur en dan gaat ze een poosje weg. Maar ze komt altijd terug.'

'Waarom breng je die boodschappen dan niet naar je kennis wanneer ze weg is?'

'Omdat jij hebt gezegd dat ik dat niet moest doen. Omdat jij hebt gezegd dat ze me altijd zou volgen, ook als ik haar niet zag.'

'O, ja, dat is zo. Luister, dit is het plan. Jij en ik gaan door je achtertuin naar mijn auto. En Lula neemt jouw auto. Lula zal ervoor zorgen dat we niet worden gevolgd, en als Jeanne Ellen dan toch op mocht duiken, zal Lula haar de andere kant op lokken.'

'Dat is geen goed plan,' zei Dotty. 'Ik zal alleen moeten gaan. En ik heb iemand nodig die op de kinderen past. Mijn zuster heeft me zojuist laten zitten. Ik zal alleen via de achtertuin naar jouw auto moeten gaan en jij zult hier moeten blijven om op de kinderen te passen. Ik blijf niet lang weg.'

Lula en ik riepen op hetzelfde moment 'Nee!'

'Daar kan ik het niet mee eens zijn,' zei ik. 'We zijn geen kindermeisjes. Sterker nog, we weten helemaal niets van kinderen.' Ik keek Lula aan. 'Weet jij iets van kinderen?'

Lula schudde heftig van nee. 'Ik weet niets van kinderen. En ik wíl ook niets van kinderen weten.'

'Als ik dit eten niet naar Evelyn kan brengen, trekt ze er zelf op uit om inkopen te doen. En als ze herkend wordt, zal ze verder moeten vluchten.'

'Evelyn en Annie kunnen niet altijd ondergedoken blijven,' zei ik.

'Dat weet ik ook wel. Ik heb alleen tijd nodig om een paar dingen voor haar te regelen.'

'Door met Soder te praten?'

Ze keek me verbaasd aan. 'Hield jij me dan ook in de gaten?'

'Soder maakte geen blije indruk. Waar hadden jullie ruzie over?'

'Dat kan ik je niet zeggen. En ik moet gaan. Toe, laat me alsjeblieft gaan.'

'Ik wil met Evelyn telefoneren. Ik wil er zeker van kunnen zijn dat alles goed met haar is. Als ik haar aan de telefoon kan krijgen, kun je gaan. En dan zullen Lula en ik op je kinderen passen.'

'Hé, hé, wacht eens eventjes,' zei Lula. 'Daar ben ik het helemaal niet mee eens. Ik vind kinderen doodeng.'

'Best,' zei Dotty. 'Ik zie niet in dat het kwaad zou kunnen om jou met Evelyn te laten praten.'

Ze ging naar de zitkamer om het nummer te draaien. Ze spraken kort met elkaar, Dotty kwam terug en gaf me de telefoon.

'Je grootmoeder maakt zich grote zorgen,' zei ik tegen Evelyn. 'Ze vreest het ergste voor jou en Annie.'

'Je kunt haar zeggen dat alles goed met ons is. En probeer ons alsjeblieft niet te vinden. Je maakt alles er alleen maar onnodige gecompliceerd mee.'

'Voor mij hoef je niet bang te zijn. Steven heeft een privé-detective in de arm genomen, en zij is pas écht goed in het opsporen van vermiste personen.'

'Ja, dat heeft Dotty me verteld.'

'Ik wil je graag spreken.'

'Ik kan nu met niemand spreken. Ik moet eerst dingen regelen.'

'Wat voor dingen?'

'Dat kan ik niet zeggen.' En ze hing op.

Ik gaf Dotty de sleuteltjes van mijn auto. 'Blijf opletten of je Jeanne Ellen ziet. Kijk zo vaak mogelijk in je achteruitkijkspiegel om te zien of je gevolgd wordt.'

Dotty pakte de tas met boodschappen. 'Let op dat Scotty niet uit de wc drinkt,' zei ze, en ze ging weg.

Het kind van twee stond midden in de keuken naar Lula en mij te kijken alsof hij nog nooit eerder menselijke wezens had gezien.

'Denk je dat hij Scotty is?' vroeg Lula.

Er verscheen een meisje op de drempel van de keuken. 'Scotty is de hond,' zei ze. 'Mijn broertje heet Oliver. En wie zijn jullie?'

'Wij zijn de oppas,' zei Lula.

8

'Waar is Bonnie?' vroeg het meisje. 'Bonnie past altijd op Oliver en mij.'

'Bonnie had geen zin vandaag,' zei Lula, 'en daarom moeten jullie het met ons doen.'

'Ik wil niet dat jij op me past. Je bent dik.'

'Ik ben niet dik. Ik ben een *substantiële vrouw*. En als ik jou was, dan zou ik maar op mijn woorden letten, want als je zulke dingen op school zegt, dan krijg je een trap voor je reet en word je van school gestuurd. Ik wed dat ze het op school niet goed vinden als je zulk soort dingen zegt.'

'Ik zeg tegen mijn moeder dat je *reet* hebt gezegd. Ze zal je niet betalen als ze erachter komt dat je *reet* hebt gezegd. En ze zal je nooit meer vragen om op te komen passen.'

'Mag ik nu het *slechte* nieuws nog horen, alsjeblieft?' vroeg Lula.

'Dit is Lula en ik ben Stephanie,' zei ik tegen het meisje. 'En hoe heet jij?'

'Ik heet Amanda en ik ben zeven. En ik vind jou *ook* niet aardig.'

'Wacht maar af tot díe oud genoeg is voor PMS. Dat wordt oorlog,' zei Lula.

'Je moeder blijft niet lang weg,' zei ik tegen Amanda. 'Zullen we de televisie aanzetten?'

'Dat vindt Oliver vast niet leuk.'

'Oliver,' zei ik, 'wil je televisiekijken?'

Oliver schudde zijn hoofd. 'Nee!' brulde hij. 'Nee, nee, nee!' En hij begon heel hard te huilen.

'Nou, dat heb je mooi voor elkaar,' zei Lula. 'Waarom huilt hij? Jezus, ik kan mijzelf amper nog horen denken. Laat iemand hem alsjeblieft tot zwijgen brengen.'

Ik bukte me tot op Olivers hoogte. 'Hé, grote knul,' zei ik. 'Wat is er?'

'Nee, nee, nee!' krijste hij met een van woede vertrokken, knalrood gezicht.

'Als de klok twaalf uur slaat blijft zijn gezicht zo staan,' zei Lula.

Ik betastte hem in de luierstreek. Hij leek me niet nat. Hij had geen lepel in zijn neus. Ik kon geen ernstige verwondingen of ontbrekende ledematen ontdekken. 'Ik weet niet wat er aan de hand is,' zei ik. 'Ik kan beter met hamsters omgaan dan met kinderen.'

'Nou, bij mij moet je niet zijn,' zei Lula. 'Ik weet niets van kinderen. Ik ben er zelf nooit een geweest. Ik ben een kind van verslaafden. In de buurt waar ik ben opgegroeid kreeg niemand de kans om kind te zijn.'

'Hij heeft honger,' zei Amanda. 'Hij blijft net zo lang zo krijsen tot je hem iets te eten hebt gegeven.'

Ik vond een pak koekjes in de kast en gaf Oliver er een aan.

'Nee,' schreeuwde hij, en hij sloeg het koekje uit mijn hand.

Er kwam een onverzorgd hondje uit een van de slaapkamers gerend die het koekje verslond voor het op de vloer was gevallen.

'Oliver wil geen koekje,' zei Amanda.

Lula drukte haar oren dicht. 'Als hij niet gauw ophoudt met dat blèren, dan word ik doof. En ik krijg er hoofdpijn van.'

Ik haalde een fles sap uit de koelkast. 'Wil je sap?' vroeg ik.

'Nee!'

Ik probeerde het met ijs.

'Nee!'

'Een lamsbout, dan misschien?' vroeg Lula. 'Ik heb zelf ook wel zin in lamsbout.'

Hij lag intussen op zijn rug op de vloer met zijn hielen tegen de tegels te trappen. 'Nee, nee, nee!'

'Dit is wat ze een driftbui noemen,' zei Lula. 'Het kind zou voor straf naar zijn kamer moeten.'

'Ik zeg tegen mijn moeder dat jullie Oliver aan het huilen hebben gemaakt,' zei Amanda.

'Hé, joh,' zei ik. 'Doe me een lol, wil je? Ik doe mijn best. Jij bent z'n zus. Waarom help je me niet?'

'Hij wil een tosti,' zei Amanda. 'Dat is zijn lievelingskostje.'

'Maar goed dat hij geen lamsbout wil,' zei Lula. 'Want we hebben er geen idee van hoe je zoiets maakt.'

Ik vond een koekenpan, boter en kaas, en ging aan de slag. Oliver schreeuwde nog steeds uit volle borst en intussen rende de hond keffend in kringetjes om hem heen.

Er werd aangebeld, en het zat me allemaal zó geweldig mee dat het me niets zou verbazen als het Jeanne Ellen was. Ik droeg de bereiding van de tosti aan Lula over en liep naar de deur. Ik had me vergist in Jeanne Ellen, maar niet in het feit dat het me zo meezat. Het was Steven Soder.

'Hé, verdomme,' zei hij. 'Wat doe jij hier?'

'Ik ben op bezoek.'

'Waar is Dotty? Ik moet haar spreken.'

'Hé,' riep Lula vanuit de keuken. 'Hoe moet dat met het laten smelten van de kaas?'

'Wie is dat?' wilde Soder weten. 'Dat klinkt niet als Dotty. Dat klinkt als die vetzak die me met haar tas heeft gemept.'

'We zijn net met iets ingewikkelds bezig,' zei ik tegen Soder. 'Zou je wat later terug kunnen komen?'

Hij duwde me opzij en liep met nijdige stappen naar de keuken. 'Jij daar!' schreeuwde hij tegen Lula. 'Ik ga je vermoorden!'

'Shit! Niet in het bijzijn van de k-i-n-d-e-r-e-n,' zei Lula. 'Zulke taal gebruik je niet waar zij bij zijn. Daar krijgen ze later, wanneer ze pubers zijn, allerlei problemen door.'

'Ik ben niet achterlijk,' zei Amanda. 'Ik kan lezen en schrijven. En ik zal tegen mijn moeder zeggen dat je *shit* hebt gezegd.'

'Iedereen zegt *shit*,' zei Lula. Ze keek me aan. 'Ja toch? Iedereen zegt toch *shit?* Wat is er verkeerd aan *shit*?'

De kaas had zijn perfecte smeltpunt bereikt, dus ik pakte een spatel en duwde de tosti op een bord dat ik aan Oliver gaf. De hond hield op met in kringetjes rennen, hapte de tosti van het bord en at hem op. Oliver begon weer te brullen.

'Oliver moet aan tafel eten,' zei Amanda.

'Wat een regels hebben jullie hier in huis,' zei Lula.

'Ik wil met Dotty praten,' zei Soder.

'Dotty is er niet,' riep ik boven Olivers gekrijs uit. 'Je kunt met mij praten.'

'Mooi niet,' zei Soder. 'En laat dat joch zijn bek houden.'

'De hond heeft zijn tosti opgegeten,' zei Lula. 'En dat is jouw schuld, want jij hebt ons afgeleid.'

'Nou, dan maak je, als een goede *Aunt Jemima,* toch gewoon nóg een tosti voor hem,' zei Soder.

Lula's ogen dreigden uit hun kassen te puilen. '*Aunt Jemima?* Pardon? Zei je *Aunt Jemima*?' Ze boog zich zo dicht naar Soder toe dat haar neus zich vlak voor de zijne bevond. Ze stond met haar ene hand in haar zij en met de andere had ze de koekenpan nog vast. 'Ik zal je eens wat zeggen, achterlijke klojo die je bent. Als je mij nog één keer *Aunt Jemima* noemt, dan krijg je met deze koekenpan een dreun in je smoel. Het enige wat me daar op dít moment van weerhoudt is dat er k-i-n-d-e-r-e-n bij zijn.'

Ik begreep Lula's probleem, maar als tot de arbeidersklasse behorende blanke had ik toch een heel ander beeld van *Aunt Jemima.* Voor mij stond het plaatje gelijk aan heerlijke herinneringen aan dampende, van de stroop druipende pannenkoeken. Ik was dol op *Aunt Jemima.*

'Klop, klop,' zei Jeanne Ellen bij de open deur. 'Mag er nog iemand op het feestje komen?'

Jeanne Ellen had haar zwartleren pak weer aan.

'Wauw,' zei Amanda, 'ben jij *Catwoman*?'

'Michelle Pfeiffer was *Catwoman,*' zei Jeanne Ellen. Ze keek neer op Oliver. Hij lag weer op zijn rug te schreeuwen en te schoppen. 'Hou op,' zei Jeanne Ellen tegen Oliver.

Oliver knipperde twee keer met zijn ogen en stak zijn duim in zijn mond.

Jeanne Ellen keek me glimlachend aan. 'Aan het oppassen?'

'Ja.'

'Leuk.'

'Je cliënt is wat opdringerig,' zei ik.

'Dat spijt me,' zei Jeanne Ellen. 'We wilden net weer gaan.'

Amanda, Oliver, Lula en ik stonden als standbeelden tot de voordeur achter Jeanne Ellen en Soder was dichtgevallen. En toen begon Oliver weer te krijsen.

Lula probeerde het met 'Hou op', maar daarvan ging Oliver alleen nog maar harder schreeuwen. En dus maakten we nog een tosti voor hem.

Oliver had zijn tosti bijna op toen Dotty thuiskwam.

'Hoe is het gegaan?' vroeg Dotty.

Amanda keek haar moeder aan. Toen keek ze lange seconden naar Lula en naar mij. 'Best,' zei ze. 'Ik ga televisiekijken.'

'Steven Soder is langs geweest,' zei ik.

Dotty trok lijkbleek weg. 'Hier? Is Soder híer geweest?'

'Hij zei dat hij met je wilde praten.'

Ze werd vuurrood en legde haar hand op Olivers hoofd. Een beschermend gebaar van een moeder. Ze streek het dunne haar van Olivers voorhoofd. 'Ik hoop dat Oliver niet al te lastig is geweest.'

'Oliver was geweldig,' zei ik. 'Het duurde even voor we er achter waren dat hij een tosti wilde, maar vanaf dat moment was hij reuze lief.'

'Het valt niet altijd mee om in je eentje twee kinderen op te moeten voeden,' zei Dotty. 'De verantwoordelijkheid ervan. En het alleen zijn. Zo lang alles goed gaat is er niets aan de hand, maar soms verlang je wel eens naar een andere volwassene in huis.'

'Je bent bang voor Soder,' zei ik.

'Hij is een walgelijk mens.'

'Waarom vertel je me niet wat er aan de hand is. Dan kan ik helpen.' Dat hóópte ik in ieder geval.

'Daar moet ik eerst over nadenken,' zei Dotty. 'Bedankt voor het aanbod, maar ik wil er eerst over nadenken.'

'Ik kom morgenochtend wel weer even langs om te kijken of alles goed met je is,' zei ik. 'En misschien dat we dan een oplossing voor deze hele kwestie kunnen vinden.'

Lula en ik reden in stilte totdat we halverwege Trenton waren.

'Het lijkt wel alsof het leven met de dag vreemder wordt,' zei Lula ten slotte.

Dat kon ik alleen maar hartgrondig met haar eens zijn. In zekere zin had ik vorderingen gemaakt. Ik had met Evelyn gesproken. Ik wist dat op dit moment alles goed met haar was. En ik wist dat ze ergens in de buurt moest zijn. Dotty was nog geen uur weg geweest.

Soder was irritant, maar ik kon zijn optreden begrijpen. Hij was een zak, maar daarnaast was hij ook een bezorgde vader. Ik nam aan dat Dotty probeerde om tussen Soder en Evelyn te bemiddelen.

Maar wat ik niet kon begrijpen, was Jeanne Ellen. Het feit dat Jeanne Ellen Dotty nog steeds in de gaten hield zat me dwars. Ik begreep niet waaróm ze dat deed nu dat Dotty van haar afwist. Dus waarom stond, toen we weggingen, Jeanne Ellen met haar auto voor Dotty's huis? Het kon zijn dat Jeanne Ellen met haar voortdurende aanwezigheid druk probeerde uit te oefenen. Maak Dotty's leven zo onaangenaam mogelijk in de hoop dat ze onder de druk zal bezwijken. Er was nog een andere mogelijkheid die op zich nogal vergezocht leek, maar die niet meteen van de hand gewezen kon worden. Bescherming. Jeanne Ellen hield de wacht. Misschien waakte ze over de connectie tussen Evelyn en Annie. Dit leidde tot een reeks van vragen waar ik geen antwoord op kon geven. Zoals: tegen wíe probeerde Jeanne Ellen Dotty te beschermen? Tegen Abruzzi?

'Ga jij, om negen uur?' vroeg Lula, toen ik voor ons kantoor stopte.

'Ja, ik denk van wel. En jij?'

'Ik zou het voor geen goud willen missen.'

Op weg naar huis stopte ik bij de supermarkt om wat eten in te slaan. Tegen de tijd dat ik thuiskwam was het etenstijd en het trappenhuis was gevuld met etensgeuren. Achter de voordeur van mevrouw Karwatt stond minestronesoep te pruttelen. Aan de andere kant van de gang rook het naar burrito's.

Ik liep, met de sleutel in mijn uitgestoken hand, naar mijn voordeur en verstijfde. Als Abruzzi in mijn afgesloten auto kon komen, dan zou hij ook mijn afgesloten flat binnen kunnen komen. Ik moest voorzichtig zijn. Ik stak de sleutel in het slot. Draaide het slot open. Ik bleef, met de deur open, een poosje met mijn antennes op scherp op de overloop staan. Ik luisterde naar de stilte. Uiteindelijk voelde ik me gerustgesteld door het slaan van mijn eigen hart en het feit dat ik niet was besprongen door een meute wilde honden.

Ik stapte naar binnen, liet mijn voordeur wijd openstaan en liep van de ene naar de andere kamer, overal laden en kasten open trekkend. Goddank, geen verrassingen. Dat nam evenwel niet weg dat mijn maag nog steeds niet helemaal prettig voelde. Het kostte me heel wat moeite om Abruzzi's dreigement van me af te zetten.

'Klop, klop,' klonk een stem vanaf de gang.

Kloughn.

'Ik was toevallig in de buurt,' zei hij, 'dus ik dacht, kom, ik ga even gedag zeggen. En ik heb ook Chinees meegenomen. Ik had het voor mezelf gehaald, maar het is te veel. Ik dacht dat jij er misschien wel wat van zou willen. Maar als je niet wilt hoef je er niet van te eten. Maar het is geweldig als je er wél van wilt eten. Ik wist niet of je van Chinees houdt. Of dat je liever alleen eet. Of...'

Ik greep Kloughn bij zijn arm en trok hem naar binnen.

'Wat heeft dit te betekenen?' vroeg Vinnie, toen ik met Kloughn aan kwam zetten.

'Dit is Albert Kloughn,' zei ik. 'Albert is advocaat.'

'Ja, en?'

'Hij heeft me eten gebracht, dus ik heb hem gevraagd om mee te komen.'

'Hij ziet eruit als de *Pillsbury Doughboy*. Wat heeft hij je te eten gebracht? Verse kadetjes?'

'Chinees,' zei Kloughn. 'Ik had opeens zin in Chinees.'

'Ik hou er niet zo van om een advocaat mee te nemen wanneer er iemand opgepakt moet worden,' zei Vinnie.

'Ik zal je niet aanklagen, dat zweer ik je,' zei Kloughn. 'En kijk, ik heb een zaklantaarn en pepperspray en alles. Ik ben van plan om ook nog een revolver te kopen, maar ik kan niet kiezen tussen een zesschots of een semi-automaat. Eigenlijk voel ik net even iets meer voor een semi-automaat.'

'Ja, daar zou ik het maar op houden als ik jou was,' zei Lula. 'Er gaan meer kogels in. Een mens kan nooit genoeg kogels hebben.'

'Ik wil een vest,' zei ik tegen Vinnie. 'De laatste keer dat ik samen met jou iemand heb opgepakt, heb je alles aan gruzels geschoten.'

'Dat waren speciale omstandigheden,' zei Vinnie.

Ja hoor.

Ik gaf mijzelf en Kloughn een kogelvrij vest en we vertrokken in Vinnies Cadillac.

Een half uur later parkeerden we bij Bender om de hoek. 'Nu zullen jullie zien hoe een professionele premiejager te werk gaat,' zei Vinnie. 'Ik heb een plan en iedereen doet mee, dus luister goed.'

'O help,' zei Lula. 'Een plan.'

'Stephanie en ik nemen de voordeur,' zei Vinnie. 'En Lula en de clown nemen de achterdeur. We vallen op hetzelfde moment met z'n allen binnen en overmeesteren de vuile rat.'

'Dat noem ik nog eens een geniaal plan,' zei Lula. 'Daar zou ik zelf nooit op zijn gekomen.'

'K-l-o-u-g-h-n,' spelde Albert nadrukkelijk.

'Het enige waar jullie op moeten letten is het moment waarop ik "Borgstelling" roep,' zei Vinnie. 'Dan trappen we de deuren in en rennen we naar binnen en roepen: "Handen omhoog... borgstellingsbedrijf".'

'Nee, dat doe ik niet,' zei ik. 'Dan voel ik me net een idioot. Zoiets doen ze alleen maar op de tv.'

'Ik zie het wel zitten,' zei Lula. 'Ik heb altijd al deuren willen intrappen en dat soort dingen willen schreeuwen.'

'Ik kan me vergissen,' zei Kloughn, 'maar deuren intrappen zou wel eens in strijd met de wet kunnen zijn.'

Vinnie gespte zichzelf in een gevlochten koppel. 'Het is alleen maar in strijd met de wet wanneer je het bij het verkeerde huis doet.'

Lula haalde een Glock uit haar tas en stak hem in de tailleband van haar lycra minirokje. 'Ik ben klaar,' zei ze. 'Jammer dat we geen cameraploeg hebben meegenomen. Dit gele rokje zou het heel goed doen.'

'Ik ben ook klaar,' zei Kloughn. 'Ik heb een zaklantaarn voor het geval het licht uitvalt.'

Ik wilde hem niet bang maken, maar dat is niet de reden waarom premiejagers een zware Mag-lamp meesjouwen.

'Heeft iemand de moeite genomen om te controleren of Bender thuis is?' vroeg ik. 'Heeft iemand met zijn vrouw gesproken?'

'We luisteren onder het raam,' zei Vinnie. 'Zo te zien zit iemand daar binnen tv te kijken.'

We slopen met z'n allen over het gras, drukten onszelf tegen de gevel en luisterden onder het raam.

'Zo te horen kijken ze naar een film,' zei Kloughn. 'Het klinkt als een *pornofilm.*'

'Dan moet Bender thuis zijn,' zei Vinnie. 'Ik kan me niet voorstellen dat Benders vrouw in haar eentje naar een pornofilm zou kijken.'

Lula en Kloughn liepen om het gebouw heen naar de achterdeur, en Vinnie en ik gingen op weg naar de voordeur. Vinnie trok zijn pistool en klopte op de voordeur die met een triplexplaat gerepareerd was.

'Doe open,' schreeuwde Vinnie. 'We zijn van de borgstelling!' Hij deed een stap naar achteren en stond op het punt de deur met zijn laars in te trappen, toen we Lula uit volle borst schreeuwend de achterdeur binnen hoorden vallen.

Voor we hadden kunnen reageren, vloog de voordeur open en rende er een naakte man naar buiten die me bijna ondersteboven liep. Binnen in het huis heerste een chaos. Meerdere mannen – sommigen naakt en anderen aangekleed – probeerden zo snel mogelijk weg te komen. Allemaal zwaaiden ze met revolvers en schreeuwden: 'Hé, klootzak, ga opzij!'

Lula bevond zich in het epicentrum. 'Hé,' riep ze, 'blijf staan jullie allemaal. Dit is een borgstellingsoperatie!'

Vinnie en ik hadden ons door de menigte heen een weg naar het midden van de kamer gebaand, maar we konden Bender nergens ontdekken. Te veel mannen in een te kleine ruimte die allemaal probeerden om zo snel mogelijk het huis uit te komen. Niemand was onder de indruk van het feit dat Vinnie zijn wapen had getrokken. De verwarring was zo groot dat het me niets zou verbazen als bleek dat het niemand was opgevallen.

Vinnie vuurde een rondje en een gedeelte van het plafond kwam omlaag. Daarna was het stil, want afgezien van Vinnie, Lula, Kloughn en ik was er verder niemand meer in de kamer.

'Wat is er gebeurd?' vroeg Lula. 'Wat was hier zojuist aan de hand?'

'Ik heb Bender nergens gezien,' zei Vinnie. 'Is dit wel het goede huis?'

'Vinnie?' riep een vrouwenstem vanuit de slaapkamer. 'Vinnie, ben jij dat?'

Vinnie zette grote ogen. 'Candy?'

Vanuit de slaapkamer kwam een naakte vrouw van ergens tussen de twintig en vijftig de kamer in gerend. Ze had enorme borsten en haar schaamhaar was in de vorm van een bliksemschicht geschoren. Ze vloog met gespreide armen op Vinnie af. 'Dát is lang geleden,' zei ze. 'Hoe staat het leven?'

Een tweede vrouw kwam wat aarzelend uit de slaapkamer tevoorschijn. 'Is het hem echt?' vroeg ze. 'Wat doet hij hier?'

Ik schoof achter de vrouw langs de slaapkamer in om te zien of Bender daar soms was. Ik zag filmlampen en een achteloos neergelegde camera. Ze hadden niet naar een pornofilm gekeken... maar ze waren bezig geweest om er eentje te máken.

'Bender is niet in de slaapkamer en ook niet in de badkamer,' zei ik tegen Vinnie. 'En daarmee hebben we het hele huis gehad.'

'Zoeken jullie Andy?' vroeg Candy. 'Hij is er niet. Hij moest werken, zei hij. Daarom hebben we zijn woning geleend. Lekker rustig en zonder pottenkijkers. Tenminste, totdat jullie kwamen.'

'We dachten dat we werden opgepakt,' zei de andere vrouw. 'We dachten dat jullie de kit waren.'

Kloughn gaf de vrouwen zijn kaartje. 'Albert Kloughn, advocaat,' zei hij. 'Voor het geval jullie rechtsbijstand nodig mochten hebben.'

Een uur later reed ik, met een onophoudelijk kleppende Kloughn naast me, mijn parkeerplaats op. Ik had een cd van Godsmack opgezet en het volume helemaal opengedraaid, maar het was me niet gelukt om Kloughn daarmee te overstemmen.

'Wauw, dat was te gek gewoon,' zei Kloughn. 'Dit is de eerste keer dat ik een filmster van dichtbij heb gezien. En náákte filmsterren had ik al helemáál nog nooit gezien. Ik heb toch niet te opvallend naar ze gestaard, hè? Ik bedoel, het was moeilijk om níet naar ze te kijken, niet? Zelfs jíj hebt naar ze gekeken, toch?'

Ja, ik had ook naar ze gekeken, maar ik was niet op mijn knieën gaan zitten om de bliksemschicht van nabij te bestuderen.

Ik parkeerde, liep met Kloughn mee naar zijn auto en hielp hem om zonder ongelukken van de parkeerplaats de straat in rijden. Toen ik me omdraaide om naar binnen te gaan, botste ik tegen Ranger op en slaakte een gilletje.

Hij stond heel dichtbij en glimlachte. 'Spannend avondje stappen?'

'Het was een vreemde dag.'

'Hoe vreemd?'

Ik vertelde hem van Vinnie en de pornofilm.

Ranger boog zijn hoofd naar achteren en schaterde het uit. Niet iets dat ik vaak meemaak.

'Is dit een gezelligheidsbezoekje?' vroeg ik.

'Zo zou je het kunnen noemen. Ik ben van een klus op weg naar huis.'

'Op weg naar de Vleermuizengrot.' Niemand wist waar Ranger woonde. Het adresvakje op zijn rijbewijs was niet ingevuld.

'Precies. De Vleermuizengrot,' zei Ranger.

'Ik zou die Vleermuizengrot wel eens willen zien.'

We keken elkaar even strak aan.

'Wie weet gebeurt dat wel eens,' zei hij. 'Zo te zien kan die auto van je wel een opknapbeurt gebruiken.'

Ik vertelde hem over de spinnen en over Abruzzi's opmerking ten aanzien van het uitrukken van mijn hart.

'Wacht even,' zei Ranger. 'Dus als ik het goed begrijp was je, nadat je door een groep ganzen was aangevallen, net weggereden toen je opeens door een spin werd besprongen waardoor je een geparkeerde auto hebt geramd?'

'Die grijns kun je je besparen,' zei ik. 'Er valt niets te lachen. Ik háát spinnen.'

Hij sloeg een arm om mijn schouders. 'Dat weet ik, schat. En je bent bang dat Abruzzi zijn dreigement waar zal maken.'

'Ja.'

'Je hebt te veel gevaarlijke mannen in je leven.'

Ik keek hem van terzijde aan. 'Heb je een idee wat ik zou kunnen doen om een paar namen van het lijstje te schrappen?'

'Je zou Abruzzi kunnen vermoorden.'

Ik trok mijn wenkbrauwen op.

'Ik kan me niet voorstellen dat iemand dat erg zou vinden,' zei Ranger. 'Hij is geen al te populair type.'

'En de andere gevaarlijke mannen in mijn leven?'

'Die zijn niet levensbedreigend. In het ergste geval hou je er een gebróken hart aan over, maar je hoeft niet bang te zijn dat het uit je borst gerukt zal worden.'

O jee. En daarmee zou ik me beter moeten voelen?

'Afgezien van jouw suggestie om Abruzzi om zeep te helpen, zou ik niet weten wat ik anders zou kunnen doen om hem te laten ophouden,' zei ik tegen Ranger. 'Soder wil zijn dochter terug, maar Abruzzi wil iets anders. En ik weet niet wát hij wil, maar hij denkt dat ik naar hetzelfde op zoek ben.' Ik keek naar boven, naar het raam van mijn slaapkamer. Ik stond niet echt te popelen om alleen naar boven te gaan. Die kwestie van het uitrukken van mijn hart hield me behoorlijk bezig. En om de zoveel minuten voelde ik in mijn verbeelding spinnen over mijn armen kruipen. 'En nu je hier toch bent,' zei ik, 'heb je zin om mee naar boven te gaan en een glas wijn met me te drinken?'

'Nodig je me uit voor méér dan alleen maar wijn?'

'Hmm, misschien.'

'Even raden. Je wilt dat ik met je mee ga om te kijken of de kust veilig is boven.'

'Já.'

Hij piepte zijn auto op slot, en toen we op de tweede verdieping waren gekomen, nam hij de huissleutel van me over en maakte mijn voordeur open. Hij deed het licht aan en keek rond. Rex rende op zijn rad.

'Misschien zou je hem moeten leren blaffen,' zei Ranger.

Hij liep door de zitkamer naar mijn slaapkamer. Hij deed het licht aan en keek rond. Hij tilde de sprei op en keek onder het bed. 'Je zou hier eens moeten vegen, schat,' zei hij. Hij liep naar de commode en trok alle laden open. Er sprong niets uit. Hij keek om het hoekje van de badkamer. Alles was in orde.

'Geen slangen, geen spinnen en geen slechte mannen,' zei Ranger. Hij stak zijn handen uit, pakte de kraag van mijn spijkerjack vast en trok me naar zich toe terwijl zijn vingers losjes strelend over mijn hals gingen. 'Je rekening begint aardig op te lopen. Ik ga er vanuit dat je me een seintje zult geven zodra je bereid bent je schuld te voldoen.'

'O, ja. Natuurlijk. Ik zal het je als eerste laten weten.' God, wat was ik toch een oen!

Ranger keek grinnikend op me neer. 'Je hebt toch handboeien, hè?'

Slik. 'Eh, nee. Op dit moment ben ik handboeienloos.'

'En hoe wilde je de slechteriken vangen als je geen handboeien hebt?'

'Dat is inderdaad een probleem.'

'Ik heb handboeien,' zei Ranger, terwijl hij zijn knie tegen de mijne drukte.

Mijn hart ging als een gek tekeer. Ik was niet echt het type dat van seks met handboeien hield. Ik was eerder het type van doe het licht uit en laten we er het beste van hopen. 'Ik geloof dat ik aan het hyperventileren ben,' zei ik. 'Als ik tegen de vlakte ga, hoef je alleen maar een boterhamzakje voor mijn neus en mond te houden.'

'Schat,' zei Ranger, 'het is heus niet het einde van de wereld om met mij naar bed te gaan.'

'Zo gemakkelijk is het niet. Er zijn een aantal bezwaren.'

Hij trok zijn wenkbrauwen op. 'Bezwaren?'

'Nou, ik bedoel, relaties.'

'Heb je een relatie?' vroeg Ranger.

'Nee. Jij?'

'Mijn manier van leven leent zich niet voor relaties.'

'Weet je wat we nodig hebben? Wijn.'

Hij liet de kraag van mijn spijkerjack los en volgde me naar de keuken. Hij bleef tegen het aanrecht geleund staan terwijl ik twee glazen uit de kast haalde en de fles merlot pakte die ik zojuist had gekocht. Ik schonk de twee glazen in, gaf er een van aan Ranger en hield de andere zelf.

'Gezondheid,' zei ik, en ik sloeg de wijn achterover.

Ranger nam een slokje. 'Voel je je beter?'

'Een beetje. Het gevoel dat ik op het punt van flauwvallen sta is weg, en de misselijkheid is ook bijna verdwenen.' Ik vulde mijn glas opnieuw en liep met de fles naar de zitkamer. 'Heb je zin om tv te kijken?' vroeg ik.

Hij pakte de afstandsbediening van de lage tafel en ging ontspannen op de bank zitten. 'Je zegt maar wanneer je niet meer misselijk bent.'

'Ik geloof dat het door het noemen van de handboeien kwam, dat ik me ineens zo beroerd voelde.'

'O, wat een teleurstelling. Ik dacht dat het het idee van mijn naaktheid was.' Hij zapte langs de sportkanalen door en koos voor honkbal. 'Is honkbal goed? Of heb je liever een gewelddadige film?'

'Honkbal is uitstekend.'

Goed, goed, ik wist dat ík degene was die had gevraagd of hij tv wilde kijken, maar het voelde heel vreemd om Ranger op mijn bank te hebben zitten. Hij droeg zijn donkere haar achterovergekamd in een staartje. Hij was helemaal in het zwart. Hij had zijn koppel afgedaan, maar zijn negen millimeter stak nog steeds achter in de tailleband van zijn broek, en hij droeg een SEAL-horloge van de marine. En hij zat ontspannen op mijn bank naar honkbal te kijken.

Ik zag dat mijn wijnglas leeg was en schonk mijzelf voor de derde keer in.

'Dit voelt vreemd,' zei ik. 'Kijk je in de Vleermuizengrot ook naar honkbal?'

'Ik heb nauwelijks tijd voor tv.'

'Maar je hébt wel tv in je Vleermuizengrot?'

'Ja, ik heb tv in mijn Vleermuizengrot.'

'Ik vroeg het alleen maar uit nieuwsgierigheid,' zei ik.

Hij nam een slokje van zijn wijn en observeerde me. Hij was anders dan Morelli. Morelli was een strakgespannen veer. Bij Morelli was ik me altijd bewust van een enorme onderdrukte spanning. Ranger was een kat. Kalm. Elke spier op bevel ontspannen. Het zou me niets verbazen als hij aan yoga deed. En misschien was hij wel niet helemaal mensenlijk.

'Wat denk je nu?' vroeg hij.

'Ik vroeg me af of je menselijk was.'

'Wat waren de andere mogelijkheden?'
Ik dronk mijn glas leeg. 'Zover was ik nog niet.'

Ik werd wakker met hoofdpijn en mijn tong zat aan mijn gehemelte geplakt. Ik lag op de bank, onder de sprei van mijn bed. De televisie was uit en Ranger was verdwenen. Voor zover ik me kon herinneren, had ik ongeveer vijf minuten naar honkbal gekeken voor ik in slaap was gevallen. Ik kan niet zo goed tegen drank. Tweeënhalf glas wijn, en ik ben bewusteloos.

Ik stond onder de hete douche tot mijn huid gerimpeld was en het dreunen in mijn hoofd gedeeltelijk was verdwenen. Ik kleedde me aan en reed naar McDonald's waar ik vanuit de auto friet en een cola bestelde, en die vervolgens op de parkeerplaats nuttigde. Dit is Stephanie Plums middel tegen een kater. Mijn mobieltje ging toen ik halverwege de patat was.

'Heb je het gehoord van de brand?' vroeg oma. 'Weet je er iets meer vanaf?'

'Welke brand?'

'Stephen Soders bar is afgelopen nacht volledig afgebrand. Ik zou waarschijnlijk ochtend moeten zeggen, want de brand is na sluitingstijd ontstaan. Lorraine Zupek heeft net gebeld. Haar zoon zit bij de brandweer. Hij heeft verteld dat het volledige brandweerkorps was uitgerukt, maar dat ze niets konden doen. Ik vermoed dat ze denken dat het opzet was.'

'Zijn er gewonden?'

'Daar heeft Lorraine niets over gezegd.'

Ik propte een lading friet in mijn mond en startte de motor. Ik wilde naar Soders bar. Ik kon niet precies zeggen waarom. Ziekelijke nieuwsgierigheid, waarschijnlijk. Als Soder *partners* had, dan was dit niet geheel onverwacht. Het gebeurde wel vaker dat partners, nadat ze in een bedrijf waren gestapt, dat bedrijf volledig leegzogen om het daarna te vernietigen.

Ik had twintig minuten nodig om naar de andere kant van de stad te komen. De straat van The Foxhole was afgesloten voor alle verkeer, dus ik parkeerde twee straten verder en ging er lopend heen. Er stond nog steeds een brandweerwagen voor de deur, evenals een aantal slordig geparkeerde patrouillewagens. Een fotograaf van de *Trenton Times* was druk aan het plaatjes schieten. De plaats delict was nog niet officieel afgezet, maar nieuwsgierigen werden door de politie op een afstand gehouden.

De bakstenen voorgevel was zwartgeblakerd. De ruiten waren gesprongen. Boven de bar waren twee woonetages die een totaal verwoeste indruk maakten. Op de stoep en de straat lagen grote plassen water dat zwart was van het roet. Vanuit de brandweerwagen liep een brandslang het gebouw in, maar er werd niet meer geblust.

'Zijn er gewonden?' vroeg ik aan een van de omstanders.

'Ik geloof van niet,' zei hij. 'Het was na sluitingstijd van de bar en de twee woningen erboven stonden leeg. Er was achterstallig onderhoud en ze werden opgeknapt.'

'Weten ze al hoe de brand is ontstaan?'

'Ik heb niets gehoord.'

Ik herkende geen van de agenten of de brandweerlieden. Soder was nergens te zien. Na alles nog een laatste keer zorgvuldig bekeken te hebben, ging ik weg. Ik wilde snel even bij kantoor langs. Connie zou intussen wat meer informatie over Evelyn moeten hebben.

'Tjees,' zei Lula, toen ik binnenkwam, 'jij ziet er ook niet al te best uit.'

'Kater,' zei ik. 'Nadat ik Kloughn had afgezet kwam ik Ranger tegen en we hebben een paar glazen wijn gedronken.'

Connie en Lula staakten hun bezigheden en keken me aan.

'En?' vroeg Lula. 'Daar wil je het toch niet bij laten, wel? Vertel op, wat is er gebeurd?'

'Niets. Ik was een beetje uit mijn doen door dat gedoe met die spinnen en zo, en Ranger is mee naar boven gegaan om te kijken of de kust veilig was. We hebben een paar glazen wijn gedronken en toen is hij weer gegaan.'

'Best, maar wat is er tussen het *drinken* en het *weggaan* gebeurd?'

'Niets.'

'Ho, ho,' zei Lula. 'Wil je daarmee zeggen dat Ranger bij je thuis is geweest, dat jullie samen wijn hebben gedronken en dat er niets is gebeurd? Dat er zich niets persóónlijks tussen jullie heeft afgespeeld?'

'Dat bestaat niet,' zei Connie. 'Telkens wanneer ik jullie twee hier samen op kantoor zie, gaapt hij je aan alsof je een verrukkelijk lunchhapje bent. Er moet een verklaring voor zijn. Je had je oma op bezoek, ja?'

'We waren met z'n tweetjes – Ranger en ik.'

'Heb je hem bewust op een afstand gehouden? Heb je hem een dreun gegeven, of zo?' wilde Lula weten.

'Nee, helemaal niet. Het was gewoon vriendschappelijk.' Op een bepaalde gespannen manier.

'Vriendschappelijk,' herhaalde Lula. 'Ha.'

'En hoe voelt dat?' vroeg Connie.

'Ik weet niet,' antwoordde ik. 'Op zich is vriendschappelijk niet slecht.'

'Ja, maar naakt en glibberig van het zweet zou beter zijn geweest,' zei Lula.

Daar dachten we allemaal even over na.

Connie wuifde zich met haar stenoblok koelte toe. 'Pff,' zei ze. 'Opvlieger.'

Ik weigerde omlaag te kijken om te zien of mijn tepels hard waren. 'Is Evelyns rapport al binnen?'

Connie zocht in een stapel dossiers op haar bureau en haalde er eentje tussenuit. 'Het is vanochtend binnengekomen.'

Ik nam de map van haar aan en las de eerste bladzijde. En begon aan de tweede.

'Er staat niet veel in,' zei Connie. 'Evelyn is nooit ver van huis geweest. Als kind al niet.'

Ik stopte het dossier in mijn tas en keek omhoog naar de videocamera. 'Is Vinnie er?'

'Hij is nog niet binnen. Ik neem aan dat Candy nog steeds bezig is zijn ego op te pompen,' zei Lula.

9

Terug in de auto las ik Evelyns dossier nog eens door. Een deel van de informatie kwam me nogal privé voor, maar tegenwoordig kan iedereen die dat wil alles over een ander te weten komen. Ik had een kredietrapport en wat medische gegevens. Eigenlijk niets waar ik iets aan had.

Er werd op het zijraampje geklopt en ik keek op. Het was Morelli. Ik deed het portier open en hij kwam naast me zitten.

'Heb je een kater?' vroeg hij, maar het klonk niet als een vraag.

'Hoe weet jij dat?'

Hij wees op de verpakking van McDonald's. 'Patat van McDonald's en cola voor het ontbijt. Donkere kringen onder je ogen. Je helse kapsel.'

Ik bekeek mijn haar in de achteruitkijkspiegel. *Getver.* 'Ik heb gisteravond wat diep in het wijnglas gekeken.'

Hij liet mijn woorden op zich inwerken. Het bleef lange seconden stil in de auto. Ik voegde er verder niets aan toe. Hij stelde geen vragen.

Zijn blik viel op het dossier in mijn hand. 'Ben je wat opgeschoten met Evelyn?'

'Een beetje.'

'Je weet natuurlijk dat Soders bar is afgebrand.'

'Daar ben ik net geweest,' zei ik. 'Het ziet er beroerd uit. Een bof dat er niemand in het pand was.'

'Ja, behalve dat we Soder tot op dit moment nog niet hebben kunnen vinden. Zijn vriendin zegt dat hij niet thuis is gekomen.'

'Denk je dat hij op het moment van het uitbreken van de brand in de bar was?'

'Het onderzoek is zojuist begonnen. We moesten wachten tot het pand was afgekoeld. Ik dacht dat je dat zou willen weten.' Morelli legde zijn hand op het hendel van het portier. 'Mochten we hem vinden, dan laat ik je dat weten.'

'Wacht even. Ik heb een theoretische vraag. Stel dat we samen televisie zaten te kijken. En dat er behalve wij tweeën niemand in mijn huis was. En dat ik een paar glazen wijn op had en in slaap viel. Zou jij dan proberen om in dat geval toch met me te vrijen? Zou je, terwijl ik diep in slaap was, laten we zeggen, *op verkenning* gaan?'

'Wat was er op de televisie? Een spannende wedstrijd?'

'Je kunt gaan,' zei ik.

Morelli grinnikte en stapte uit.

Ik haalde mijn mobieltje uit mijn tas en belde Dotty. Ik wilde haar over de brand vertellen en zeggen dat Soder onvindbaar was. De telefoon ging een paar keer over en ik kreeg het antwoordapparaat aan de lijn. Ik sprak een boodschap in, vroeg haar terug te bellen, en probeerde haar op haar werk. Daar kreeg ik haar voicemail aan de lijn. Dotty was met vakantie en zou over twee weken terug zijn.

Het voicemailbericht bezorgde me een vreemd gevoel in mijn buik. Ik probeerde de emotie te benoemen, en de beste omschrijving die ik ervoor kon vinden was onbehaaglijkheid.

Nog geen uur later parkeerde ik voor Dotty's huis. Geen spoor van Jeanne Ellen. En geen enkel levensteken in Dotty's huis. Geen auto op de oprit. Geen open deuren of ramen. Daar is op zich niets ongewoons aan, hield ik mijzelf voor. De kinderen zouden op dit moment op school en in de crèche zijn. En Dotty was waarschijnlijk boodschappen aan het doen.

Ik liep naar de voordeur en belde aan. Niemand deed open. Ik keek door het raam naar binnen. Het huis maakte een rustende indruk. Er brandde nergens licht. Er stond geen tv aan. Ik zag geen rondrennende kinderen. Het onbehaaglijke gevoel bekroop me opnieuw. Er was iets dat niet klopte. Ik liep om het huis heen en keek door het raam van de keukendeur. De keuken was keurig opgeruimd. Geen sporen van het ontbijt. Geen kommen in de gootsteen. Geen verpakkingen van Cornflakes of muesli. Ik probeerde de deur. Hij zat op slot. Ik klopte aan. Geen reactie. En toen wist ik het opeens. Geen hond. De hond zou me gehoord moeten hebben en zou moeten hebben blaffen. Het huis had geen verdieping. Ik liep er omheen en keek door alle ramen naar binnen. Geen hond.

Goed, dus ze was met de hond gaan wandelen. Of misschien was ze met de hond naar de dierenarts. Ik probeerde Dotty's naaste buren. Niemand kon me iets over Dotty en de hond vertellen. Het was beiden die ochtend opgevallen dat Dotty er niet was. Beiden spraken het vermoeden uit dat Dotty en haar gezin in de loop van de nacht waren vertrokken.

Geen Dotty. Geen hond. Geen Jeanne Ellen. Ineens had ik andere namen voor het gevoel in mijn buik. Paniek. Angst. Met een tikje misselijkheid als gevolg van mijn kater.

Ik liep terug naar de auto en bleef een poosje voor het huis over de situatie zitten nadenken. Op een gegeven moment keek ik op mijn horloge en realiseerde mij dat er een uur was verstreken. Ik nam aan dat ik hoopte dat Dotty terug zou komen. En ik neem aan dat ik wist dat dat niet zou gebeuren.

Toen ik negen was, had ik mijn moeder overgehaald om een parkiet voor me te kopen. Op weg van de dierenwinkel naar huis raakte het deurtje van de kooi op de een of andere manier open en de vogel ontsnapte. Dit voelde net zo. Het voelde alsof ik het deurtje open had laten staan.

Ik schakelde en reed terug naar de Wijk. Ik reed rechtstreeks naar het huis van Dotty's ouders. Mevrouw Palowski deed open en Dotty's hond kwam keffend uit de keuken gerend.

Ik forceerde mijn meest valse en meest overtuigende glimlach voor mevrouw Palowski en zei: 'Hallo. Ik ben op zoek naar Dotty.'

'Je bent haar net misgelopen,' zei mevrouw Palowski. 'Ze is vanochtend langsgekomen om Scotty te brengen. We passen op hem terwijl Dotty en de kinderen met vakantie zijn.'

'Ik moet haar dringend spreken,' zei ik. 'Hebt u een telefoonnummer waarop ik haar kan bereiken?'

'Nee. Ze zei dat ze met een vriendin zou gaan. Ze hebben ergens een huisje in het bos gehuurd. Ze zou me bellen. Ik zou haar een boodschap kunnen overbrengen.'

Ik gaf mevrouw Palowski mijn kaartje. 'Wilt u haar zeggen dat ik heel belangrijke informatie voor haar heb? En wilt u haar vragen of ze mij wil bellen?'

'Dotty heeft toch geen moeilijkheden, hè?' vroeg mevrouw Palowski.

'Nee. De informatie betreft een van haar vriendinnen.'

'Je bedoelt Evelyn? Ik heb gehoord dat Evelyn en Annie worden vermist. Vreselijk. Evelyn en Dotty waren vroeger de beste vriendinnen.'

'Hebben ze nog steeds contact?'

'Nee, al jaren niet meer. Sinds Evelyn getrouwd is, heeft ze zich voor de buitenwereld afgesloten. Ik heb het gevoel dat Steven niet wilde dat ze vriendinnen had.'

Ik bedankte mevrouw Palowski voor haar tijd en keerde terug naar de auto. Ik las Evelyns dossier nog eens door, maar kon nergens iets vinden over een huisje in het bos.

Mijn telefoon ging en ik wist niet precies wat ik hoopte... een afspraakje stond boven aan mijn lijstje, direct gevolgd door nieuws over Soder en een telefoontje van Evelyn.

Niet ver daaronder stond een belletje van mijn moeder. 'Help,' zei ze.

Het volgende moment kwam mijn oma aan de telefoon. 'Je moet komen. Dit moet je zien,' zei ze.

'Wat moet ik zien?'

'Dat kan ik je niet vertellen. Je moet het zelf zien.'

Het huis van mijn ouders was vijf minuten rijden. Mijn moeder en oma stonden bij de deur op me te wachten. Ze deden een stapje opzij en wezen naar binnen, naar de zitkamer. Daar zat mijn zus, onderuitgezakt in mijn vaders favoriete leunstoel. Ze droeg een gekreukelde flanellen nachtjapon en donzige slofjes. Ze had haar gezicht de vorige avond niet schoongemaakt en de mascara was gevlekt van de slaap. Haar ongekamde haren stonden alle kanten uit. Van Meg Ryan tot Beetlejuice. Van Californische schoonheid tot Dracula's bruid. Ze zat met de afstandsbediening in haar hand en keek strak naar het een of andere quizprogramma. De vloer rond de stoel lag bezaaid met snoepwikkels en lege frisdrankblikjes. Uit niets bleek dat ze zich van ons bewust was. Ze liet een boer, krabde haar borst en veranderde van kanaal.

Dit was mijn volmaakte zuster. De Heilige Valerie.

'Hou op met grijnzen,' zei mijn moeder tegen mij. 'Dit is niet grappig. Zo is ze al sinds ze haar hebben ontslagen.'

'Ja,' zei oma. 'Vanochtend hebben we om haar heen moeten stofzuigen. Ik kwam te dichtbij en heb bijna een van die bontslofjes opgezogen.'

'Ze is depressief,' zei mijn moeder.

Dat was zwak uitgedrukt.

'We dachten dat jij haar misschien aan werk zou kunnen helpen,' zei oma. 'Iets om haar het huis uit te krijgen, om te voorkomen dat *wij* depressief worden van naar haar te kijken. Het is al erg genoeg dat we naar je vader moeten kijken.'

'Jij bent anders altijd degene die van alle baantjes op de hoogte is,' zei ik tegen mijn moeder. 'Jij weet altijd wanneer de knopenfabriek weer mensen zoekt.'

'Ze heeft al mijn contacten afgewerkt,' zei mijn moeder. 'Ik heb niets meer te bieden. En ze krijgt geen uitkering meer. En inpakster van tampons is niets voor haar.'

'Misschien kun je haar meenemen wanneer je iemand oppakt,' zei oma. 'Misschien dat ze daar wat van opkikkert.'

'Nee, geen sprake van,' zei ik. 'Ze heeft al één keer geprobeerd om premiejager te zijn en toen er iemand een revolver tegen haar hoofd hield, is ze flauwgevallen.'

Mijn moeder sloeg een kruisje. 'Goeie god.'

'Nou, je zult iets moeten doen,' zei oma. 'Ik mis al mijn televisieseries. Ik heb een paar keer geprobeerd om een andere zender op te zetten, maar je had haar gezicht eens moeten zien. Ze gromde naar me.'

'Ze gromde naar je?'

'Het was gewoon eng.'

'Hé, Valerie,' zei ik. 'Zit je ergens mee?'

Geen antwoord.

'Ik heb een idee,' zei oma. 'Waarom geven we haar geen behandeling met je verdovingspistool? Dan kunnen we haar, zodra ze bewusteloos is, de afstandsbediening afpakken.'

Ik dacht aan het verdovingspistool in mijn tas. Ik had er geen bezwaar tegen om het uit te proberen. Ik had er zelfs geen bezwaar tegen om het op Valerie uit te proberen. En als ik heel eerlijk ben, koester ik al jaren heimelijk de wens om Valerie ermee te behandelen. Ik keek naar mijn moeder en zette het plan onmiddellijk uit mijn hoofd.

'Misschien kan ik ergens een baan voor je vinden,' zei ik tegen Valerie. 'Heb je zin om voor een advocaat te werken?'

Ze bleef strak naar het scherm kijken. 'Is hij getrouwd?'

'Nee.'

'Homo?'

'Ik geloof van niet.'

'Hoe oud is hij?'

'Dat weet ik niet precies. Ik schat een jaar of zestien.' Ik haalde mijn mobiel uit mijn tas en belde Kloughn.

'Wauw, dat zou geweldig zijn als je zus voor mij wil werken,' zei Kloughn. 'Ze kan zelf bepalen hoeveel tijd ze voor haar lunchpauze wil, en ze kan de was doen onder het werk.'

Ik hing op en wendde me tot Valerie. 'Je hebt een baan.'

'Get,' zei Valerie. 'Ik begon juist aan depressief zijn te wennen. Denk je dat die man met me zou willen trouwen?'

Ik rolde in gedachten met mijn ogen, schreef Kloughns naam en adres op een papiertje en gaf het aan Valerie. 'Je kunt morgenochtend om negen uur beginnen. Als hij te laat is, kun je in de wasserette op hem wachten. Je herkent hem zo. Hij heeft twee blauwe ogen.'

Mijn moeder sloeg opnieuw een kruisje.

Ik gapte een paar plakken boterhamworst en een stukje kaas uit de koelkast en liep naar de voordeur. Ik wilde zo snel mogelijk weg – vóór ik nog meer vragen over Albert Kloughn zou moeten beantwoorden.

Op dat moment ging de telefoon.

'Wacht,' zei oma tegen mij. 'Dat was Florence Szuch aan de telefoon en ze zegt dat ze in het winkelcentrum is en dat Evelyn Soder er in de cafetaria zit te lunchen.'

Ik ging er op een holletje vandoor. Oma volgde me op de voet.

'Ik ga mee,' verklaarde ze. 'Daar heb ik recht op, want het was míjn spionne die heeft gebeld.'

We sprongen in de auto en ik scheurde weg. Het winkelcentrum was in het beste geval twintig minuten rijden. Ik hoopte dat Evelyn een langzame eter was.

'Wist ze zeker dat het Evelyn was?'

'Ja. Evelyn en Annie, en een andere vrouw met haar twee kinderen.'

Dotty en haar kinderen.

'Ik had geen tijd om mijn tas te pakken,' zei oma. 'Dus ik heb mijn revolver niet bij me. Het zal een enorme teleurstelling voor me zijn als er straks wordt geschoten en ik de enige zonder revolver blijk te zijn.'

Als mijn moeder wist dat mijn oma rondliep met een revolver in haar tas, zou ze een beroerte krijgen. 'Om te beginnen heb ík ook geen revolver,' zei ik. 'En ten tweede zal er niet worden geschoten.'

Ik reed Route 1 op en gaf plankgas. Dat was de enige manier om je in de verkeersstroom te voegen. In Jersey is de snelheidslimiet niet meer dan een suggestie. Er is niemand die daadwerkelijk bereid is zich eraan te houden.

'Je had autocoureur moeten worden,' zei oma. 'Je zou er goed in zijn. Je zou mee kunnen doen aan die NASCAR-races. Ik zou er zelf aan hebben meegedaan, maar ik vermoed dat je daar een rijbewijs voor nodig hebt, en dat heb ik niet.'

Ik zag het bord voor het winkelcentrum en nam de afrit terwijl ik in gedachten duimde. Aanvankelijk had ik alleen Mabel maar een plezier willen doen, maar intussen was de kwestie uitgegroeid tot een ware kruistocht. Ik wilde op dat moment niets liever dan met Evelyn praten. Evelyn speelde een cruciale rol in de beëindiging van dit ziekelijke oorlogsspel. En het beëindigen van het oorlogsspel was nodig als ik niet wilde dat mijn hart uit mijn borst gerukt zou worden.

Ik kende het winkelcentrum op mijn duimpje en ik parkeerde bij de ingang van het deel waar de restaurants en cafetaria's waren. Ik had oma willen zeggen dat ze in de auto moest blijven, maar dat zou verspilde energie zijn geweest.

'Als Evelyn nog steeds hier is, dan wil ik haar alléén spreken,' zei ik tegen oma. 'Je zult je ergens onopvallend moeten opstellen.'

'Geen probleem,' zei oma.

We gingen samen naar binnen en liepen door de centrale gang terwijl ik ondertussen keek of ik Dotty of Evelyn ergens zag. Er waren redelijk veel mensen, al was het niet zo druk als in het weekend. Het was juist vol genoeg voor mij om niet op te vallen. Mijn adem stokte toen ik Dotty en haar kinderen zag. Ik had de foto van Evelyn en Annie in mijn geheugen geprent, en zij waren er ook.

'Nu ik hier toch ben,' zei oma, 'heb ik eigenlijk best zin in een grote zoute krakeling.'

'Goed, als jij je krakeling gaat kopen, ga ík een praatje met Evelyn maken. Maar beloof me dat je in de buurt blijft.'

Ik liep bij oma vandaan en opeens dimde het licht voor mijn ogen. Ik stond in de schaduw van Martin Paulson. Hij zag er niet veel anders uit als hij op de parkeerplaats van het politiebureau had gedaan, toen hij, met zijn handen en voeten in de boeien, over de grond had liggen rollen. Ik kan me voorstellen dat het voor iemand met het lijf van Paulson moeilijk is om aan modieuze kleding te komen.

'Ach, kijk eens wie we hier hebben,' zei Paulson. 'Als dat Juffrouw Klereteef niet is.'

'Niet nu,' zei ik, en ik probeerde om hem heen te stappen.

Hij bewoog met me mee en versperde me de doorgang. 'Ik heb nog een appeltje met jou te schillen.'

Zat het me dan nooit eens mee? Eindelijk vind ik Evelyn, en dan kom ik Martin Paulson tegen die duidelijk op oorlogspad is. 'Daar heb ik geen enkele behoefte aan,' zei ik. 'En wat doe je hier eigenlijk?'

'Ik werk hier. Ik werk in de drogisterij en dit is mijn lunchpauze. Ik ben vals beschuldigd, wist je dat?'

Ja hoor, natuurlijk. 'Ga opzij.'

'Kijk maar of je me zover kunt krijgen.'

Ik haalde het verdovingspistool uit mijn tas, drukte de loop tegen Paulsons vette buik en drukte op het knopje. Er gebeurde niets.

Paulson keek omlaag naar het pistool. 'Wat is dat? Speelgoed?'

'Het is een verdovingspistool.' Een waardeloos verdovingspistool.

Paulson pakte het uit mijn hand en bekeek het. 'Te gek,' zei hij. Hij zette het aan en hij zette het af. En toen zette hij het op mijn arm. Er schoot een lichtflits door mijn hoofd en toen werd het zwart om me heen.

Voor de duisternis weer plaatsmaakte voor licht, hoorde ik verre stemmen. Ik probeerde ze zo goed mogelijk te horen en ze werden luider en beter verstaanbaar. Het lukte me mijn ogen open te krijgen en ik zag gezichten. Ik probeerde het zoemen weg te knipperen, en nam de situatie op. Ik lag languit, op mijn rug, op de vloer. Er stonden twee EHBO-ers over me heen gebogen. Een van hen hield een zuurstofmasker op mijn neus gedrukt. Ik had de manchet van een bloeddrukmeter om mijn arm. Oma stond achter de witte jassen bezorgd naar me te kijken. Paulson stond achter oma en begluurde me over haar schouder. *Paulson.* Ineens wist ik het weer. De klootzak had me met mijn eigen verdovingspistool bewusteloos geschoten!

Ik sprong op met het idee Paulson te lijf te gaan, maar mijn benen weigerden mijn gewicht te dragen en ik zakte door mijn knieën. 'Paulson, klootzak die je bent!' schreeuwde ik.

Paulson deinsde achteruit en verdween.

Ik probeerde het zuurstofmasker van mijn gezicht te trekken en de broeders probeerden het op de plaats te houden. Het was een herhaling van de aanval van de ganzen.

'Ik dacht dat je dood was,' zei oma.

'Bij lange na niet. Ik kwam toevallig in aanraking met mijn verdovingspistool dat toevallig functioneerde.'

'O, nu weet ik weer wie je bent,' zei een van de broeders tegen mij. 'Jij bent die premiejager die het uitvaartcentrum in de as heeft gelegd.'

'Ik heb het samen met haar in de as gelegd,' zei oma. 'Je had het moeten zien. Het was net vuurwerk.'

Ik stond op en probeerde mijn benen. Ze voelden een tikje trillerig, maar ik bleef overeind. Dat was een goed teken, ja toch?

Oma gaf me mijn schoudertas. 'Die aardige dikzak heeft me je verdovingspistool gegeven. Je had het in alle opwinding waarschijnlijk laten vallen. Ik heb het in je tas gestopt,' zei ze.

Ik zou de eerste de beste gelegenheid aangrijpen om dat verdomde verdovingspistool in de Delaware Rivier te dumpen. Ik keek rond, maar Evelyn was al lang verdwenen. 'Je hebt Evelyn en Annie zeker niet gezien, hè?' vroeg ik aan oma.

'Nee. Ik heb zo'n grote, zachte krakeling gekocht en hem in chocola laten dopen.'

Ik zette oma af bij mijn ouders en ging naar huis. Ik bleef een poosje op de overloop voor mijn deur staan alvorens de sleutel in het slot te steken. Toen haalde ik diep adem, draaide de sleutel om en duwde de deur open. Ik stapte het halletje in en zong heel zachtjes: *'Who's afraid of the big bad wolf...'* Ik keek om het hoekje van de keuken en haalde opgelucht adem. Ik liep de zitkamer in en hield op met zingen. Steven Soder zat op mijn bank. Hij hing een beetje naar rechts en hield de afstandsbediening in zijn hand, maar hij zat niet naar de televisie te kijken. Hij was dood, dood, dood. Zijn ogen waren troebel en blind, en zijn mond hing half open, alsof hij een kreetje van verbazing had geslaakt, en hij had een kogelwond midden op zijn voorhoofd. Hij droeg een oversized trui en een kaki broek. En hij had blote voeten.

Het is al erg genoeg om een dode man op je bank aan te treffen, maar die blote voeten van hem maakten het er nog erger op. Waarom had hij, verdomme nog aan toe, blote voeten?

Ik liep, zo geruisloos mogelijk, achterwaarts de gang weer op. Op de overloop haalde ik mijn mobiel uit mijn tas en probeerde 911 te bellen, maar mijn handen beefden zo erg dat ik het een paar keer moest proberen voor het me lukte.

Ik bleef op de gang tot de politie arriveerde. Toen mijn flat wemelde van de politie, sloop ik terug naar de keuken, sloeg mijn armen om Rex' kooi en nam Rex met mij mee de gang op.

Ik bevond me nog steeds op de gang met Rex' kooi, toen Morelli arriveerde. Mevrouw Karwatt van de flat naast de mijne en Irma Brown van boven, stonden bij me. Achter de gesloten deur van meneer Wolesky kon ik Regis horen. Meneer Wolesky wilde Regis voor geen goud missen, laat staan voor een moord. En het maakte niet uit dat het een herhaling was.

Ik zat, met de hamsterkooi op schoot, op de grond met mijn rug tegen de muur. Morelli hurkte voor me en keek naar Rex. 'Is alles goed met hem?'

Ik knikte van ja.

'En met jou?' vroeg Morelli. 'Is alles goed met jou?'

De tranen sprongen in mijn ogen. Nee, alles was niet goed met mij.

'Hij zat op de bank,' zei Irma tegen Morelli. 'Stel je voor. Hij zat op de bank met de afstandsbediening in zijn hand.' Ze schudde haar hoofd. 'En nu zit die bank onder de doodsluizen. Ik zou ook moeten huilen als mijn bank onder de doodsluizen zat.'

'Doodsluizen zijn onzin,' zei mevrouw Karwatt.

Irma keek haar aan. 'Zou *u* ooit nog op die bank willen zitten?'

Mevrouw Karwatt perste haar lippen op elkaar.

'Nou?' drong Irma aan.

'Misschien als hij een grondige schoonmaakbeurt had gekregen.'

'Doodsluizen gaan niet weg van schoonmaken,' zei Irma. En daarmee was het gesprek afgelopen. De stem der autoriteit had gesproken.

Morelli kwam naast me zitten. Mevrouw Karwatt ging weg. En Irma ging weg. En toen waren alleen Morelli, ik en Rex nog maar over.

'En hoe denk jij over die doodsluizen?' vroeg Morelli.

'Ik weet niet wat doodsluizen zijn, maar ik vind het eng genoeg om die bank te willen dumpen. En de afstandsbediening wordt uitgekookt en door de bleek gehaald.'

'Dit is ernstig,' zei Morelli. 'Dit zijn geen leuke spelletjes meer. Heeft mevrouw Karwatt iets ongewoons gehoord of gezien?'

Ik schudde van nee. 'Je huis wordt geacht een veilige plek te zijn,' zei ik tegen Morelli. ‘Waar moet een mens naar toe wanneer zijn huis niet langer veilig voelt?’

‘Geen idee,’ zei Morelli. ‘Zoiets is mij nog nooit overkomen.’

Het duurde uren voor het lijk was afgevoerd en de flat verzegeld was.

‘Wat nu?’ vroeg Morelli. ‘Je kunt hier vannacht niet blijven.’

We keken elkaar aan en dachten alle twee hetzelfde. Een paar maanden geleden zou Morelli die vraag niet hebben gesteld. Ik zou gewoon bij Morelli zijn gaan slapen. Maar nu was alles anders. ‘Ik ga maar naar mijn ouders,’ zei ik. ‘Eén nachtje maar, tot ik alles geregeld heb.’

Morelli ging naar binnen, zocht wat kleren voor me bij elkaar en stopte alles in een sporttas. Hij laadde mij en Rex in zijn auto en bracht ons naar de Wijk.

Valerie en de kinderen sliepen in mijn oude kamer, dus ik sliep op de bank met Rex naast me op de vloer. Ik heb vrienden die Xanax slikken om te kunnen slapen. Ik persoonlijk slik macaroni met kaas. En als mijn moeder het voor me maakt, dan helpt het nog beter.

Om elf uur at ik mijn macaroni met kaas en vrijwel meteen daarna viel ik in slaap. Ik sliep onrustig en droomde, en om twee uur at ik nog een portie, gevolgd door een derde portie om half vijf. De magnetron is een geweldige uitvinding.

Om half acht werd ik wakker van het geschreeuw boven. Mijn vader zorgde voor de gebruikelijke file voor de badkamerdeur.

‘Ik moet mijn tanden poetsen,’ zei Angie. ‘En als ik niet opschiet kom ik te laat op school.’

‘En ik dan?’ Dat was oma. ‘Ik ben oud en ik kan het niet eeuwig ophouden.’ Ze bonkte op de deur van de badkamer. ‘En wat doe je daar eigenlijk zo lang?’

Mary Alice maakte snuivende paardengeluiden terwijl ze op de plaats galoppeerde en met haar handen over de vloer schraapte.

‘Hou op met dat galopperen!’ riep oma tegen Mary Alice. ‘Ik krijg er hoofdpijn van. Ga naar beneden, naar de keuken, en eet een paar pannenkoeken.’

‘Hooi!’ zei Mary Alice. ‘Paarden eten hooi. En ik heb al gegeten. Ik moet mijn tanden poetsen. Het is een probleem wanneer paarden gaatjes in hun kiezen krijgen.’

De wc werd doorgespoeld en de deur van de badkamer ging open. Ik hoorde even wat geschuifel, waarna de deur opnieuw dichtsloeg. Valerie en de twee meisjes kreunden. Oma had het van hen gewonnen.

Een uur later vertrok mijn vader naar zijn werk. De meisjes waren naar school. En Valerie was hysterisch.

'Is dit te sexy?' vroeg ze. Ze stond voor me in een wit gebloemd, doorschijnend jurkje, met open hoge hakken. 'Denk je dat een broekpak beter zou zijn?'

Ik zat de krant door te kijken op zoek naar een artikel over Soder. 'Het maakt niet uit,' zei ik. 'Trek gewoon aan waar je zin in hebt.'

'Ik heb je hulp nodig,' zei Valerie, terwijl ze met haar armen stond te fladderen. 'Ik kan niet alleen beslissen. En wat vind je van deze schoenen? Zijn deze roze hakken goed? Of denk je dat die ouderwetse Weitzmans beter zijn?'

Ik had de vorige avond een dode man op mijn bank aangetroffen. Ik heb doodsluizen en Valerie heeft mij nodig om de juiste schoenen te kiezen.

'Die roze zijn goed,' zei ik. 'En neem extra kwartjes mee, als je hebt. Kloughn kan altijd extra kwartjes gebruiken.'

De telefoon ging en oma rende erheen om op te nemen. Dit was het eerste telefoontje, en van nu af aan zou er de hele dag door worden gebeld. De Wijk smulde van een goeie moord.

'Ik heb een dochter die een dode man op haar bank vindt,' zei mijn moeder. 'Waarom uitgerekend ik? Lois Seltzmans dochter vindt nóóit een dode man op háár bank.'

'Is het niet geweldig?' zei oma. 'Het is nog niet eens negen uur en er hebben al drie mensen gebeld. Er zouden deze keer wel eens nóg meer mensen kunnen bellen als toen je auto door de vuilniswagen was verpletterd.'

Valerie ging op weg naar haar werk en ik liet me bij mijn flat afzetten. Ik had mijn auto nodig, en mijn auto stond op de parkeerplaats. Mijn flat was verzegeld. Dat vond ik best. Ik stond niet te popelen om weer naar huis te gaan.

Ik stapte in mijn CR-V en bleef even naar de stilte zitten luisteren. Stilte was iets dat je in het huis van mijn ouders niet hoefde te verwachten.

Meneer Kleinschmidt passeerde me op weg naar zijn auto. 'Dat had je weer mooi voor mekaar, meissie,' zei hij. 'Met jou in de buurt valt er altijd wel íets te beleven. Is het echt waar, dat je een dode man op je bank hebt gevonden?'

Ik knikte. 'Ja.'

'Tjonge, dat moet een hele belevenis zijn geweest. Ik wou dat ik hem had kunnen zien.'

Meneer Kleinschmidts enthousiasme ontlokte een glimlachje aan mijn lippen. 'Misschien hebt u de volgende keer meer geluk.'

'Ja,' antwoordde meneer Kleinschmidt blij. 'Wil je me dan meteen bellen?' Hij zwaaide en liep door naar zijn auto.

Goed, dit is een nieuwe kijk op dode mensen. Dode mensen kunnen leuk zijn. Ik dacht er een poosje over na, maar kon me er toch niet echt in vinden. Ik moest toegeven dat Soders dood mijn leven er gemakkelijker op had gemaakt, maar verder dan dat kwam ik niet. Nu Soder er niet meer was, hadden Evelyn en Annie niet langer een reden om onder te duiken. Mabel hoefde haar huis niet uit. Annie kon weer naar school. Evelyn kon de draad van haar leven weer oppakken.

Tenzij Eddie Abruzzi ook met Evelyns reden tot onderduiken te maken had. Als Evelyn was verdwenen omdat ze iets had wat Abruzzi wilde hebben, dan was er niets aan de situatie veranderd.

Ik keek naar de twee politieauto's op mijn parkeerplaats. Het positieve hieraan was dat dit, in tegenstelling tot de slangen op de overloop en de spinnen in mijn auto, een serieuze misdaad was en dat de politie harder zou werken om de zaak uit te zoeken. En hoe moeilijk kon het zijn om de dader te vinden? Iemand had, op klaarlichte dag, een lijk mijn flatgebouw binnengesleept, de trap op gezeuld en mijn flat binnengedragen.

Ik pakte mijn mobiel en belde Morelli.

'Ik heb een paar vragen,' zei ik. 'Hoe hebben ze Soder bij mij naar binnen gekregen?'

'Dat wil je niet echt weten.'

'Juist wel!'

'Laten we samen koffiedrinken,' zei Morelli. 'Tegenover het ziekenhuis hebben ze een nieuwe coffeeshop geopend.'

Ik nam een koffie en een croissant en ging tegenover Morelli zetten. 'Vertel op,' zei ik.

'Soder was doormidden gezaagd.'

'Wat?'

'Iemand heeft een elektrische zaag gebruikt om Soder doormidden te zagen. En toen hebben ze hem op jouw bank weer in elkaar gezet. De oversized trui verdoezelde het feit dat ze hem met behulp van plakband weer in elkaar hadden gezet.'

Mijn lippen werden gevoelloos en ik voelde het kopje uit mijn hand glijden.

Morelli boog zich naar mij toe en drukte mijn hoofd tussen mijn benen. 'Diep ademhalen,' zei hij.

De belletjes in mijn hersens hielden op met rinkelen en de zwarte stippen trokken weg. Ik ging weer rechtop zitten en nam een slok koffie. 'Het gaat alweer,' zei ik.

Morelli zuchtte. 'Kon ik dat maar geloven.'

'Goed, dus ze hebben hem doormidden gezaagd. En toen?'

'We denken dat ze twee grote reistassen hebben gebruikt om hem naar boven te brengen. Sporttassen, of zo. Dat is het weerzinwekkende deel van het verhaal. De rest is behoorlijk ingenieus. Er zijn twee verklede mannen gezien die met grote tassen en ballonnen in de lift zijn gestapt. Er waren op dat moment twee huurders in de hal beneden. Ze zeiden dat ze er vanuit gingen dat het stel weer zo'n zingend verjaardagscadeau was. Meneer Kleinschmidt was de week ervoor tachtig geworden en toen had iemand hem twee stripteasedanseressen gestuurd.'

'Wat droegen ze voor kostuums?'

'De ene was een beer en de andere een konijn. Hun gezichten waren niet te zien. Hun lengte wordt op één tachtig geschat, maar met die kostuums is het moeilijk precies te zeggen. De ballonnen hebben we in je kast teruggevonden, maar ze hebben de tassen weer meegenomen.'

'Heeft iemand ze weg zien gaan?'

'Van jouw buren heeft niemand hen verder gezien. We zijn nog bezig met het navragen in de buurt. En bij de kostuumverhuurbedrijven. Tot dusver heeft het onderzoek nog niets opgeleverd.'

'Het was Abruzzi. De slangen en de spinnen waren ook van hem. En de kartonnen pop op de brandtrap.'

'Kun je dat bewijzen?'

'Nee.'

'Dat is het probleem,' zei Morelli. 'En Abruzzi heeft zijn handen waarschijnlijk ook niet zelf vuil gemaakt.'

'Er is een connectie tussen Abruzzi en Soder. Abruzzi was de partner die de bar van hem heeft overgenomen, ja toch?'

'Soder heeft zijn bar door pokeren aan Abruzzi verloren. Soder had zwaar gegokt en hij had geld nodig. Hij had van Ziggy Zimmerli geleend. En Zimmerli is van Abruzzi. Soder heeft zwaar verloren bij het kaarten. Hij kon Zimmerli niet terugbetalen en Abruzzi heeft de bar van hem overgenomen.'

'En hoe zit het dan met het afbranden van de bar en het doodschieten van Soder?'

'Dat weet ik niet precies. Ik neem aan dat de bar en Soder op een gegeven moment van aanwinst in probleemgeval zijn veranderd, en geliquideerd zijn.'

'Hebben jullie bij mij thuis bruikbare afdrukken kunnen vinden?'

'Geen afdrukken die daar niets te zoeken zouden hebben. Met uitzondering van die van Ranger.'

'Ranger en ik zijn collega's.'

'Ja,' zei Morelli. 'Dat weet ik.'

'Ik neem aan dat Evelyn geen verdachte is,' zei ik.

'Iedereen kan een beer en een konijn huren om iemand aan mootjes te hakken,' zei Morelli. 'We hebben nog niemand van het lijstje geschrapt.'

Ik scheurde een hoekje van mijn croissant. Morelli had zijn smerispet op en liet niet veel los. Dat nam niet weg dat ik het gevoel had dat hij me nog niet alles had verteld. 'Is er nog iets dat je me zou moeten vertellen?'

'Er is een detail dat we voor de pers hebben verzwegen,' zei Morelli.

'Een bloederig detail?'

'Ja.'

'Mag ik raden? Soders hart was uit zijn borst gerukt?'

Morelli keek me gedurende enkele seconden strak aan. 'Die man is echt zwaar gestoord,' zei hij ten slotte. 'Ik zou je graag willen beschermen, maar ik weet niet goed hoe. Ik zou je aan mijn pols kunnen ketenen. Of ik zou je bij mij thuis in de kast kunnen opsluiten. Of je zou voor langere tijd met vakantie kunnen gaan. Maar ik vrees dat je niet bereid bent om ook maar één van die voorstellen zelfs maar in overweging te nemen.'

In werkelijkheid kwamen alle drie die voorstellen me op dat moment uiterst aanlokkelijk voor. Maar Morelli had gelijk. Ik kon ze niet in overweging nemen.

10

Ik nam nog een slokje koffie en keek om me heen. De coffeeshop was prettig gedecoreerd met zwarte en witte tegels op de vloer, en met smeedijzeren tafeltjes met marmeren blad. Morelli en ik waren de enige gasten. In de Wijk duurde het altijd een tijdje voor iets nieuws begon te lopen.

'Bedankt voor je begrip en steun gisteravond,' zei ik tegen Morelli.

Hij zakte onderuit. 'Ik kan het nu eenmaal niet helpen dat ik van je hou.'

Ik verstijfde met mijn kopje halverwege mijn mond en mijn hart maakte een dubbele salto.

'Rustig maar,' zei Morelli. 'Dat betekent nog niet dat ik een relatie zou willen.'

'Je zou het slechter kunnen treffen,' zei ik.

'Met wie? Met Lizzy Borden?'

'Jij bent anders óók niet volmaakt!'

'Ik vind geen dode kerels op mijn bank.'

'Nou, ik heb geen litteken van een messteek op mijn voorhoofd, dat ik tijdens een ruzie in een bar heb opgelopen.'

'Dat is eeuwen geleden gebeurd.'

'Ja, nou en? Die dooie man op mijn bank, dat was gísteren. Er is al vierentwintig uur lang niets ergs gebeurd.'

Morelli schoof zijn stoel van tafel. 'Ik moet weer aan het werk. Probeer je geen problemen op de hals te halen.'

En met die woorden verdween hij om de misdaad weer te lijf te gaan. Ik daarentegen, had geen misdaad om te lijf te kunnen gaan. Bender was mijn enige niet-afgeronde zaak, en ik was bereid om te doen alsof hij niet bestond. Ik zat net over een tweede croissant te denken toen Les Sebring me op mijn mobieltje belde.

'Zou je misschien even op kantoor langs kunnen komen?' vroeg hij. 'Ik zou je graag even spreken.'

Ik reed naar de andere kant van de stad, en net toen ik Sebrings straat op en neer reed om een parkeerplaatsje te zoeken, ging mijn mobiel opnieuw.

'Hij is een oen,' zei Valerie. 'Je had me niet verteld dat hij een oen is.'

'Wie?'

'Albert Kloughn. En dat gedraai om je heen. Soms kan ik zijn adem in mijn nek letterlijk voelen.'

'Hij is onzeker. Probeer hem als een huisdier te zien.'

'Een golden retriever.'

'Eerder een hamster, dunkt mij.'

'Ik had vagelijk gehoopt dat hij met me zou willen trouwen,' zei Valerie. 'En ik had gehoopt dat hij langer zou zijn.'

'Valerie, dit is geen romance. Dit is een baan. Waar is hij nu?'

'Hij is naar hiernaast gegaan. Er is iets mis met de wasmiddelenautomaat.'

'Hij is erg aardig. Een beetje irritant, misschien. Maar hij zal je nooit ontslaan omdat je kippensoep hebt gemorst. Sterker nog, hij zal onmiddellijk iets anders te eten voor je halen. Denk daar maar eens goed over na.'

'En ik had deze schoenen nooit aan moeten trekken,' zei Valerie. 'Ik ben helemaal verkeerd gekleed.'

Ik verbrak de verbinding en vond een parkeerplaats tegenover Sebrings kantoor. Ik gooide een kwartje in de meter en wachtte tot ik had gezien dat de meter omhoog was gekomen. Ik zat echt niet op nog een parkeerbon te wachten. Ik had de vorige nog niet eens betaald.

Sebrings secretaresse bracht me naar boven, naar Sebrings kamer. Sebring zat op me te wachten. Samen met Jeanne Ellen Burrows.

Ik gaf Sebring een hand. 'Leuk om je weer te zien,' zei ik. Ik knikte naar Jeanne Ellen. Zij reageerde met een glimlach.

'Ik neem aan dat je opdracht er nu opzit,' zei ik tegen Jeanne Ellen.

'Inderdaad. Ik vlieg vanmiddag naar Puerto Rico om een klus voor Les te klaren. Maar voordat ik ga wilde ik je eerst wat over Soder vertellen. Soder beweerde dat Annie in gevaar verkeerde. Hij heeft nooit verteld wat dat gevaar precies inhield, maar hij had het idee dat Evelyn niet in staat was zijn dochter te beschermen. Ik heb Annie niet kunnen vinden, maar het is duidelijk dat Dotty de zwakke plek... de schakel is. En dus heb ik Dotty geschaduwd.'

'En de achterdeur? Die hield je niet in de gaten.'

'Ik had microfoontjes in het huis laten plaatsen,' zei Jeanne Ellen. 'Ik wist wanneer je er was.'

'Je had microfoontjes in het huis laten plaatsen, maar desondanks lukte het je niet om Evelyn te vinden?'

'Er is nooit gezégd waar Evelyn was. En jij hebt alles verpest voordat ik de kans had om Dotty naar Evelyn te volgen.'

'En hoe staat het met Soder? De scène in de boekhandel en bij Dotty thuis?'

'Soder was een dwaas. Hij dacht dat hij Dotty met dreigen aan het praten zou kunnen krijgen.'

'Waarom vertel je me dit allemaal?'

Jeanne Ellen haalde haar schouders op. 'Uit collegialiteit.'

Ik keek langs haar heen naar Sebring. 'Heb jij hier op de een of andere manier belang bij?'

'Niet tenzij Soder opstaat uit de dood.'

'En hoe denk jij erover? Denk je dat Annie in gevaar is?'

'Iemand heeft haar vader vermoord,' zei Sebring. 'Dat is geen goed teken. Tenzij het natuurlijk Annie's moeder was die de moordenaar heeft ingehuurd. Dan is er verder niets aan de hand.'

'Weten jullie welke rol Eddie Abruzzi in deze zaak speelt?'

'Hij was de eigenaar van Soders bar,' zei Jeanne Ellen. 'En Soder was bang voor hem. Als Annie daadwerkelijk in gevaar verkeert, dan zou dat gevaar wel eens van zijn kant kunnen komen. Dat zeg ik niet omdat ik iets concreets zou weten, maar vanuit mijn intuïtie.'

'Ik heb gehoord dat je Soder bij je op de bank hebt gevonden,' zei Sebring tegen mij. 'Weet je wat dat betekent?'

'Dat mijn bank doodsluizen heeft?'

Sebring glimlachte en ik werd bijna door zijn tanden verblind. 'Doodsluizen zijn niet uitwasbaar. Heb je ze eenmaal op je bank, dan hou je ze daar.'

Met die opwekkende woorden verliet ik zijn kantoor. Ik stapte in mijn auto en bleef even zitten om deze nieuwe informatie te verwerken. Wat betekende het precies? Het betekende niet veel. Het versterkte mijn vermoeden dat Evelyn en Annie op de vlucht waren, en niet alleen voor Soder, maar ook voor Abruzzi.

Valerie belde opnieuw. 'Als ik met Albert ga lunchen, geldt dat dan als een officieel romantisch afspraakje?'

'Alleen als hij je je kleren van je lijf rukt.'

Ik hing op en schakelde. Ik ging terug naar de Wijk om met Dotty's moeder te praten. Ze was mijn enige connectie met Evelyn. Als Dotty's moeder zei dat alles rozengeur en maneschijn was met Evelyn en Annie, en dat ze op weg naar huis waren, dan zou ik de zaak verder kunnen laten rusten. En zou ik naar het winkelcentrum gaan om mijn nagels te laten doen.

Mevrouw Palowski deed de deur open en schrok toen ze mij op haar veranda zag staan. 'O jee,' zei ze. Alsof de doodsluizen besmettelijk waren.

Ik schonk haar een geruststellend glimlachje en zwaaide met mijn pink. 'Hallo, ik stoor toch niet, hoop ik?'

'O, helemaal niet, schat. Ik heb het gehoord van Steven Soder en ik weet niet wat ik ervan moet denken.'

'Ik ook niet,' zei ik. 'Ik weet niet waarom ze hem bij mij op de bank hebben gezet.' Ik trok een gezicht. 'Geen idee. Nog een geluk dat ze hem ergens anders vermoord hebben, en hem daarna hebben ingepakt.' Ik hoorde van mezelf hoe weinig overtuigend dat klonk. Alsof het normaal was om een doormidden gezaagd lijk bij een meisje thuis op de bank te zetten. 'Waar het om gaat, mevrouw Palowski, is dat ik echt heel dringend met Dotty moet praten. Ik hoopte dat ze het gehoord had van Soder en dat ze u gebeld had.'

'Dat heeft ze inderdaad. Ze heeft vanochtend vroeg gebeld en ik heb haar gezegd dat je naar haar op zoek bent.'

'Heeft ze ook gezegd wanneer ze weer thuiskomt?'

'Ze zei dat ze voorlopig nog niet terug zou komen. Meer heeft ze niet gezegd.'

Daar gaat m'n manicure.

Mevrouw Palowski sloeg haar armen strak om zich heen. 'Evelyn heeft Dotty hierin meegesleept, hè? Het is helemaal niets voor Dotty om zomaar vakantie te nemen, Amanda van school te halen en ergens een huisje te huren. Ik heb het gevoel dat er iets ergs aan de hand is. Ik ben, meteen nadat ik het van Steven Soder had gehoord, naar de kerk gegaan. En ik heb niet voor Soder gebeden. Wat mij betreft komt hij in de hel.' Ze sloeg een kruisje. 'Ik heb voor Dotty gebeden,' zei ze.

'Hebt u enig idee waar Dotty zou kunnen zijn? Als ze Evelyn probeerde te helpen, waar zou ze dan naar toe hebben kunnen gaan?'

'Geen idee. Ik heb er over nagedacht, maar ik weet het werkelijk niet. Ik geloof niet dat Evelyn geld heeft. En Dotty kan maar net rondkomen. Dus ik kan me niet voorstellen dat ze ergens naar toe zijn gevlogen. Dotty zei dat ze gisteren nog even in het winkelcentrum was om een paar laatste spullen voor de vakantie te kopen, dus misschien zijn ze echt met vakantie. Voordat Dotty was gescheiden, gingen zij en haar man wel eens naar een camping in de buurt van Washington's Crossing. Ik kan me de naam ervan niet meer herinneren, maar het was aan de rivier en je kon er een kleine caravan huren.'

Ik wist waar die camping was. Ik was er, op weg naar New Hope, duizenden keren langs gereden.

Mijn bloed begon sneller te stromen. Eindelijk had ik een aanknopingspunt. Ik moest een kijkje op die camping gaan nemen. Maar dat wilde ik niet in mijn eentje doen. Het was er te stil in deze tijd van het jaar. Abruzzi zou me er te gemakkelijk in de val kunnen laten lopen. Dus ik haalde diep adem en belde Ranger.

'Hoi,' zei Ranger.

'Ik heb een idee waar Evelyn zou kunnen zijn, maar ik ga liever niet alleen.'

Twintig minuten later stond ik op de parkeerplaats van Washington's Crossing en Ranger parkeerde naast me. Hij reed in een glimmende zwarte pick-up met vierwielaandrijving, oversized banden en van die extra mistlampen op het dak. Ik sloot mijn auto af en klom bij hem in de auto. Het interieur ervan zag eruit alsof Ranger regelmatig met Mars communiceerde.

'Hoe staat het met je geestelijke gezondheid?' vroeg hij. 'Ik heb gehoord wat er met Soder is gebeurd.'

'Ik ben bang.'

'Daar heb ik een goed middel tegen.'

Daar gaan we weer.

Hij schakelde en reed de parkeerplaats af. 'Ik weet wat je denkt,' zei hij. 'Maar dat bedoelde ik niet. Ik bedoelde werk.'

'Dat wist ik.'

Hij keek me van terzijde aan en grinnikte. 'Je snakt naar me.'

Dat deed ik inderdaad. De hemel sta me bij. 'We moeten linksaf,' zei ik. 'Naar die camping waar ze die kleine caravans verhuren. Er is een kans dat Evelyn en Dotty daar zijn.'

'Ja, ik weet welke camping je bedoelt.'

Er was weinig verkeer op dit uur. De tweebaansweg slingerde zich langs de Delaware River en door het landschap van Pennsylvania. We passeerden stukjes bos en groepjes aantrekkelijk uitziende huizen. Ranger reed in stilte. Hij werd twee keer opgepiept en beide keren las hij de boodschap zonder erop te reageren. En zonder er iets over te zeggen. Dat was normaal gedrag voor Ranger. Ranger leidde een geheim leven.

Hij werd voor de derde keer opgepiept. Hij haalde de pieper van zijn gordel en las het bericht, wiste het, klikte de pieper weer aan zijn riem en richtte zijn aandacht opnieuw op het verkeer.

'Hallo-o,' zei ik.

Hij wierp me een korte blik toe.

Ranger en ik waren als olie en water. Hij was de Mystery Man en ik was Nieuwsgierig Aagje. Dat wisten we van elkaar. Ranger tolereerde het met een glimlach. Ik tolereerde het met op elkaar geklemde kaken.

Ik wierp een blik op zijn pieper. 'Jeanne Ellen?' vroeg ik. Ik kon het niet helpen.

'Jeanne Ellen is op weg naar Puerto Rico,' zei Ranger.

Onze blikken hielden elkaar even vast en toen keek hij weer naar de weg. Daarmee was het gesprek afgelopen.

'Het is maar goed dat je zo'n lekkere kont hebt,' zei ik tegen hem, 'want je kunt me mateloos irriteren.'

'Wacht maar tot je de rest hebt gezien,' zei Ranger, en hij schonk me een glimlach.

Tien minuten later naderden we de camping. Het terrein lag tussen de weg en de rivier ingeklemd en viel op zich nauwelijks op. Er was geen bord. En voor zover ik wist had het terrein niet eens een naam. Een zandpad liep vanaf de weg omlaag naar een weiland waar, langs de rivier, een aantal sjofele zomerhuisjes en caravans stonden, elk voorzien van een kampeertafel en een barbecue. Het geheel maakte in deze tijd van het jaar een verlaten indruk – verlaten, enigszins louche en intrigerend, een beetje zoals een zigeunerkamp.

Ranger bleef voor de ingang staan en we keken om ons heen.

'Geen auto's,' zei Ranger. Hij reed de helling af en parkeerde. Hij stak zijn hand onder het dashboard, haalde een Glock tevoorschijn en we stapten uit.

We werkten de rij huisjes en caravans systematisch af. We probeerden de deuren, keken door de ramen en controleerden de barbecues op recentelijk gebruik. Van het vierde huisje was het slot van de voordeur geforceerd. Ranger klopte aan en deed de deur open.

De voorkamer beschikte, aan de verre kant, over een bescheiden keukentje. Simpel. Gootsteen, fornuis en koelkast anno circa 1950. Op de vloer lag versleten linoleum. Het meubilair bestond uit een driezitsbank, een vierkante houten tafel en vier stoelen. Het huisje had maar één slaapkamer waarin twee stapelbedden stonden. De stapelbedden waren voorzien van matrassen, maar er was geen linnengoed en er waren geen dekens. De badkamer was piepklein. Een wastafel en een wc. Geen douche en geen bad. De klodder tandpasta in de wastafel maakte een verse indruk.

Ranger raapte een roze plastic meisjeshaarspeldje op van de vloer. 'Ze zijn verhuisd,' zei hij.

We controleerden de koelkast. Leeg. We gingen naar buiten en bekeken de overige huisjes en caravans. Ze zaten allemaal op slot. We controleerden de vuilniscontainer en vonden een enkele plastic zak met afval.

'Heb je nog meer aanwijzingen?' vroeg Ranger.

'Nee.'

'Laten we hun huizen bekijken.'

Ik haalde mijn auto op van de parkeerplaats van Washington's Crossing, en reed terug naar de overkant van de rivier. Ik parkeerde voor het huis van mijn ouders en stapte weer in bij Ranger. We begonnen met Dotty's huis, Ranger zette de auto op de oprit, haalde zijn Glock weer onder het dashboard vandaan en we liepen naar de voordeur.

Ranger legde zijn hand met het geheimzinnige dingetje dat hij gebruikte om sloten mee te forceren op de deurknop, en de deur zwaaide vanzelf open. Hij had het slot niet hoeven forceren. Iemand was ons kennelijk voor geweest.

'Blijf hier,' zei Ranger. Hij stapte de zitkamer in, keek snel om zich heen en doorzocht de rest van het huis met zijn wapen in de aanslag. Hij kwam terug naar de zitkamer en gebaarde me dat ik binnen moest komen.

Ik deed de deur achter me dicht en op slot. 'Niemand thuis?'

'Nee. Alle laden zijn opengerukt, en de keukenvloer ligt bezaaid met papieren. Of iemand heeft iets gezocht, of Dotty is overhaast vertrokken.'

'Ik ben hier geweest nadat Dotty was vertrokken. Ik ben niet binnen geweest, maar ik heb door de ramen gekeken en alles was keurig opgeruimd. Denk je dat er is ingebroken?' Ik had al lang begrepen dat het niet om een gewone inbraak ging, maar hopen kon geen kwaad.

'Ik denk niet dat het motief inbraak was. In de kinderkamer staat een computer en in het juwelendoosje van de moeder zit een verlovingsring met een diamant. De televisie staat er ook nog. Ik heb zo het vermoeden dat wij niet de enigen zijn die naar Evelyn en Annie op zoek zijn.'

'Misschien was het Jeanne Ellen wel. Ze had microfoons in het huis geplaatst. Misschien is ze, vóór haar vertrek naar Puerto Rico, langsgegaan om ze weg te halen.'

'Jeanne Ellen is heel zorgvuldig. Ze zou de voordeur niet open hebben gelaten en ze zou ervoor hebben gezorgd dat niemand had kunnen zien dat ze binnen was geweest.'

Mijn stem ging als vanzelf een octaaf omhoog. 'Kan ze geen slechte dag hebben gehad? Jezus, ze zal toch af en toe wel eens een slechte dag hebben, of niet?'

Ranger keek me aan en glimlachte.

'Goed, goed, ik geef toe dat ik een beetje genoeg begin te krijgen van de volmaakte Jeanne Ellen,' zei ik.

'Jeanne Ellen is niet volmaakt,' zei Ranger. 'Ze is alleen maar heel goed in haar werk.' Hij sloeg een arm om mijn schouders en gaf me een zoen onder mijn oor. 'Misschien vinden we wel een terrein waarop jouw vaardigheden die van Jeanne Ellen overtreffen.'

Ik kneep mijn ogen halfdicht en keek hem aan. 'Had je iets specifieks in gedachten?'

'Niets waar ik me op dit moment aan zou willen wagen.' Hij haalde een stel wegwerphandschoenen uit zijn zak. 'Ik wil de boel nog wat grondiger onderzoeken. Ze heeft niet veel meegenomen. Het grootste gedeelte van haar kleren is nog hier.' Hij liep naar de slaapkamer, zette de computer aan en opende de mappen die er naar zijn idee veelbelovend uitzagen. 'Hier schieten we niets mee op,' zei hij na een poosje en zette de computer uit.

Haar antwoordapparaat was zonder code toegankelijk, maar er stonden geen boodschappen op. Het aanrecht lag bezaaid met rekeningen en boodschappenlijstje. We namen ze door in de wetenschap dat het waarschijnlijk zonde van de tijd zou zijn. Als er iets bruikbaars bij had gezeten, zou de inbreker het al hebben meegenomen.

'Wat nu?' vroeg ik.

'Nu gaan we naar Evelyns huis.'

O, o. 'Er is een probleempje met Evelyns huis. Abruzzi laat het in de gaten houden. Telkens wanneer ik er langsga, verschijnt Abruzzi tien minuten later.'

'Waarom kan het Abruzzi iets schelen dat jij in Evelyns huis bent?'

'De laatste keer dat ik hem tegenkwam, zei hij dat hij wist dat het mij om de centen ging en dat ik wist wat er op het spel stond. En dat ik wist wat hij terug probeerde te krijgen. Volgens mij is Abruzzi naar iets op zoek en het heeft op de een of andere manier met Evelyn te maken. Ik vermoed dat Abruzzi denkt dat Evelyn dit *ding* bij zich in huis verstopt heeft en hij vindt het niet prettig dat ik daar rondsnuffel.'

'En heb je enig idee wat dat *ding* zou kunnen zijn?'

'Nee. Geen flauw idee. Ik heb overal gezocht en ik heb niets ongewoons kunnen vinden. Goed, ik was natuurlijk niet op zoek naar geheime verstopplaatsen, maar eerder naar iets waaruit ik Evelyns verblijfplaats zou kunnen afleiden.'

Ranger sloot de voordeur achter ons af en verzekerde zich ervan dat hij op slot zat.

De zon stond laag aan de hemel toen we bij Evelyns huis arriveerden. Ranger reed er eerst langs. 'Ken je de mensen die in deze straat wonen?'

'Ja, bijna iedereen. Sommigen ken ik beter dan anderen. Ik ken de vrouw die naast Dotty woont. Linda Clark woont twee huizen verder. De Rojacks wonen in het huis op de hoek. Betty en Arnold Lando wonen aan de overkant. De Lando's wonen in een huurhuis. De mensen die naast hen wonen ken ik niet. Als ik een verklikker nodig had, dan zou ik gokken op iemand van het gezin naast de Lando's. Er woont een oude man die bijna altijd thuis lijkt te zijn. Ik zie hem vaak op de veranda zitten. Hij ziet eruit alsof hij, pakweg zo'n honderd jaar geleden, de kost verdiende met knieschijven breken.'

Ranger parkeerde voor Carol Nadichs helft van het huis. We liepen om het huis heen en gingen Evelyns helft via de achterdeur binnen. Ranger hoefde geen ruitje in te slaan om binnen te komen. Ranger stak een smal, dun stuk gereedschap in het slot en tien seconden later was de deur open.

Het huis zag er net zo uit als ik het mij herinnerde. Borden in het afdruiprek. De post op een keurig stapeltje. De laden netjes dicht. Niets van de op een doorzoeking wijzende chaos die we bij Dotty hadden aangetroffen.

Ranger ging op zijn gebruikelijke verkenningstocht. Hij begon in de keuken en bevond zich even later boven, in Evelyns slaapkamer. Ineens herinnerde ik mij iets. Kloughn die een opmerking over Annies tekeningen had gemaakt. Enge tekeningen, had Kloughn gezegd. Met veel bloed.

Ik ging naar Annies kamer en bladerde door het tekenblok op haar bureau. Op de eerste bladzijde zag ik een tekening van een huis dat in grote lijnen leek op die van beneden. Daarna kwam een bladzijde met onduidelijke krabbels. En daarna de kinderlijke tekening van een man. Hij lag op de grond. En de grond was rood. Het bloed spoot uit zijn lichaam.

'Hé,' riep ik naar Ranger. 'Kom eens kijken.'

Ranger kwam naast me staan en staarde naar de tekening. Hij sloeg de bladzijde om en vond een tweede tekening met rood op de grond. Er lagen twee mannen in het rood. Een derde man hield een revolver op hen gericht. Rond de revolver was flink gegomd. Het was waarschijnlijk niet gemakkelijk om een revolver te tekenen.

Ranger en ik wisselden een blik.

'Misschien heeft ze het alleen maar van de tv,' zei ik.

'Het kan geen kwaad om het schetsboek mee te nemen, voor het geval ze het ergens anders heeft gezien.'

Ranger ging verder met het doorzoeken van Evelyns kamer, waarna hij Annies kamer en ten slotte de badkamer controleerde.

'Als hier iets is, dan hebben ze het heel goed verstopt,' zei hij. 'Het zou gemakkelijker zijn als we wisten waar we naar zochten.'

We verlieten het huis op dezelfde manier als waarop we binnen waren gekomen. Abruzzi zat niet op de veranda achter op ons te wachten. En hij stond ook niet bij Rangers auto op ons te wachten. Ik ging naast

Ranger zitten en keek de straat op en neer. Geen spoor van Abruzzi. Ik was bijna teleurgesteld.

Ranger startte, reed naar het huis van mijn ouders en parkeerde achter mijn auto. De zon was onder en het was donker in de straat. Ranger deed zijn koplampen uit en draaide zich naar mij toe.

'Blijf je vannacht weer hier?'

'Ja. Mijn flat is nog steeds verzegeld. Ik neem aan dat ik er morgen wel weer in zal mogen.' En dan wat? Ik huiverde onwillekeurig. Mijn bank zat onder de doodsluizen.

'Ik zie dat je je er enorm op verheugt om weer terug te kunnen,' zei Ranger.

'Ik red me wel. Bedankt voor je hulp vandaag.'

'Ik voel me beduveld,' zei Ranger. 'Meestal, als ik iets met jou samen onderneem, explodeert er wel een auto of vliegt er een gebouw in de fik.'

'Het spijt me dat ik je teleur heb gesteld.'

'Het leven valt niet mee,' zei Ranger. Hij stak zijn handen naar me uit, greep me bij de mouwen van mijn jack, trok me over de console heen en kuste me.

'Nú kus je me?' vroeg ik. 'Waarom niet toen we alleen bij mij thuis waren?'

'Je had drie glazen wijn op en je was in slaap gevallen.'

'O, ja. Dat was ik even vergeten.'

'En je kreeg een paniekaanval bij de gedachte dat je met me naar bed zou moeten.'

Ik lag over de console, half vastgeklemd onder het stuur, dwars over Rangers schoot. Zijn lippen streelden over de mijne terwijl hij sprak en zijn handen voelden warm op mijn T-shirt.

'Die paniek was niet uitsluitend jouw schuld,' zei ik. 'Ik had een lichtelijk rampzalige dag achter de rug.'

'Dat heb je redelijk vaak – van die lichtelijk rampzalige dagen.'

'Je klinkt net als Morelli.'

'Morelli is een goeie vent. En hij houdt van je.'

'En jij?'

Ranger glimlachte.

Ik huiverde opnieuw.

Het licht op de veranda ging aan en oma keek door het raam van de zitkamer naar buiten.

'Gered door oma,' zei Ranger, en hij liet me los. 'Ik wacht tot je binnen bent. Ik wil niet dat je tijdens mijn wacht ontvoerd wordt.'

Ik deed het portier open en sprong uit de auto. En trok in gedachten een gezicht omdat het niet geheel ondenkbaar was dat ik ontvoerd of beschoten zou worden.

Oma stond op me te wachten toen ik het huis binnenging. 'Wie is die man in die gave terreinwagen?'

'Ranger.'

'Wat een stuk,' zei oma. 'Als ik twintig jaar jonger was...'

'Als je twintig jaar jonger was, zou je nog steeds twintig jaar te oud zijn geweest,' zei mijn vader.

Valerie was in de keuken en hielp mijn moeder met het glazuren van kleine cakejes. Ik pakte een glas melk en een cakeje, en ging ermee aan tafel zitten. 'En hoe was het op je werk vandaag?' vroeg ik aan Valerie.

'Ik ben niet ontslagen.'

'Geweldig. Voor je het weet vraagt hij je ten huwelijk.'

'Denk je?'

Ik keek haar van terzijde aan. 'Het was maar een grapje.'

'Het is niet ondenkbaar,' zei Valerie, terwijl ze gekleurde hagelslagjes op een cakeje sprenkelde.

'Valerie, het lijkt me geen goed idee om met de eerste de beste te trouwen.'

'Mij wel. Zo lang hij maar een huis met twee badkamers heeft. Ik zweer je, het kan me niet schelen of hij Jack the Ripper is.'

'Ik zit te denken over de aanschaf van een computer, want ik heb behoefte aan cyberseks,' zei oma. 'Weet iemand hoe dat gaat?'

'Je gaat naar een chatroom,' zei Valerie, 'en daar ontmoet je iemand. En dan schrijven jullie ondeugende ideeën naar elkaar.'

'O, dat klinkt leuk,' zei oma. 'En hoe doen ze dat dan met de seks?'

'Daar moet je min of meer zelf voor zorgen.'

'O. Ik dacht al dat het te mooi was om waar te kunnen zijn,' zei oma. 'Er zit altijd een addertje onder het gras.'

Het was ochtend, ik was de laatste in de rij voor de badkamer en ik begon steeds meer begrip voor Valeries opvatting te krijgen. Wanneer het ging om kiezen tussen bij mijn ouders wonen, met Jack the Ripper trouwen of teruggaan naar de doodsluizenbank, moest ik toegeven dat een huwelijk met Jack the Ripper nog lang zo slecht niet klonk. Goed, misschien dan niet Jack the Ripper, maar elke slome duikelaar zou aanvaardbaar zijn.

Ik had mijn gebruikelijke uniform van spijkerbroek, laarzen en een strak T-shirt aan. Ik had mijn haren los en had een dikke laag mascara op gedaan. Sinds ik volwassen ben, verstop ik me achter mijn mascara. En als ik me écht onzeker voel, dan doe ik ook nog eyeliner op. Vandaag was een eyelinerdag. En ik besloot mijn teennagels te lakken. Ik wilde met zwaar geschut voor de dag komen. Morelli had eerder gebeld en gezegd dat ik mijn huis weer binnen kon. Hij had een professioneel schoonmaakbedrijf besteld om alles een goede beurt te geven en daar waar nodig was de boel met bleek te lijf te gaan. Hij schatte dat ze voor de middag klaar zouden zijn. Als het aan mij lag konden ze tot eind november blijven poetsen.

Ik zat in de keuken mijn laatste kop koffie te drinken voor ik het huis uit zou gaan, toen Mabel aan de achterdeur verscheen.

'Evelyn heeft zojuist gebeld,' zei ze. 'Ze zegt dat iedereen het goed maakt. Ze logeert bij een vriendin en ze heeft gezegd dat ik me geen zorgen hoef te maken.' Ze legde haar hand op haar hart. 'Ik voel me een heel stuk beter. En ik voelde me al beter in het besef dat je naar Evelyn op zoek was. Dat gaf me een heerlijk rustig gevoel. Dank je wel.'

'Heeft Evelyn ook gezegd wanneer ze weer thuiskomt?'

'Nee. Maar ze heeft wel gezegd dat ze niet terugkomt voor Stevens begrafenis. Ik denk dat ze hem het een en ander verwijt.'

'Heeft ze gezegd waar ze was? En hoe die vriendin heet?'

'Nee. Ze had weinig tijd. Het klonk alsof ze vanuit een winkel of een restaurant belde. Er was een heleboel herrie op de achtergrond.'

'Als ze weer belt, wil je haar dan zeggen dat ik haar wil spreken?'

'Er is toch niets aan de hand, hè? Nu Steven er niet meer is zouden er geen problemen meer moeten zijn.'

'Ik wil haar spreken over haar huisbaas.'

'Ben je op zoek naar een huurhuis?'

'Misschien.' En dat was niet gelogen.

De telefoon ging en oma vloog erop af. 'Voor jou,' zei ze, terwijl ze me de telefoon voorhield. 'Valerie.'

'Ik heb hulp nodig,' zei Valerie. 'Je moet zo snel mogelijk komen.' En ze hing op.

'Ik moet weg,' zei ik. 'Valerie heeft een probleempje.'

'Vroeger was ze zo slim,' zei oma. 'En toen is ze naar Californië verhuisd. Ik denk dat al die zon daar haar hersens heeft uitgedroogd.'

Ik vroeg me af wat er aan de hand was en hoe erg het was. Nog meer kippensoep over de computer? Wat kon Kloughn dat schelen? Hij had geen dossiers te verliezen, want hij had geen cliënten.

Ik reed de parkeerplaats op en parkeerde met mijn neus vlak voor Kloughns kantoor. Ik keek door de grote winkelruit naar binnen, maar kon Valerie nergens ontdekken. Ik stapte uit en Valerie kwam de wasserette uitgerend.

'Hier,' zei ze. 'Hij is in de wasserette.'

'Wie?'

'Albert!'

Langs de muur tegenover de drogers stond een rij turkooiskleurige plastic stoeltjes. Twee oude vrouwtjes zaten rokend naast elkaar en keken naar Valerie. Lieten de scène op zich in werken. Verder waren er geen mensen binnen.

'Waar?' vroeg ik. 'Ik zie hem niet.'

Valerie onderdrukte een snik en wees op een van de grote, professionele drogers. 'Daar. In de droger.'

Ik keek wat beter. Ze had gelijk. Albert Kloughn zat in de droger. Hij zat helemaal in elkaar gedoken met zijn billen tegen het ronde glazen deurtje, als Pooh die klem zat in het konijnenhol.

'Leeft hij?' vroeg ik.

'Ja! Natuurlijk leeft hij.' Valerie liep er aarzelend heen en klopte op het deurtje. 'Dat hóóp ik tenminste.'

'Wat doet hij daar?'

'De vrouw met die blauwe trui dacht dat ze haar trouwring in de droger had verloren. Ze zei dat hij klem was komen te zitten aan de achterkant van de trommel. En toen is Albert erin gekropen om hem eruit te halen. Daarna is het deurtje op de een of andere manier dichtgevallen en we krijgen het niet meer open.'

'Tjees. Waarom heb je niet naar de brandweer of naar de politie gebeld?'

Er was beweging in de trommel en Kloughn produceerde een aantal gedempte geluiden. De geluiden klonken als *'nee, nee, nee.'*

'Ik geloof dat hij zich een beetje schaamt,' zei Valerie. 'Ik bedoel, wat voor indruk moet dat wel niet maken? Stel dat iemand er een foto van zou nemen en dat die foto in de krant zou komen? Daarna zou niemand hem meer als advocaat willen hebben en zou ik mijn baan kwijt zijn.'

'Hij heeft nu ook al geen cliënten,' zei ik. Ik probeerde het deurtje. Ik probeerde de knoppen en drukte ze om te beurt in. Ik zocht naar een veiligheidspalletje. 'Dit wordt niets,' zei ik.

'Er is iets mis met die droger,' zei de vrouw met de blauwe trui. 'Het deurtje zit altijd klem. Het slot werkt niet goed. Ik heb er vorige week nog een klachtenformulier over ingevuld, maar er gebeurt hier nooit iets. De wasmiddelenautomaat werkt ook al niet.'

'Ik ben bang dat we hulp nodig hebben,' zei ik tegen Valerie. 'Ik vind dat we de politie moeten bellen.'

Kloughn bewoog opnieuw en hij herhaalde zijn '*nee, nee, nee.*' En toen klonk er vanuit de droger een geluid dat verdacht veel op een wind leek.

Valerie deed een stapje achteruit.

'Ik geloof dat hij nerveus is,' zei Valerie.

Ik vermoedde dat er binnenin bij het deurtje ergens een hendeltje moest zitten, maar Kloughn zat klem en hij kon niet draaien om erbij te komen.

Ik zocht op de bodem van mijn tas en vond wat kleingeld. Ik gooide een kwartje in de gleuf, draaide de temperatuur op laag en liet de trommel draaien.

Kloughns gemompel ging over ik krijsen en Kloughn stuiterde wat op en neer, maar voor het overige leek alles goed met hem te zijn. Vijf minuten later kwam de trommel tot rust. Tegenwoordig krijg je nog maar nauwelijks iets voor een kwartje.

Het deurtje ging moeiteloos open. Valerie en ik trokken Kloughn eruit en hielpen hem staan. Zijn haar was helemaal donzig geworden. Net als de veertjes van een babyroodborstje. Hij was warm en rook lekker naar pasgestreken wasgoed. Zijn gezicht was rood en zijn ogen waren glazig.

'Ik geloof dat ik een wind heb gelaten,' zei hij.

'Zal ik je eens wat vertellen?' zei de vrouw met de blauwe trui, 'Ik heb mijn ring gevonden. Hij zat helemaal niet in de droger. Ik had hem in mijn zak gestopt en dat was ik vergeten.'

'Wat fijn,' zei Kloughn, die nog steeds wat wazig uit zijn ogen keek. Er droop een beetje kwijl uit zijn rechtermondhoek.

Valerie en ik hielden hem nog steeds onder zijn armen vast.

'We gaan terug naar kantoor,' zei ik tegen Kloughn. 'Kijk eens of je kunt lopen?'

'Alles draait nog steeds om me heen. Ik zit toch niet meer in die droger, hè? Ik ben alleen maar een beetje duizelig, hè? Ik kan de motor nog steeds horen. Ik heb de motor in mijn hoofd.' Kloughn bewoog zijn benen alsof hij het monster van Frankenstein was. 'Ik kan mijn voeten niet voelen,' zei hij. 'Mijn voeten zijn ingeslapen.'

We trokken en duwden hem terug naar het kantoor en zetten hem op een stoel.

'Dat was net als een kermisattractie,' zei hij. 'Konden jullie me rond zien draaien? Net als in het lunapark, hè? Op de kermis ga ik altijd in alle attracties. Ik ben dat soort dingen gewend. En ik zit altijd helemaal vooraan.'

'Echt?'

'Nou, nee. Maar ik droom er wel eens van.'

'Vind je hem geen schatje?' zei Valerie. En ze drukte een kusje op zijn donzige kruin.

'Gossie,' zei Kloughn, en hij grijnsde van oor tot oor. 'Tjee.'

11

Ik bedankte voor Kloughns uitnodiging om mee uit lunchen te gaan en ging in plaats daarvan naar mijn kantoor.

'Is er nog iets nieuws binnengekomen?' vroeg ik aan Connie. 'Ik heb geen klanten meer.'

'En Bender dan?'

'Ik wil Vinnie niet in de wielen rijden.'

'Vinnie wil hem ook niet,' zei Connie.

'Dat is het niet,' riep Vinnie vanuit zijn kamer. 'Ik heb dingen te doen. Belangrijke dingen.'

'Ja,' zei Lula, 'zoals met zijn janneman spelen.'

'Je ziet maar dat je die man te pakken krijgt,' schreeuwde Vinnie tegen mij. 'Ik zal niet blij zijn als ik Benders borg kwijtraak.'

'Volgens mij zit er iets niet lekker met die Bender,' zei Lula. 'Hij is een van die zuiplappen die altijd overal mazzel mee hebben. Net alsof hij rechtstreeks in verbinding staat met God. God beschermt de zwakken en de hulpelozen, weet je.'

'Bender wordt heus niet door God beschermd,' schreeuwde Vinnie. 'Bender loopt nog steeds vrij rond omdat ik een aantal waardeloze tieten op mijn loonlijst heb staan.'

'Goed, best,' zei ik. 'We gaan hem halen.'

'We?' vroeg Lula.

'Ja. Jij en ik.'

'Dat heb ik al eens eerder gedaan,' zei Lula. 'En ik zeg je, die man geniet Gods bescherming. En ik bemoei me niet met Gods zaken.'

'Ik nodig je uit voor de lunch.'

'Even mijn tas pakken,' zei Lula.

'Eén ding,' zei ik tegen Connie. 'Ik heb handboeien nodig.'

'Nee, geen handboeien meer,' schreeuwde Vinnie. 'Dacht je soms dat die dingen aan de bomen groeiden?'

'Zonder handboeien kan ik hem niet opbrengen.'

'Verzin maar iets anders.'

'Hé,' zei Lula, terwijl ze door de grote winkelruit naar buiten keek, 'moet je die auto zien die zojuist naast Stephanies auto is gestopt. Er zitten een levensgrote beer en een konijn in, en de beer zit achter het stuur.'

We keken allemaal naar buiten.

'O, o,' zei Lula. 'Zag ik dat konijn juist iets naar Stephanies auto gooien?'

We hoorden een luide boe-hoem, waarop de CR-V enkele meters de lucht in sprong en in brand vloog.

'Ik denk dat het een bom was,' zei Lula.

Vinnie kwam zijn kamer uit gerend. 'Godallemachtig,' zei hij. 'Wat was dat?' Hij bleef staan en keek met grote ogen naar de vuurbal voor zijn kantoor.

'Dat is Stephanies zoveelste auto die wordt opgeblazen,' zei Lula. 'Gebombardeerd door een konijn.'

'Dat is toch walgelijk om mee te moeten maken,' zei Vinnie. En hij liep terug naar zijn kamer.

Lula en Connie en ik gingen naar buiten om naar de brandende auto te kijken. Er kwamen twee patrouillewagens met loeiende sirenes de straat in geracet, onmiddellijk gevolgd door een auto van de verkeerspolitie en, even later, twee brandweerwagens.

Carl Constanza stapte uit een van de patrouillewagens. 'Zijn er gewonden?'

'Nee.'

'Mooi,' zei hij, en zijn gezicht plooide zich in een grijns. 'Dan kan ik hiervan genieten. Ik heb de spinnen en de man op de bank moeten missen.'

Constanza's partner, Big Dog, kwam naar ons toe geslenterd. 'Te gek, Steph,' zei hij. 'We zaten ons al af te vragen wanneer je alweer een auto af zou danken. Ik kan me de vorige explosie al bijna niet meer herinneren.'

Constanza knikte instemmend. 'Ja, dat is alweer maanden geleden,' zei hij.

Ik zag Morelli achter de grote brandweerwagen parkeren. Hij stapte uit en kwam naar ons toe.

'Jezus,' zei hij, terwijl hij naar de brandende, verkoolde schroothoop keek.

'Dat was Stephs auto,' zei Lula. 'Een groot konijn heeft er een bom op gegooid.'

Morelli zette zijn mond op grimmig en keek me aan. 'Is dat waar?'

'Lula heeft het gezien.'

'Je bent zeker niet alsnog bereid om een poosje met vakantie te gaan?' vroeg Morelli aan mij. 'Om, bijvoorbeeld, een maandje of twee naar Florida te gaan?'

'Ik zal er over denken,' zei ik tegen Morelli. 'Zodra ik Andy Bender heb opgebracht.'

Morelli's mond stond nog steeds op grimmig.

'En dat zou ik veel gemakkelijker kunnen doen als ik een stel handboeien had,' zei ik.

Morelli haalde een set handboeien onder zijn trui vandaan. Hij zei niets en gaf ze me, zonder zijn gezichtsuitdrukking te veranderen.

'Die kun je verder vergeten,' mompelde Lula achter mijn rug.

Over het algemeen is een rode Trans Am níet de ideale auto om iemand mee te schaduwen. Maar gelukkig zagen Lula – met haar pas gebleekte, kanariegele haren – en ik – met mijn extra laag mascara – eruit als zakenvrouwen die, in een rode Trans Am, volkomen op hun plaats waren in de straat voor Benders huis.

'Wat nu?' vroeg Lula. 'Heb je een idee?'

Ik hield mijn verrekijker op het raam van Benders zitkamer gericht. 'Ik geloof dat er iemand binnen is, maar ik kan niet genoeg zien om te kunnen zeggen wíe.'

'We zouden kunnen opbellen om te kijken wie er opneemt,' zei Lula. 'Behalve dat ik geen geld meer had voor een mobiel, dus ik heb geen mobiel meer, en die van jou is met je auto in vlammen op gegaan.'

'We zouden kunnen aanbellen.'

'Ja, dat is een goed idee. Misschien schiet hij wel weer op ons. Toen ik vanochtend wakker werd, hoopte ik dat er vandaag iemand op me zou schieten. Dat was mijn eerste gedachte vanochtend. Goh, ik hoop dat er vandaag op me wordt geschoten.'

'Hij heeft nog maar één keer op me geschoten.'

'O, nu voel ik me meteen een heel stuk beter,' zei Lula.

'Nou, heb jij een beter idee?'

'Mijn idee is om naar huis te gaan. Ik zeg je, God wil niet dat we deze man oppakken. Hij heeft zelfs een konijn gestuurd om je auto op te blazen.'

'Gód heeft geen konijn gestuurd om mijn auto op te blazen.'

'O, hoe zie jij het dan? Het gebeurt echt niet dagelijks dat je een konijn door de straat ziet rijden.'

Ik gooide het portier open en stapte uit. In mijn ene hand hield ik de handboeien en in de andere de peperspray. 'Ik ben ik een rotbui,' zei ik tegen Lula. 'Ik heb mijn neus vol van slangen en spinnen en dode mannen. En nu heb ik niet eens een auto meer. Ik ga naar binnen en ik sleur Bender naar buiten. En zodra ik die zak op het bureau heb afgeleverd, ga ik naar Chevy's en bestel ik zo'n dubbele margarita die ze daar serveren.'

'Huh,' zei Lula, 'je wilt zeker dat ik met je mee ga.'

Ik was al halverwege de voordeur. 'Je ziet maar,' zei ik. 'Doe gerust waar je zelf zin in hebt.'

Ik kon Lula achter me horen protesteren. 'Hé, zo hoef je me niet te behandelen,' zei ze. 'En kom niet aan met waar ik zin in zou hebben. Ik heb je al gezegd wat ik wil. Maar heb je naar me geluisterd? Ja? Mooi niet, dus.'

Ik was bij de voordeur gekomen en keek of hij open was. Hij zat op slot. Ik klopte drie keer hard aan. Toen er geen reactie kwam, sloeg ik drie keer hard met mijn vuist op de deur.

'Doe open,' schreeuwde ik. 'Borgstelling.'

De deur ging open en Benders vrouw keek me aan. 'Dit is geen goed moment,' zei ze.

Ik duwde haar opzij. 'Het is nooit een goed moment.'

'Ja, maar je begrijpt het niet. Andy is ziek.'

'O, en dat moeten we geloven?' zei Lula. 'Zien we er soms uit als een stelletje idioten?'

Bender kwam de kamer in gerend. Zijn haren waren ongekamd en hij hield zijn ogen halfdicht. Hij droeg een pyjamajasje en een vuile kaki werkbroek.

'Ik ga dood,' zei hij. 'Ik ben stervende.'

'Je hebt alleen maar griep,' zei zijn vrouw. 'Ga weer naar bed.'

Bender stak zijn handen uit. 'Sla me maar in de boeien. Breng me maar naar het bureau. Daar hebben ze toch een dokter die langskomt, niet?'

Ik deed de handboeien om Benders polsen en keek Lula vragend aan. 'Hebben ze een dokter op het politiebureau?'

'In het St. Francis-ziekenhuis hebben ze een speciale afdeling voor gevangenen.'

'Ik weet zeker dat ik anthrax heb,' zei Bender. 'Of pokken.'

'Wat het ook zijn mag, het ruikt niet lekker,' zei Lula.

'Ik heb diarree en ik moet steeds overgeven,' zei Bender. 'Ik heb een snotneus en kriebels in mijn keel. En ik geloof dat ik ook koorts heb. Voel maar aan mijn voorhoofd.'

'Ja hoor,' zei Lula, 'daar heb ik me nou al die tijd op verheugd.'

Hij haalde de mouw van zijn pyjamajasje langs zijn neus en liet er een spoor snot op na, waarna hij zijn hoofd naar achteren boog en nieste, waarbij hij de halve kamer een douche gaf.

'Hé!' riep Lula. 'Hou wat voor je neus! Heb je nog nooit van een zakdoek gehoord? En waarom gebruik je je mouw?'

'Ik moet overgeven,' zei Bender. 'Ik moet weer kotsen.'

'Naar de wc!' schreeuwde zijn vrouw. Ze griste een blauwe plastic emmer van de vloer. 'Doe het in de emmer.'

Bender stak zijn hoofd in de emmer en gaf over.

'Godsamme,' zei Lula. 'Dit is het Pesthuis. Ik ga. En denk maar niet dat ik hem in mijn auto wil hebben,' zei ze tegen mij. 'Als je hem wilt opbrengen, dan neem je maar een taxi.'

Bender haalde zijn hoofd uit de emmer en hield zijn geboeide hand voor mij op. 'Goed, het gaat alweer. We kunnen gaan.'

'Wacht op me,' zei ik tegen Lula. 'Je had gelijk, voor wat God betreft.'

'Het was een heel eind rijden hier naar toe, maar het was het waard,' zei Lula, terwijl ze het zout van de rand van haar glas likte. 'Dit is de beste margarita die ik ooit heb gedronken.'

'En medisch verantwoord bovendien. De alcohol doodt alle bacteriën die we mogelijk van Bender hebben opgepikt.'

'Te gek,' vond Lula.

Ik nam een slokje en keek om me heen. Het publiek van de bar bestond voornamelijk uit kantoorpersoneel van mijn leeftijd. En de meesten van hen maakten een gelukkigere indruk dan ik zelf.

'Mijn leven is een puinhoop,' zei ik tegen Lula.

'Dat zeg je alleen maar omdat je Bender in een emmer hebt zien overgeven.'

Dat was gedeeltelijk waar. Het feit dat ik had moeten aanzien hoe Bender zijn maaginhoud in een emmer deponeerde had mijn stemming er niet beter op gemaakt. 'Ik denk erover om van baan te veranderen,' zei ik. 'Ik wil werken waar deze mensen werken. Ze zien er allemaal zo gelukkig uit.'

'Dat is omdat ze hier eerder waren dan wij en ze een rondje op ons voorliggen.'

Of misschien was het wel omdat ze geen van allen door een maniakale gek achterna werden gezeten.

'Ik ben nog een stel handboeien kwijtgeraakt,' zei ik. 'Ik heb ze om Benders pols laten zitten.'

Lula gooide haar hoofd in haar nek en schoot in de lach. 'En jij wilt van baan veranderen? Waarom zou je, als je zo goed bent in het werk dat je nu doet?'

Het was elf uur en de meeste huizen in de straat van mijn ouders waren donker. In de Wijk gingen de mensen vroeg naar bed en stonden ze vroeg op.

'Het spijt me van Bender,' zei Lula, nadat ze de Trans Am langs de stoep had gezet. Ze liet de motor draaien. 'Misschien zouden we tegen Vinnie moeten zeggen dat hij dood is. We zouden kunnen zeggen dat we op het punt stonden Bender binnen te brengen, maar dat hij toen is gestorven. Ineens. Pats boem. Dood als een pier.'

'Ik heb een beter idee. We gaan terug en schieten hem dood,' zei ik. Ik deed het portier open en wilde uitstappen, maar bleef met mijn teen achter het matje haken en viel languit op straat. Ik draaide me op mijn rug en keek omhoog naar de sterren. 'Niets aan de hand,' zei ik tegen Lula. 'Ik denk dat ik hier maar blijf slapen vannacht.'

Ranger stapte in mijn blikveld, greep me bij mijn spijkerjack en trok me overeind. 'Geen goed idee, schat.' Hij keek naar Lula. 'Je kunt gaan.'

De Trans Am reed met gierende banden weg en verdween uit het zicht.

'Ik ben níet dronken,' zei ik tegen Ranger. 'Ik heb maar één margarita op.'

Hij hield me nog steeds bij mijn jack, maar verslapte zijn greep. 'Ik heb begrepen dat je last hebt van konijnen.'

'Klotekonijn.'

Ranger grinnikte. 'Ja, je bent dronken.'

'Ik ben níet dronken. Ik zweef op het randje van gelukzaligheid.' Ik stond niet echt op mijn benen te tollen, maar aan de andere kant keek ik ook niet meer zo heel scherp uit mijn ogen. Ik leunde tegen Ranger aan en gebruikte hem als steuntje. 'Wat doe je hier?'

Hij liet mijn jack los en sloeg zijn armen om me heen. 'Ik wilde met je praten.'

'Ja had kunnen bellen.'

'Dat heb ik geprobeerd, maar je telefoon doet het niet.'

'O ja, dat was ik vergeten. Hij lag in de auto toen mijn auto de lucht in vloog.'

'Ik heb wat onderzoek naar Dotty gedaan en ik heb een paar namen gevonden waar achteraan gegaan zou moeten worden.'

'Nu?'

'Morgen. Ik kom je om acht uur halen.'

'Ik kan pas om negen uur in de badkamer.'

'Ook goed. Dan ben ik er om half tien.'

'Lach je? Ik voel je lachen. Mijn leven is niet grappig!'

'Jouw leven, schat, zou het als soapserie geweldig doen.'

Om klokslag half tien strompelde ik naar buiten en knipperde met mijn ogen tegen het felle zonlicht. Ik had me gedoucht en had me aangekleed, maar daar hield alles mee op. Een halfuur is niet veel voor een meisje dat zich mooi wil maken. En helemaal niet wanneer dat meisje een kater heeft. Mijn haren zaten in een staartje en mijn lippenstift zat in het zakje van mijn spijkerjack. Zodra mijn hand ophield met beven en mijn ogen niet meer voelden alsof ze in brand stonden, zou ik proberen wat lippenstift op te doen.

Ranger kwam aanrijden in een glanzend zwarte vierdeurs Mercedes en stopte langs de stoep. Oma stond achter me aan de andere kant van de deur.

'Ik zou er niets op tegen hebben om hem naakt te zien,' zei ze.

Ik ging op de met roomkleurig leer beklede voorbank naast Ranger zitten, sloot mijn ogen en glimlachte. De auto rook heerlijk, naar leer en patat. 'Je bent geweldig,' zei ik. Hij had patat en een cola voor me klaarstaan op de console.

'Tank en Lester zijn alle campings en bungalowparken in Pennsylvania en New Jersey aan het controleren. Ze beginnen met die welke het dichtstbij zijn en werken van daaruit in steeds groter wordende cirkels. Ze zijn op zoek naar een van de beide auto's, en waar mogelijk stellen ze vragen. We houden rekening met Evelyns lange lijst van familieleden, maar ik denk niet dat we daar veel van hoeven te verwachten. Evelyn zou alleen maar bang zijn dat ze contact zouden opnemen met Mabel. Hetzelfde geldt voor Dotty's familie.

Dotty heeft vier vriendinnen op haar werk. Ik heb hun naam en adres. Het lijkt me het beste om met hen te beginnen.'

'Het is lief van je dat je me hiermee wilt helpen. Dit is geen officiële opdracht en ik word er niet voor betaald. Het gaat alleen maar om Annies veiligheid.'

'Annies veiligheid interesseert me niet. Mij gaat het om jóuw veiligheid. We moeten Abruzzi achter slot en grendel zien te krijgen. Op dit moment speelt hij spelletjes met je. Zodra het spel hem begint te vervelen, zal hij er zo gauw mogelijk een eind aan willen maken. Als de politie hem niet met Soder in verband kan brengen, misschien dat het ons dan via Annie zal lukken. Meervoudige moord, bijvoorbeeld, als blijkt dat die tekeningen uit het leven zijn gegrepen.'

'Als we Annie vinden, kunnen we dan garanderen dat haar niets overkomt?'

'Dat kan ik tot na Abruzzi's veroordeling. Zo lang Abruzzi op vrije voeten rondloopt is er maar één manier om er zeker van te zijn dat jóu niets overkomt, en dat is je voor de rest van je leven opsluiten in de Vleermuizengrot.'

Hmm. De Vleermuizengrot voor de rest van mijn leven. 'Zei je niet dat de Vleermuizengrot televisie heeft?'

Ranger keek me van terzijde aan. 'Eet je patat.'

Barbara Ann Guzman was de eerste op ons lijstje. Ze woonde in een huis in East Brunswick in een aangename buurt van overwegend gezinnen met een gemiddeld inkomen. Kathy Snyder, die ook op ons lijstje stond, woonde twee huizen verder. Beide huizen hadden een aangebouwde garage. Geen van beide garages beschikte over ramen.

Ranger parkeerde voor het huis van Barbara Ann. 'Beide vrouwen zouden op dit moment aan het werk moeten zijn.'

'Wil je inbreken?'

'Nee. We bellen aan in de hoop dat we binnen kinderen horen.'

We belden aan en we hoorden niets. Ik kroop achter een azalea langs en gluurde door het raam van Barbara Anns zitkamer. Alle lichten waren uit, de televisie was uit en alles was keurig opgeruimd.

We liepen twee huizen verder naar dat van Kathy Snyder. We belden aan en er werd opengedaan door een oudere vrouw.

'Ik ben op zoek naar Kathy,' zei ik tegen haar.

'Ze is op haar werk,' zei de vrouw. 'Ik ben haar moeder. Kan ik ergens mee helpen?'

Ranger gaf de vrouw een stapeltje foto's aan. 'Hebt u een van deze mensen gezien?'

'Dat is Dotty,' zei de vrouw. 'En haar vriendin. Ze hebben bij Barbara Ann gelogeerd. Kennen jullie Barbara Ann?'

'Barbara Ann Guzman,' zei Ranger.

'Ja. Niet afgelopen nacht. De nacht ervoor. Barbara had het huis vol.'

'Weet u waar ze nu zijn?'

Ze keek naar de foto en schudde haar hoofd. 'Nee. Misschien dat Kathy het weet. Ik heb ze alleen maar gezien omdat ik langsliep. Ik loop elke avond een blokje voor de lichaamsbeweging, en ik zag ze aankomen.'

'Weet u nog wat voor auto ze hadden?' vroeg Ranger.

'Het was een gewone auto. Blauw, geloof ik.' Ze keek van Ranger naar mij. 'Is er iets aan de hand?'

'Dotty's vriendin heeft het een beetje moeilijk en we proberen haar te helpen,' zei ik.

De derde vrouw woonde in een flat in New Brunswick. We reden door de parkeergarage en zochten systematisch naar Dotty's blauwe Honda of Evelyns grijze Sentra. Toen we geen van tweeën konden ontdekken, parkeerden we en namen de lift naar de zesde verdieping. We belden aan bij Pauline Wood, maar niemand deed open. We probeerden het met de andere flats op dezelfde etage, maar er was geen mens thuis. Ranger drukte nog een laatste keer op Paulines bel en liet zichzelf vervolgens binnen.

Ik bleef buiten de wacht houden. Vijf minuten later stond Ranger weer op de gang en trok hij Paulines deur achter zich dicht.

'Ik heb niets kunnen vinden waaruit blijkt dat Dotty hier is geweest,' zei Ranger. 'Er lag geen briefje waarop stond waar ze bereikt zou kunnen worden.'

We verlieten de parkeergarage en reden door de stad naar Highland Park. New Brunswick is een onderwijsstad met Rutgers College aan de ene, en Douglass College aan de andere kant. Ik heb op Douglass gezeten, waar ik zonder extra vermelding mijn eindexamen heb gehaald. Ik behoorde tot de achtennegentig procent beste leerlingen van mijn klas en ik was reuze dankbaar dat ik op die school mocht zitten. Ik sliep in de bibliotheek en dagdroomde onder geschiedenis. Ik ben twee keer voor wiskunde gezakt en kansberekening is eigenlijk altijd een raadsel voor me gebleven. Ik bedoel, wie kan het, om te beginnen, nou schelen of je een zwarte of een witte bal uit een zak pakt? En als je dat wél kan schelen, dan moet je zoiets nooit aan het toeval overlaten. Kijk in de zak en pak de kleur die je hebben wilt.

Tegen de tijd dat ik oud genoeg was om naar de middelbare school te kunnen, had ik alle hoop om als Superman te kunnen vliegen opgegeven, maar ik droomde nog wel steeds van een bijzonder, niet-doorsnee beroep. Als kind verslond ik Donald Ducks. Oom Dagobert reisde altijd naar de meest exotische oorden om daar naar goud te zoeken. En wanneer hij dat goud eenmaal had gevonden, bracht hij het naar zijn goudopslag, waar hij het kleingeld met een bulldozer heen en weer manoeuvreerde. Dát leek me nu een uitstekende baan. Ga op avontuur. Kom terug met goud. Schuif het heen en weer met een bulldozer. Is dat leuk of niet? Nu begrijp je waarschijnlijk waarom ik absoluut niet gemotiveerd was om hoge cijfers te halen. Ik bedoel, wie heeft er nu hoge cijfers nodig om een bulldozer te kunnen besturen?

'Ik heb hier op school gezeten,' zei ik tegen Ranger. 'Het is al heel wat jaren geleden, maar ik voel me nog steeds een scholier wanneer ik door deze buurt rij.'

'Was je een goede leerling?'

'Ik was een rampzalige leerling, maar desondanks heeft de staat het toch voor elkaar gekregen om mij dingen bij te brengen. Heb jij op de middelbare school gezeten?'

'Rutgers, Newark. Na twee jaar ben ik bij het leger gegaan.'

Als Ranger me dit had verteld toen ik hem nog maar pas kende, zou ik verbaasd zijn geweest. Maar nu keek ik, voor wat hem betrof, nergens meer van op.

'De laatste vrouw op het lijstje is, als het goed is, op haar werk, maar haar man zou alleen thuis moeten zijn,' zei Ranger. 'Hij werkt op de universiteit in de kantine en gaat om vier uur naar zijn werk. Hij heet Harold Bailey. Zijn vrouw heet Louise.'

We reden door een buurt van oudere huizen. Het waren overwegend houten huizen met een enkele verdieping, een veranda over de breedte van het huis en een garage voor één auto aan de achterkant. Ze waren niet klein en ze waren niet groot. Meerdere ervan waren lelijk opgeknapt met nep-bakstenen aan de voorkant, of door het dichtmaken van de veranda waardoor extra woonruimte was gewonnen.

We parkeerden en liepen naar het huis van de Bailey's. Ranger belde aan waarop er, volgens verwachting, werd opengedaan door een man. Ranger stelde zichzelf voor en gaf de man de foto's.

'We zijn op zoek naar Evelyn Soder,' zei Ranger. 'We hoopten dat u ons zou kunnen helpen. Hebt u een van deze mensen de afgelopen paar dagen gezien?'

'Waarom bent u op zoek naar Evelyn Soder?'

'Haar ex-man is vermoord. Evelyn is de laatste tijd vaak verhuisd en haar grootmoeder is haar uit het oog verloren. Ze is bang dat Evelyn het niet weet van haar ex.'

'Zij en Dotty zijn gisteravond hier geweest. Ze kwamen net binnen toen ik naar mijn werk ging. Ze zijn blijven slapen en zijn vanochtend vroeg vertrokken. Ik weet niet waar ze vandaag naar toe zijn gegaan. Ik geloof dat ze met de kinderen wilden gaan kamperen en dat ze historische plaatsen wilden bezoeken. Zoiets. Het kan zijn dat Louise er meer van weet. Ze is op haar werk en u kunt haar daar bellen.'

We keerden terug naar de auto en Ranger reed de buurt uit.

'We lopen voortdurend één stap achter,' zei ik.

'Dat is altijd zo met vermiste kinderen. Ik heb heel wat zaken gedaan van ouders die hun kind hadden ontvoerd, en ze blijven vrijwel nooit lang op hetzelfde adres. Meestal gaan ze verder van huis, en meestal blijven ze ook langer dan één nacht op hetzelfde adres. Maar het patroon is hetzelfde. Tegen de tijd dat er informatie over hen binnenkomt, zijn ze doorgaans alweer verdwenen.'

'Hoe krijg je ze dan te pakken?'

'De aanhouder wint. Als je er maar lang genoeg achterheen blijft zitten, dan win je op den duur. Maar het kan soms wel eens jaren duren.'

'Allemachtig, nou, zo lang heb ik niet. Dan zal ik in de Vleermuizengrot moeten onderduiken.'

'De Vleermuizengrot is niet voor tijdelijk, schat, maar voor altijd.'

Hellup.

'Waarom probeer je die vrouwen niet te bellen?' vroeg Ranger. 'Het nummer van hun werk staat in het dossier.'

Barbara Ann en Kathy waren op hun hoede. Beiden gaven toe dat ze Dotty en Evelyn hadden gezien en dat ze wisten dat ze ook bij Louise was geweest. Beiden hielden vol dat ze niet wisten wat de volgende bestemming van de vrouwen zou zijn. Ik had de indruk dat ze de waarheid spraken. Het leek me heel goed mogelijk dat Evelyn en Dotty maar één dag vooruit dachten. Ik had het idee dat ze van plan waren geweest om te gaan kamperen of ergens een huisje te huren, maar dat dat om de een of andere reden niet mogelijk was geweest. En nu probeerden ze krampachtig om ondergedoken te blijven.

Pauline had amper iets los willen laten.

Louise was de meest spraakzame, waarschijnlijk omdat ze zich de meeste zorgen maakte.

'Ze wilden maar één nacht blijven,' zei ze. 'Ik weet dat het waar is wat je me over Evelyns man vertelt, maar ik weet ook dat er nog veel meer achter zit. De kinderen waren uitgeput en wilden naar huis. Evelyn en Dotty maakten ook een uitgeputte indruk. Ze wilden er niet over praten, maar ik weet dat ze ergens voor op de vlucht waren. Ik dacht dat het Evelyns man was, maar kennelijk is dat dus niet zo. Heilige Moeder Maria,' zei ze, 'je denkt toch niet dat ze hem hebben vermoord?'

'Nee,' zei hij, 'hij is door een konijn vermoord. O, en nog iets. Heb je gezien in welke auto ze reden? Zaten ze allemaal in één auto?'

'Ze waren met Dotty's auto. De blauwe Honda. Kennelijk had Evelyn ook een auto, maar die is gestolen toen ze hem op een camping hadden laten staan. Ze zei dat ze naar de supermarkt waren gegaan en dat, toen ze terugkwamen, de auto met al hun bezittingen erin, was gestolen. Is dat niet verschrikkelijk?'

Ik gaf haar mijn nummer van thuis en vroeg haar te bellen als haar iets te binnen mocht schieten waarvan ze vermoedde dat ik er iets aan zou kunnen hebben.

'Niets,' zei ik tegen Ranger. 'Maar ik weet intussen wel waarom ze niet op de camping is gebleven.' Ik vertelde hem over de gestolen auto.

'Ik denk eerder dat het als volgt is gegaan: Dotty en Evelyn komen terug van boodschappendoen, zien een onbekende auto naast die van Evelyn staan en hebben alles achtergelaten,' zei Ranger.

'En toen ze niet terugkwamen, heeft Abruzzi de auto meegenomen.'

'Dat zou ik ook hebben gedaan,' zei Ranger. 'Alles om het hen zo moeilijk mogelijk te maken.'

We reden door Highland Park en naderden de brug over de Raritan River. We hadden opnieuw geen aanknopingspunten meer, maar we waren tenminste wel een paar dingen aan de weet gekomen. We wisten niet waar Evelyn op dat moment was, maar we wisten waar ze was geweest. En we wisten dat ze niet langer in het bezit was van de Sentra.

Ranger stopte voor een rood licht en keek me aan. 'Wanneer heb je voor het laatst geschoten?' vroeg hij.

'Een paar dagen geleden. Op een slang. Is dit een strikvraag?'

'Dit is een serieuze vraag. Je zou een wapen moeten dragen. En je zou in staat moeten zijn om er zelfbewust mee om te gaan.'

'Goed, ik beloof je dat ik, als ik er weer op uit ga, mijn revolver mee zal nemen.'

'En zul je er dan ook kogels in doen?'

Ik aarzelde.

Ranger keek me opnieuw aan. 'Ja, je zúlt er kogels in doen.'

'Goed,' zei ik

Hij reikte opzij, deed het handschoenenvakje open en haalde er een revolver uit. Het was een .38 vijfschots Smith & Wesson. Hij leek verdacht veel op de mijne.

'Ik ben vanochtend bij je flat langsgegaan en heb hem voor je opgehaald,' zei Ranger. 'Ik heb hem in de koekjespot gevonden.'

'Stoere binken bewaren hun wapen in de koekjespot.'

'Noem me er een.'

'Rockford.'

Ranger grinnikte. 'Eén-nul.' Hij nam een straat die langs de rivier liep en na een kilometer stopte hij op een parkeerplaats voor een gebouw dat op een opslagplaats leek.

'Waar zijn we?'

'Dit is een schietbaan. Je gaat oefenen in de omgang met je wapen.'

Ik wist dat dit nodig was, maar ik had een bloedhekel aan de herrie en aan de mechanica van het wapen. Ik vond het een onplezierige gedachte dat ik een ding in mijn hand hield dat in wezen kleine explosies veroorzaakte. Ik was er altijd van overtuigd dat er iets mis zou gaan en dat ik de duim van mijn hand zou schieten.

Ranger gaf me oorbeschermers en een veiligheidsbril. Hij legde de munitie klaar en legde het wapen op de plank van de mij toegewezen plaats. Hij haalde de papieren roos terug naar een afstand van zes meter. Als ik ooit op iemand zou moeten schieten, was de kans groot dat die persoon zich dicht bij mij zou bevinden.

'Oké, cowboy,' zei hij, 'laat maar eens zien wat je kunt.'

Ik laadde en schoot.

'Goed,' zei Ranger. 'En probeer het nu dan maar eens met je ogen open.'

Hij corrigeerde mijn greep en mijn houding. Ik probeerde het opnieuw.

'Beter,' zei Ranger.

Ik oefende tot mijn arm er pijn van deed en ik zo moe was dat ik niet meer in staat was om de trekker nog eens over te halen.

'Hoe voelt het nu om met een wapen om te gaan?' vroeg Ranger.

'Ik ben een stuk minder onzeker, maar het bevalt me nog steeds niet.'

'Dat laatste hoeft ook niet.'

Het liep tegen de avond toen we de schietbaan verlieten, en op weg terug naar de stad kwamen we in het spitsuur terecht. Ik heb geen geduld in het verkeer. Als ik had gereden, dan zou ik aan een stuk door hebben zitten vloeken en met mijn hoofd op het stuur hebben zitten rammen. Ranger was de kalmte zelve. Zen kalm. Meer dan eens had ik kunnen zweren dat hij had opgehouden met ademhalen.

Toen we bij de nadering van Trenton op een afzetting stuitten, nam Ranger een afslag en een zijstraat en parkeerde op een kleine parkeerplaats tussen een winkelpand en een blok rijtjeshuizen met een enkele verdieping. Het was een smalle straat die, zelfs nu bij daglicht, donker aanvoelde. De etalageruiten waren smerig en de uitgestalde waar was verschoten. De gevels van de rijtjeshuizen waren op de begane grond volgespoten met graffiti.

Als er op dat moment iemand heftig bloedend en met kogels doorzeefd uit een van die rijtjeshuizen naar buiten zou zijn gewankeld, zou ik daar niet in het minst van hebben opgekeken.

Ik tuurde door de voorruit en beet op mijn onderlip. ‘We zijn toch niet op weg naar de Vleermuizengrot, hè?’

‘Nee, schat. We gaan een pizza halen bij Shorty’s.’

Boven de ingang van het gebouw dat aan de parkeerplaats grensde hing een kleine neonreclame. Ja hoor, ik las *Shorty’s*. De twee ramen van de voorgevel waren dichtgekalkt met zwarte verf. De deur was van massief hout en er zat geen raampje in.

Ik keek Ranger over mijn schouder heen aan. ‘Zijn de pizza’s hier lekker?’ Ik probeerde mijn stem niet te laten trillen, maar het klonk als een soort van piepen dat van heel ver kwam. Het was de stem van angst. Misschien was angst iets te sterk uitgedrukt. Misschien dat angst, na alles wat ik de afgelopen week had meegemaakt, alleen voor levensbedreigende situaties gebruikt zou moeten worden. Maar aan de andere kant kon het ook net zo goed wél de juiste term zijn geweest.

‘Ja, de pizza’s zijn hier lekker,’ zei Ranger, en hij duwde het portier voor me open.

De plotselinge herrie en pizzageuren sloegen me als een onverwachte dreun in het gezicht. Het interieur was donker en stampvol. Er stonden tafeltjes langs de muren en in het midden van de ruimte. In de hoek stond een ouderwetse jukebox waar keiharde muziek uit schalde. Het publiek bestond overwegend uit mannen. De vrouwen die er waren zagen eruit alsof ze niet voor een kleintje vervaard waren. De mannen droegen werkschoenen en spijkerbroeken. Ze waren oud en jong, en hun gezichten waren doorgroefd van jaren zon en sigaretten. Ze zagen eruit alsof ze geen schietles nodig hadden.

We gingen zitten aan een tafeltje in een hoek die zo donker was dat de bloedsporen of kakkerlakken niet te zien waren. Ranger maakte de indruk alsof hij zich volkomen op zijn gemak voelde. Hij zat met zijn rug tegen de muur en zijn zwarte T-shirt ging op in de schaduw die ons omringde.

De serveerster droeg een wit Shorty’s T-shirt en een kort zwart rokje. Ze had enorme tieten, een grote hoeveelheid bruine krullen en meer mascara dan ik ooit, zelfs op mijn meest onzekere dag, voor elkaar had gekregen. Ze schonk Ranger een glimlach alsof ze hem beter kende dan ik. ‘Wat gaat het worden?’ vroeg ze.

'Pizza en bier,' zei Ranger.

'Kom je hier vaak?' vroeg ik hem.

'Regelmatig. We hebben een onderduikadres in de buurt. De helft van de mensen hier zijn buurtbewoners, de andere helft komt van de vrachtwagenparkeerplaats een straat verderop.'

De serveerster liet twee bierviltjes op de gekraste houten tafel vallen en zette op elk ervan een koud glas bier.

'Ik dacht dat jij niet dronk,' zei ik tegen Ranger. 'Je weet wel, van "Mijn lichaam is mijn tempel" en zo. En nu heb ik je niet alleen bij mij thuis wijn zien drinken, maar zie ik je hier ook nog eens aan het bier.'

'Ik drink niet als ik aan het werk ben. En ik word niet dronken. En het lichaam is alleen maar vier dagen per week mijn tempel.'

'Wauw,' zei ik, 'dus dat is drie dagen per week pizza en zuipen. Ik dacht al dat ik een beetje extra vet rond je middel zag.'

Ranger trok zijn wenkbrauwen op. 'Een beetje extra vet rond mijn middel. Verder nog iets?'

'Mogelijk het begin van een onderkin.'

In werkelijkheid had Ranger nergens zelfs maar één grammetje vet. Ranger was volmaakt. En dat wisten we alle twee.

Hij nam een paar slokjes bier en nam me aandachtig op. 'Vind je niet dat je een geweldig risico neemt met mij zo uit te dagen, wanneer ik het enige ben tussen jou en die man aan de bar die een slang op zijn voorhoofd heeft getatoeëerd?'

Ik keek naar de man met de slang. 'Hij lijkt me een aardige man.' Aardig voor een maniakale moordenaar.

Ranger glimlachte. 'Hij werkt voor mij.'

12

Het was bijna donker toen we terugliepen naar de auto.

'Dat was waarschijnlijk de lekkerste pizza die ik ooit heb gegeten,' zei ik tegen Ranger. 'Alles bij elkaar genomen was het een angstaanjagende ervaring, maar de pizza was zalig.'

'Shorty maakt ze zelf.'

'Werkt Shorty ook voor jou?'

'Ja. Hij doet de catering van al mijn cocktailparty's.'

Nog meer Ranger-humor. Tenminste, ik was er zo goed als zeker van dat het humor was.

Ranger reed Hamilton Avenue op en keek me van terzijde aan. 'Waar slaap je vannacht?'

'Bij mijn ouders.'

Hij reed de Wijk in. 'Ik laat Tank een auto voor je brengen. Die kun je gebruiken tot je een nieuwe auto hebt gevonden. Of tot je hem total loss rijdt of in de lucht laat vliegen.'

'Hoe kom je toch aan al die auto's?'

'Dat wil je vast niet echt weten, wel?'

Daar dacht ik heel even over na. 'Nee,' zei ik toen, 'ik geloof van niet. En als ik het wist, dan zou je me vermoedelijk moeten vermoorden, of niet?'

'Zoiets, ja.'

Hij stopte voor het huis van mijn ouders en we keken alle twee naar de deur. Mijn moeder en oma stonden vanaf de drempel naar ons te kijken.

'Ik geloof niet dat ik de manier waarop je oma naar me kijkt echt zo plezierig vind,' zei Ranger.

'Ze wil je graag naakt zien.'

'Ik wou dat je me dat niet had verteld, schat.'

'Iedereen die ik ken wil je graag naakt zien.'

'En jij?'

'Laat dat nou nog nooit bij me zijn opgekomen.' Ik hield mijn adem in terwijl ik dat zei en ik hoopte vurig dat God me mijn leugen zou vergeven. Ik sprong uit de auto en rende naar binnen.

Oma Mazur stond me in het halletje op te wachten. 'Er is vanmiddag toch zoiets vreemds gebeurd,' zei ze. 'Ik liep van de bakker naar huis en toen stopte er een auto naast me. En er zat een konijn in. Hij zat achter het stuur. En hij gaf me zo'n speciale envelop die je op het postkantoor krijgt, en hij zei dat ik die aan jou moest geven. Het ging ontzettend snel allemaal. En toen hij wegreed herinnerde ik me ineens dat je auto door een konijn in brand was gestoken. Denk je dat het hetzelfde konijn geweest kan zijn?'

Onder normale omstandigheden zou ik vragen hebben gesteld. Wat was het voor auto en heb je het kenteken opgeschreven? In dit geval waren vragen waardeloos. Het was altijd weer een andere auto. En ze waren altijd gestolen.

Ik nam de verzegelde envelop van haar aan, maakte hem voorzichtig open en keek erin. Foto's. Foto's van mij terwijl ik op de bank van mijn ouders lag te slapen. Ze waren de afgelopen nacht genomen. Iemand had zichzelf het huis binnengelaten en had naar mij staan kijken terwijl ik lag te slapen. En toen had hij een paar foto's van me genomen. En dat alles zonder dat ik daar ook maar iets van gemerkt had. Wie het ook geweest was, hij had een goede nacht uitgekozen. Dankzij die dubbele margarita en de slapeloze nacht ervoor, had ik als een blok geslapen.

'Wat zit er in de envelop?' wilde oma weten. 'Ik dacht dat het foto's waren.'

'Niets interessants,' zei ik. 'Volgens mij was dat konijn gewoon maar een clown.'

Mijn moeder zag eruit alsof ze wel beter wist, maar ze zei niets. Voor de avond om is hebben we een verse portie koekjes en heeft ze al het strijkgoed weggewerkt. Zo gaat mijn moeder om met haar stress.

Ik leende de Buick en reed naar Morelli's huis. Hij woonde net even buiten de Wijk in een buurt die sterk op de Wijk leek, in een huis dat op iets meer dan vijfhonderd meter afstand van dat van mijn ouders lag.

Hij had het huis van zijn tante geërfd en het stond hem goed. Het leven is vol verrassingen. Joe Morelli, de plaag van Trenton High, motorrijder, versierder en barbezoeker, die nu ineens de respectabele eigenaar was van onroerend goed. In de loop der jaren was Morelli volwassen geworden. En dat was geen geringe prestatie voor een mannelijk lid van die familie.

Bob zag me bij de deur en vloog op me af. Zijn ogen stonden blij en hij draaide kwispelend om me heen. Morelli was wat gereserveerder.

'Wat is er?' vroeg Morelli, terwijl hij mijn T-shirt inspecteerde.

'Er is me zojuist iets heel engs overkomen.'

'Tjonge, daar hoor ik van op.'

'Enger dan gewoonlijk.'

'Moet ik eerst een borrel nemen voor ik naar je luister?'

Ik gaf hem de foto's.

'Leuk,' zei hij, 'maar ik heb je meerdere keren zien slapen.'

'Deze foto's zijn afgelopen nacht genomen zonder dat ik daar iets vanaf wist. Oma is vandaag op straat aangehouden door een groot konijn die haar zei dat ze die envelop aan mij moest geven.'

Hij keek me aan. 'Wil je daarmee zeggen dat er, terwijl je lag te slapen, iemand het huis van je ouders is binnengedrongen en deze foto's van je heeft genomen?'

'Ja.' Ik probeerde kalm te blijven, maar diep vanbinnen had ik het niet meer. Het idee dat iemand, Abruzzi zelf, of een van zijn mannetjes, over me heen gebogen had gestaan en me had zien slapen, maakte me banger dan bang. Mijn privacy was geschonden en ik voelde me verschrikkelijk kwetsbaar.

'Die man heeft wel ontzettend veel lef,' zei Morelli. Zijn stem klonk heel kalm, maar zijn mond stond strak en ik wist dat hij zijn best deed om zijn woede de baas te blijven. Een jongere Morelli zou een stoel door het raam hebben gesmeten.

'Ik wil geen kritiek hebben op de politie van Trenton,' zei ik, 'maar ik vraag me af waarom niemand het tot nu toe voor elkaar heeft gekregen om dat verdomde konijn op te pakken. Hij rijdt gewoon rond en deelt foto's uit.'

'Waren alle deuren afgelopen nacht op slot?'

'Ja.'

'Wat voor soort sloten?'

'Nachtslot.'

'Het is voor een deskundige een koud kunstje om een nachtslot open te krijgen. Kun je je ouders vragen of ze een veiligheidsketting willen nemen?'

'Ik kan het proberen. Ik wil ze niet bang maken en het lijkt me beter om hen niets van de foto's te vertellen. Ze houden van hun huis en ze voelen zich er veilig. Ik wil hun die illusie niet ontnemen.'

'Ja, maar jij wordt wel achternagezeten door een gevaarlijke gek.'

We stonden in het halletje bij de voordeur en Bob stond tegen mij aangedrukt en snuffelde aan mijn been. Ik keek omlaag en zag een grote natte vlek vlak boven mijn knie. Ik krabbelde hem op zijn kop en aaide zijn oren. 'Ik kan niet langer bij mijn ouders blijven. Ik moet daar weg om te voorkomen dat ze iets zullen merken.'

'Je weet dat je hier kunt blijven.'

'En jou in gevaar brengen?'

'Daar ben ik aan gewend.'

Dat was waar. Maar dit was ook de aanleiding tot bijna elke ruzie die we hadden gehad. En het was de voornaamste reden dat we het hadden uitgemaakt. Dat, en het feit dat ik me niet durfde te binden. Morelli wilde geen vrouw die premiejager was. Hij wilde niet dat de moeder van zijn kinderen regelmatig kogels moest ontwijken. En eigenlijk kon ik hem dat niet kwalijk nemen.

'Dank je,' zei ik. 'Misschien neem ik je aanbod wel aan. Ik kan ook aan Ranger vragen of hij een plaatsje voor me heeft op een van zijn onderduikadressen. Of ik kan terug naar mijn eigen flat. Als ik terugga naar mijn eigen flat, moet ik een alarmsysteem laten installeren. Ik wil niet nog eens thuiskomen en onaangename verrassingen aantreffen.' Helaas had ik geen geld voor een alarmsysteem. Maar dat deed er op dat moment weinig toe, want ik kon mezelf er toch niet toe brengen om in de buurt van mijn met doodsluizen besmette bank te komen.

'Waar slaap je vannacht?'

'Ik moet bij mijn ouders blijven om ervoor te zorgen dat er niet nog eens wordt ingebroken. Morgen ga ik er weg. Ik ga er vanuit dat ze, zodra ik bij hen weg ben, niets meer te vrezen zullen hebben.'

'Ben je van plan om de hele nacht op te blijven?'

'Ja. Als je zin hebt kun je later op de avond langskomen. Dan kunnen we een potje Monopoly spelen.'

Morelli grinnikte. 'Monopoly, hè? Dat noem ik nog eens een onweerstaanbaar aanbod. Hoe laat gaat je oma naar bed?'

'Na het nieuws van elf uur.'

'Dan kom ik tegen twaalven.'

Ik friemelde met Bobs oor.

'Wat is er?' vroeg Morelli.

'Ik weet niet... *ons.*'

'Er is geen *ons.*'

'Maar het voelt alsof er wel een beetje *ons* is.'

'Ik zie het zo: er is een jij en er is een ik, en soms zijn we samen. Maar er is geen *ons.*'

'Dat voelt een beetje eenzaam.'

'Maak het niet moeilijker dan het al is,' zei Morelli.

Ik keerde terug naar de Buick en ging op zoek naar een speelgoedzaak. Een uur later had ik alles gevonden wat ik hebben wilde en was ik weer op weg naar huis. Op Hamilton moest ik voor een rood licht stoppen, en nog geen volle seconde later reed iemand van achteren tegen me op. Niet ernstig – het was maar een zachte tik. Voldoende om de Buick heen en weer te laten wiegen, maar niet hard genoeg om me van mijn plaats te krijgen. Mijn eerste reactie was mijn moeders standaardantwoord op alles dat haar leven er nog gecompliceerder op dreigde te maken: *Waarom ik?* Ik kon me niet voorstellen dat er veel schade zou zijn, maar het gedoe dat een aanrijding met zich meebracht bleef hetzelfde. Ik trok de handrem aan en schakelde in Parkeer. Ik zou uit moeten stappen om de schade op te nemen. Ik slaakte een diepe zucht en keek in de achteruitkijkspiegel.

Het was donker en ik kon niet veel zien, maar wát ik zag maakte me er niet vrolijker op. Ik zag oren. Grote konijnenoren op het hoofd van de man die achter het stuur zat. Ik draaide me met een ruk om en keek door de achterruit. Het konijn reed een paar meter achteruit en ramde me opnieuw. Harder, deze keer. Hard genoeg om de Buick een eindje vooruit te laten springen.

Verdomme.

Ik haalde de handrem eraf, schakelde en reed door, dwars door het rode licht. Het konijn zat me op de hielen. Ik reed Chambers Street in, sloeg een paar keer links en rechts af, en kwam ten slotte slippend voor Morelli's huis tot stilstand. Ik zag geen koplampen achter me, maar dat was nog helemaal geen garantie dat het konijn verdwenen zou zijn. Voor hetzelfde geld had hij zijn lichten gedoofd en had hij geparkeerd. Ik sprong uit de Buick, rende naar Morelli's voordeur, bonkte op de deur en schreeuwde: 'Doe open!'

Morelli deed open en ik dook naar binnen. 'Ik word gevolgd door het konijn,' zei ik.

Morelli stak zijn hoofd naar buiten en keek de straat af. 'Geen konijn te bekennen.'

Hij zat in een auto. Hij heeft me op Hamilton van achteren geramd en toen is hij me hier naar toe gevolgd.'

'Wat voor auto?'

'Weet ik niet. Het was donker en ik kon het niet zien. Ik zag alleen maar zijn oren die boven het stuur uitstaken.' Mijn hart ging als een gek tekeer en ik hijgde. 'Ik kan hier niet meer tegen,' zei ik. 'Die man gaat me echt op mijn zenuwen werken. En een konijn, nog wel! Welk geschift brein komt in godsnaam op het idee om me door een konijn te laten achtervolgen?'

Ondertussen, terwijl ik zo tekeerging, realiseerde ik me wel dat deze hele toestand gedeeltelijk mijn eigen schuld was. Ik had tegen Abruzzi gezegd dat ik van konijnen hield.

'We hebben niet bekendgemaakt dat er een konijn betrokken was bij de moord op Soder, dus de kans dat het hier om een grapjas gaat is nihil,' zei Morelli. 'Als we er vanuit gaan dat Abruzzi hier achter zit, dan is het brein in kwestie niet alleen geschift maar ook bijzonder intelligent. Abruzzi staat niet bekend om zijn stommiteiten.'

'Alleen maar om zijn gekte?'

'Precies. Ik heb me laten vertellen dat hij memorabilia verzamelt en dat hij zich daarin verkleedt wanneer hij zijn oorlogsspelletjes speelt. Dat hij zich dan uitdost als Napoleon.'

De gedachte aan een als Napoleon verklede Abruzzi deed me glimlachen. Hij zou er bespottelijk uitzien. Bijna net zo bespottelijk als die man in dat konijnenpak.

'Het konijn moet me vanaf het huis van mijn ouders zijn gevolgd,' zei ik tegen Morelli.

'Waar ben je, toen je daar wegging, naar toe gegaan?'

'Naar de speelgoedzaak om Monopoly te kopen. Ik heb het ouderwetse, traditionele bord op de kop kunnen tikken. En ik ben de raceauto.'

Morelli haalde Bobs riem van een haak in het halletje en pakte zijn jack. 'Ik ga met je mee terug, maar als oma meespeelt dan wil ík de raceauto zijn. Dat is wel het minste dat je voor me kunt doen.'

Om vier uur schrok ik wakker. Ik zat met Morelli op de bank. Ik was, met zijn arm om mijn schouders, in slaap gevallen. Ik had twee partijtjes Monopoly verloren en daarna hadden we de televisie aangezet. Nu was de televisie uit en Morelli zat onderuitgezakt, terwijl zijn revolver en zijn mobieltje op de lage tafel lagen. Alle lichten waren uit, met uitzondering van de plafonnière in de keuken. Bob lag op de vloer te snurken.

'Er is iemand buiten,' zei Morelli. 'Ik heb om assistentie gebeld.'

'Is het het konijn?'

'Dat weet ik niet. Ik wil niet naar het raam gaan en degene wegjagen voordat de versterking er is. Ze hebben de voordeur geprobeerd, waarna ze achterom zijn gelopen en de achterdeur hebben geprobeerd.'

'Ik hoor geen sirenes.'

'Ze komen niet met sirenes,' fluisterde hij. 'Ik heb met Mickey Lauder gesproken. Ik heb gezegd dat ze met een gewone auto moeten komen en dat ze het laatste stuk moeten komen lopen.'

Ik hoorde een doffe klap bij de achterdeur, gevolgd door wild geschreeuw. Morelli en ik renden naar de keuken en ik deed het buitenlicht aan. Mickey Lauder en twee agenten hadden twee mensen tegen de vlakte geslagen en hielden ze in bedwang.

'Jezus,' zei Morelli, grinnikend. 'Het zijn je zuster en Albert Kloughn.'

Mickey Lauder grinnikte ook. Hij en Valerie hadden op de middelbare school verkering gehad. 'Het spijt me,' zei hij, terwijl hij haar overeind trok. 'Ik had je zo snel niet herkend. Je hebt je haar anders.'

'Ben je getrouwd?' vroeg Valerie.

'Ja, en niet zo'n beetje ook. Ik heb vier kinderen.'

'O, het was maar een vraagje,' zei Valerie met een zucht.

Kloughn lag nog steeds op de grond. 'Ik weet bijna zeker dat ze niets onwettigs heeft gedaan,' zei hij. 'Ze kon er niet in. Alle deuren waren afgesloten en ze wilde niemand wakker maken. Je kunt dit toch geen inbraak noemen, hè? Ik bedoel, als het je eigen huis is, dan kan het toch nooit inbraak zijn, wel? Ik bedoel, dit is toch wat iedereen zou doen wanneer hij zijn sleutel is vergeten?'

'Ik heb je samen met de kinderen naar bed zien gaan,' zei ik tegen Valerie. 'Hoe ben je buiten gekomen?'

'Op precies dezelfde manier als jij altijd stiekem het huis uit ging toen je op de middelbare school zat,' zei Morelli, en zijn grijns werd nog breder. 'Via het badkamerraam, het dak van de veranda achter, en dan op de vuilnisemmer.'

'Tjees, Kloughn, je moet wel heel geweldig zijn,' zei Lauder, die nog steeds reuze veel plezier had. 'Ik heb haar nooit zover kunnen krijgen dat ze voor mij stiekem naar buiten wilde komen.'

'Nou, ik wil niet opscheppen of zo,' zei Kloughn, 'maar ik weet wat ik doe.'

Oma kwam, in haar badjas, achter me staan. 'Wat is er aan de hand?'

'Ze hebben Valerie gearresteerd.'

'Echt waar?' vroeg oma. 'Nou, dat pleit voor haar.'

Morelli stak zijn revolver in de tailleband van zijn spijkerbroek. 'Ik ga mijn jack even halen en dan laat ik me door Lauder thuis afzetten. Je hoeft nu niet bang meer te zijn. Oma kan met je opblijven. Het spijt me van het Monopoly, maar volgens mij snap je echt niets van dat spel.'

'Ik heb je láten winnen om iets terug te doen.'

'Ja hoor.'

'Het spijt me dat ik je bij het ontbijt moet storen,' zei oma, 'maar er staat een boom van een enge man voor de deur en hij wil met je spreken. Hij zegt dat hij een auto komt brengen.'

Dat moest Tank zijn.

Ik liep naar de deur en Tank gaf me een sleutelring met autosleuteltjes. Ik keek langs hem heen naar de stoep. Ranger had me een nieuwe zwarte CR-V gegeven. Het was bijna hetzelfde model als dat wat in de lucht was gevlogen. Op grond van eerdere ervaringen wist ik dat hij in elk denkbaar opzicht was opgevoerd. En het zou me niets verbazen als er, op een plek waar ik nooit zou zoeken, een zendertje in was aangebracht. Ranger hield zijn mensen en zijn auto's graag in de gaten. Achter de CR-V stond een nieuwe zwarte Land Rover met chauffeur te wachten.

'Dit moest ik je ook nog geven,' zei Tank, en hij gaf me een mobiel. 'Hij is geprogrammeerd met je eigen nummer.'

En hij was verdwenen.

Oma keek hem na. 'Is hij van het autoverhuurbedrijf?'

'Zoiets.'

Ik keerde terug naar de keuken en dronk mijn koffie terwijl ik mijn antwoordapparaat in de flat controleerde. Er waren twee telefoontjes van mijn verzekeringsmaatschappij. De eerste boodschap bevatte de mededeling dat ik per expresse de nodige formulieren zou ontvangen. De tweede boodschap bevatte de mededeling dat ik geroyeerd was. Daarna waren er drie hijgtelefoontjes. Ik nam aan dat ze van het konijn waren. De laatste boodschap was van Evelyns buurvrouw, Carol Nadich.

'Hé, Steph,' zei ze. 'Ik heb Evelyn en Annie niet gezien, maar er gebeuren hier vreemde dingen. Bel me wanneer je even tijd hebt.'

'Ik ga,' zei ik tegen mijn moeder en grootmoeder. 'En ik neem mijn spullen mee. Ik ga een paar dagen bij een vriendin logeren. Ik laat Rex hier.'

Mijn moeder keek op van het snijden van de soepgroenten. 'Je trekt toch niet weer bij Joe Morelli in, hè?' vroeg ze. 'Ik weet niet wat ik tegen de mensen moet zeggen. Wat moet ik zeggen?'

'Ik ben niet bij Morelli. Je hoeft niemand iets te vertellen. Er valt niets te vertellen. En als je me wilt spreken, kun je mijn mobiel bellen.' Ik was bij de deur en bleef staan. 'Morelli zegt dat jullie veiligheidskettinkjes op de deuren moeten doen. Hij zegt dat sloten alleen niet voldoende zijn.'

'Wat zou er kunnen gebeuren?' vroeg mijn moeder. 'We hebben niets dat de moeite van het stelen waard is. Dit is een fatsoenlijke buurt. Hier gebeurt nooit iets.'

Ik sjouwde mijn tas naar de auto, hees hem op de achterbank en klom achter het stuur. Het leek me beter om een persoonlijk gesprekje met Carol te hebben. Nog geen twee minuten later was ik bij haar huis. Ik parkeerde en keek de straat op en af. Alles maakte een normale indruk. Ik klopte één keer aan en ze deed open.

'De straat is rustig,' zei ik. 'Waar is iedereen?'

'Voetbal. Op zaterdag gaan alle vaders en kinderen hier in de straat naar voetbal.'

'Wat is er dan zo vreemd?'

'Ken je de Pagarelli's?'

Ik schudde mijn hoofd.

'Ze wonen naast Betty Lando. Ze zijn er ongeveer een half jaar geleden komen wonen. De oude meneer Pagarelli zit de hele dag op de veranda. Hij is weduwnaar en hij woont bij zijn zoon en schoondochter. De oude man mag van de schoondochter niet roken in huis en daarom zit hij altijd op de veranda. Hoe dan ook, Betty zei dat ze onlangs een praatje met hem heeft gemaakt en dat hij heel opschepperig vertelde dat hij voor Eddie Abruzzi werkte. Hij heeft Betty toevertrouwd dat Abruzzi hem betaalt om mijn huis in de gaten te houden. Is dat geen ontzettend enge gedachte? Ik bedoel, wat gaat Evelyns vertrek hem aan? Ik zie niet in wat hij daar voor problemen mee kan hebben zo lang ze de huur maar betaalt.'

'Is dat alles?'

'Evelyns auto staat op de oprit. Sinds vanmorgen.'

Dat nam me de nodige wind uit de zeilen. Stephanie Plum, meesterdetective. Ik was langs Evelyns huis gereden en haar auto was me helemaal niet opgevallen. 'Heb je hem de oprit op horen komen? Heb je iemand gezien?'

'Nee. Lenny zag het. Hij was naar buiten gegaan om de krant te halen, en toen zag hij opeens dat Evelyns auto er stond.'

'Hoor je wel eens iemand hiernaast?'

'Alleen jou maar.'

Ik trok een gezicht.

'In het begin waren er een heleboel mensen die Evelyn zochten,' zei Carol. 'Soder en zijn vriendjes. En Abruzzi. Soder liep er zo naar binnen. Ik neem aan dat hij de sleutel had. En Abruzzi ook.'

Ik keek naar Evelyns voordeur. 'Denk je dat Evelyn thuis is?'

'Ik heb bij haar aangeklopt en ik heb door de achterdeur naar binnen gekeken, maar ik heb niemand gezien.'

Ik liep van Carols veranda naar die van Evelyn, en Carol kwam achter me aan. Ik klopte aan. Hard. Ik legde mijn oor tegen het raam van de zitkamer. Ik haalde mijn schouders op.

'Niemand thuis,' zei Carol. 'Klopt dat?'

We liepen om het huis heen en keken door het keukenraam. Voor zover ik kon zien was er niets aangeraakt. Ik probeerde de deurknop. Nog steeds op slot. Jammer dat er een nieuwe ruit in was gezet, want ik zou graag even binnen hebben rondgekeken. Ik haalde opnieuw mijn schouders op.

Carol en ik liepen naar de auto. Op ruim een meter er vanaf bleven we staan.

'Ik heb niet in de auto gekeken,' zei Carol.

'Dat zouden we wel moeten doen,' zei ik.

'Jij eerst,' zei ze.

Ik zoog lucht in mijn longen en deed twee grote stappen naar voren. Ik keek in de auto en slaakte een enorme zucht van opluchting. Geen lijken. Geen lichaamsdelen. Geen konijnen. Hoewel, nu ik dichterbij was, stelde ik ineens vast dat de auto niet zo heel erg lekker rook.

'Misschien zouden we de politie moeten bellen,' zei ik.

Er zijn in mijn leven momenten geweest waarop nieuwsgierigheid het van mijn nuchtere verstand heeft gewonnen. Dit was niet zo'n moment. De auto stond onafgesloten op de oprit, en het sleuteltje stak in het contact. Het zou een koud kunstje voor me zijn geweest om de achterbak open te maken en erin te kijken, maar daar had ik geen enkele behoefte aan. Ik was redelijk zeker van de herkomst van de stank. Het feit dat ik Soder op mijn bank had aangetroffen was al traumatisch genoeg. Ik had geen enkel verlangen om Evelyn of Annie in de kofferbak van Evelyns auto te vinden.

Carol en ik zaten dicht bij elkaar op haar veranda te wachten op de komst van de politie. We waren geen van tweeën bereid onze gedachten onder woorden te brengen. Het was te verschrikkelijk om hardop over te willen speculeren.

Ik stond op toen de politie kwam, maar ik bleef op de veranda. Er waren twee politiewagens. Constanza zat in één ervan.

'Je ziet wit,' zei Constanza tegen mij. 'Voel je je wel goed?'

Ik knikte. Ik durfde mijn stem niet te vertrouwen.

Big Dog stond bij de kofferbak. Hij had hem opengemaakt en hij stond met zijn handen in zijn zij. 'Dit moet je zien,' zei hij tegen Constanza.

Constanza liep erheen en ging naast hem staan. 'Getver.'

Carol en ik hielden elkaars hand vast. 'Wat is het?' vroeg ik aan Constanza.

'Weet je zeker dat je het wilt weten?'

Ik knikte.

'Het is een dode man in een berenpak.'

De wereld stond even stil. 'Het is niet Evelyn of Annie?'

'Nee. Ik zei, het is een dode man in een berenpak. Kom maar kijken.'

'Ik geloof je zo ook wel.'

'Je oma zal ontzettend teleurgesteld zijn als je hier niet even naar komt kijken. Het gebeurt niet elke dag dat je een dode man in een berenpak ziet.'

De ambulance kwam aangereden, gevolgd door een paar gewone auto's. Constanza zette de oprit af met lint.

Morelli parkeerde aan de overkant van de straat en kwam naar ons toe. Hij keek in de kofferbak, en toen keek hij naar mij. 'Het is een dode man in en berenpak.'

'Ja, dat heb ik gehoord.'

'Je oma zal het je nooit vergeven als je niet even komt kijken.'

'Ik geloof niet dat ik daar behoefte aan heb.'

Morelli bekeek het lijk achter in de auto. 'Eigenlijk kan ik me dat wel voorstellen.' Hij kwam naar me toe. 'Van wie is die auto?'

'Van Evelyn. Maar niemand heeft haar gezien. Carol zei dat de auto er vanochtend opeens stond. Heb jij deze zaak geloot?'

'Nee,' antwoordde Morelli. 'Benny. Ik kom alleen maar even kijken. Bob en ik waren op weg naar het park toen we het bericht uit hoorden gaan.'

Ik zag hoe Bob vanuit de auto naar ons zat te kijken. Hij hijgde en hield zijn neus tegen het raampje gedrukt.

'Ik red me wel,' zei ik tegen Morelli. 'Zodra ik hier klaar ben, bel ik je.'

'Heb je een mobiel?'

'Er zat er een bij de CR-V.'

Morelli keek naar de auto. 'Gehuurd?'

'Zoiets.'

'Verdomme, Stephanie, je hebt die auto toch niet van Ranger gekregen, hè? Nee, wacht even.' Hij stak zijn handen op. 'Ik wil het niet weten.' Hij keek me van terzijde aan. 'Heb je hem ooit wel eens gevraagd hoe hij aan al die auto's komt?'

'Hij zei dat hij me dat wel wilde vertellen, maar dat hij me daarna zou moeten vermoorden.'

'En je hebt er nooit bij stilgestaan dat dat wel eens geen grapje zou kunnen zijn?'

Hij stapte in zijn auto, deed zijn gordel om en startte.

'Wie is Bob?' vroeg Carol.

'Bob is die ander in de auto, die zit te hijgen.'

'Ik zou ook hijgen als ik bij Morelli in de auto zat,' zei Carol.

Benny kwam met een notitieblok in zijn hand naar ons toe. Hij was begin veertig en het zou me niets verbazen als hij overwoog om binnenkort met vervroegd pensioen te gaan. Zo'n zaak als deze maakte dat idee waarschijnlijk extra aanlokkelijk. Ik kende Benny niet persoonlijk, maar Morelli had wel eens over hem gesproken. Van wat ik gehoord had was hij een goede en betrouwbare agent.

'Ik moet je een paar vragen stellen,' zei Benny.

Ik kende die vragen zo langzamerhand uit mijn hoofd.

Ik ging, met mijn rug naar de auto toe, op de veranda zitten. Ik wilde niet zien hoe ze het lijk uit de kofferbak trokken. Benny ging tegenover mij zitten. Als ik langs Benny heen keek, kon ik de oude meneer Pagarelli zien die naar ons zat te kijken. Ik vroeg me af of Abruzzi ons ook observeerde.

'Zal ik je eens wat zeggen?' zei ik tegen Benny. 'Ik begin hier aardig genoeg van te krijgen.'

Hij keek me verontschuldigend aan. 'Ik ben bijna klaar.'

'Nee, ik bedoel niet jou, maar dit. De beer, het konijn, de bank, de hele zooi.'

'Heb je ooit wel eens overwogen om van baan te veranderen?'

'Ik doe niet anders.' Het viel echter niet te ontkennen dat deze baan ook zijn goede momenten had. 'Ik moet gaan,' zei ik. 'Ik heb van alles te doen.'

Benny sloeg zijn blocnote dicht. 'Wees voorzichtig.'

En dat was nu precies wat ik niet zou zijn. Ik sprong in de CR-V en stuurde langs de politieauto's en de ambulance die de straat blokkeerden. Het was nog net geen middag. Lula zou nog op kantoor zijn. Ik moest met Abruzzi praten en ik was te laf om dat in mijn eentje te durven.

Ik zette de auto langs de stoep en haastte me het kantoor in. 'Ik wil met Eddie Abruzzi praten,' zei ik tegen Connie. 'Heb je enig idee waar ik hem zou kunnen vinden?'

'Hij heeft een kantoor in het centrum, maar ik weet niet of hij daar zaterdags ook is.'

'Ik weet waar je hem kunt vinden,' riep Vinnie vanuit zijn kamer. 'Op de renbaan, bij de paarden. Daar is hij elke zaterdag zo lang er races zijn – steevast, of het nu mooi weer is of niet.'

'Monmouth?' vroeg ik,

'Ja, Monmouth. Langs het hek.'

Ik keek naar Lula. 'Heb je zin om mee te gaan?'

'Och, waarom ook niet? Ik denk dat ik een geluksdag heb. Ik zou een paar weddenschappen kunnen afsluiten. In mijn horoscoop voor vandaag staat dat ik vandaag juiste beslissingen zou nemen. Maar jíj, jíj moet heel voorzichtig zijn. Jóuw horoscoop is waardeloos.'

Daar keek ik niet van op.

'Ik zie dat je alweer in een nieuwe auto rijdt,' merkte Lula op. 'Gehuurd?'

Ik hield mijn lippen stijf op elkaar.

Lula en Connie wisselden een wetende blik.

'Daar zul je voor moeten betálen, kind,' zei Lula. 'En ik wil er alle details van horen. Als ik jou was, zou ik er maar aantekeningen van maken.'

'Ik wil alle maten,' zei Connie

Het was een mooie dag en het verkeer stroomde redelijk door. We reden grofweg in de richting van de kust en we boften dat het geen juli was, want in juli was deze weg één grote parkeerplaats.

'In jouw horoscoop stond niets over het nemen van juiste beslissingen,' zei Lula. 'Dus het lijkt me beter dat ík vandaag de beslissingen neem. En ik beslis dat we ons vandaag tot het wedden zullen beperken en dat we zo ver mogelijk uit Abruzzi's buurt blijven. Waar had je hem eigenlijk over willen spreken? Wat had je tegen hem willen zeggen?'

'Dat weet ik nog niet helemaal precies, maar waar het in grote lijnen op neer komt is "sodemieter op".'

'O, o,' ze Lula. 'Dat lijkt me geen goede beslissing.'

'Benito Ramirez kreeg een kick van andere mensen bang maken. Ik heb het gevoel dat Abruzzi ook zo is. En ik wil hem duidelijk maken dat hij met mij geen succes heeft.' En ik wil weten waar hij naar op zoek is. Ik wil weten waarom Evelyn en Annie zo belangrijk voor hem zijn.

'Benito Ramirez kreeg niet alleen een kick van mensen bang maken,' zei Lula. 'Dat was alleen maar het begin. Het voorspel. Ramirez hield ervan om mensen pijn te doen. En daar ging hij net zo lang mee door tot je dood was... of je wou dat je dood was.'

Daar dacht ik de resterende veertig minuten, tot we bij de renbaan waren, over na. Het erge is dat ik wist dat het waar was. Dat wist ik uit eigen ervaring. Ik was degene die Lula had gevonden nadat Ramirez klaar met haar was geweest. Het vinden van Steven Soder was een pretje geweest in vergelijking met het vinden van Lula.

'Voor mij mag elke werkdag er zo uitzien,' zei Lula, toen ik de parkeerplaats op reed. 'Niet iedereen heeft zo'n fijne baan als wij. Toegegeven, er wordt zo nu en dan op ons geschoten, maar zeg nou zelf, we zitten vandaag niet vast in het een of andere sombere kantoorgebouw.'

'Vandaag is zaterdag,' zei ik. 'De meeste mensen hebben vandaag een vrije dag.'

'Ja, dat is waar,' zei Lula. 'Maar als we wilden, zouden we dit ook op woensdag kunnen doen.'

Mijn mobieltje ging.

'Zet tien dollar in op Roger Dodger in de vijfde koers,' zei Ranger, waarna hij de verbinding verbrak.

'Ja?' vroeg Lula.

'Dat was Ranger. Hij wil dat ik tien dollar inzet op Roger Dodger in de vijfde koers.'

'Heb je hem verteld dat we naar de renbaan gingen?'

'Nee.'

'Hoe doet hij dat?' wilde Lula weten. 'Hoe weet hij waar we zijn? Ik zeg je, die man is geen gewoon mens. Hij is een buitenaards wezen, of zo.'

We keken om ons heen om te zien of we gevolgd werden. Ik had er, op weg hier naar toe, niet aan gedacht om in mijn achteruitkijkspiegel te kijken. 'Ik neem aan dat hij een zendertje in de auto heeft geplaatst,' zei ik. 'Net als in OnStar, maar zijn zendertje zendt het signaal naar de Vleermuizengrot.'

We volgden een vloedgolf mensen naar binnen, naar de tribunes. De eerste koers was zojuist gelopen en bij de loketten begon het al een beetje naar zenuwzweet te ruiken. De sfeer was te snijden van angst en hoop en het hele zenuwengedoe dat zo kenmerkend is voor de stemming op de renbaan.

Lula rolde met haar ogen terwijl ze probeerde te bepalen aan welke lokroep ze als eerste gehoor zou moeten geven, aan die van nacho's, van bier of die van het loket voor inzetten van vijf dollar.

'We hebben een programma nodig,' zei ze. 'Hoeveel tijd hebben we nog? Ik wil deze koers niet missen. Er loopt een paard mee dat Decision Maker heet. Dat is een teken van God. Eerst mijn horoscoop en nu dit. Het was voorbestemd dat ik hier vandaag zou komen om op dit paard te wedden. Ga opzij. Ga opzij want je staat me in de weg.'

Ik stond midden in de ruimte en wachtte tot Lula haar weddenschap had afgesloten. Overal om me heen werd over paarden en jockeys gesproken, en de mensen genoten van het moment en van de afleiding. Ik, daarentegen, kon het me niet veroorloven om ontspannen te genieten. Ik moest voortdurend aan Abruzzi denken. Ik werd achtervolgd. Er werd met mijn emoties gespeeld. Mijn leven werd bedreigd. En ik was boos. Ik was deze hele situatie meer dan spuugzat. Lula had volkomen gelijk wat Benito Ramirez en zijn sadistische neigingen betrof. En ze had waarschijnlijk ook gelijk wat betreft dat het geen goed idee was om Abruzzi te willen spreken. Maar ik weigerde naar haar te luisteren. Ik kon het niet helpen. Ik zou hem natuurlijk wel eerst moeten zien te vinden. En dat zou niet zo gemakkelijk zijn als ik aanvankelijk had gedacht. Ik was vergeten hoe groot het hier was en hoeveel mensen er waren.

De bel ging ten teken dat de loketten gesloten moesten worden en Lula kwam haastig naar me toe gelopen. 'Gelukt. Net op tijd. We moeten opschieten en een zitplaats zoeken. Dit wil ik niet missen. Ik wéét gewoon dat dit paard gaat winnen. We gaan uit eten vanavond. Ik betaal.'

We vonden een plekje op de tribune en zagen de paarden binnenkomen. Als ik mijn eigen CR-V nog had gehad, dan zou er een kleine verrekijker in het handschoenenvakje hebben gezeten. Maar helaas was er van die kleine verrekijker nu niets anders meer over als een vermoedelijk platgedrukte klodder gesmolten glas en plastic.

Ik zocht de menigte systematisch af op Abruzzi. De paarden gingen van start en een deel van de toeschouwers verdrong zich, schreeuwend en met programma's zwaaiend, langs het hek. Alles was één grote, wazige, bonte massa. Lula stond naast me te schreeuwen en te springen.

'Schiet op dan, klootzak,' riep ze. 'Je moet lopen, klojo, lopen, lopen!'

Ik wist niet zeker wat ik moest hopen. Ik zou het fijn voor haar vinden als ze won, maar ik was bang dat ze, áls ze zou winnen, in het vervolg alleen nog maar in horoscopen zou geloven.

De paarden schoten over de finish en Lula stond nog steeds te springen. 'Ja, ja, ja!'

Ik keek haar aan. 'Heb je gewonnen?'
'Wat dácht je? Natuurlijk! En niet zo zuinig ook. Twintig tegen één. Ik moet het enige genie in deze tent zijn geweest die op dat vierbenige wonder heeft ingezet. Ik ga mijn geld halen, Ga je mee?'
'Nee. Ik blijf hier wachten. Ik hoop dat ik Abruzzi kan ontdekken nu het even wat minder druk is.'

13

Een deel van de moeilijkheid was dat ik iedereen die bij het hek stond, op de rug zag. Het is al moeilijk genoeg om iemand die je goed kent op deze manier te herkennen, laat staan iemand die je nog maar twee keer, en beide keren heel even, hebt gezien.

Lula plofte naast me op het bankje. 'Je zult het niet geloven,' zei ze, 'maar ik heb zojuist in de ogen van de duivel gekeken.' Ze hield haar briefje stevig in haar hand geklemd en sloeg een kruisje. 'Heilige Moeder Maria. Moet je mij zien. Ik sla een kruisje. Kun je nagaan! Ik ben doopsgezind. En doopsgezinden doen niet aan dat soort onzin van kruisjes slaan.'

'De ogen van de duivel?' vroeg ik.

'Abruzzi. Ik ben hem pal tegen het lijf gelopen. Ik had mijn geld gehaald en net weer opnieuw ingezet en toen liep ik zomaar tegen hem op – alsof het was voorbestemd. Hij keek op me neer, en ik keek op in die ogen van hem en ik deed het bijna in mijn broek. Het is net alsof mijn bloed op slag in ijswater verandert wanneer ik in die ogen van hem kijk.'

'Heeft hij iets gezegd?'

'Nee. Hij glimlachte. Het was doodeng. Zo'n glimlach die alleen maar een snee in zijn gezicht is zonder dat de ogen meedoen. En toen draaide hij zich doodkalm om en liep weg.'

'Was hij alleen? Wat had hij aan?'

'Hij was weer met die Darrow. Ik denk dat Darrow zijn lijfwacht is. En ik weet niet wat hij aan had. Zodra ik op anderhalve meter afstand van Abruzzi kom kan ik ineens niet meer denken. Het is net alsof ik dan word opgezogen in die enge ogen van hem.' Lula rilde. 'Tjees,' zei ze.

Ik wist nu tenminste zeker dat Abruzzi hier was. En ik wist dat hij

Darrow bij zich had. Opnieuw keek in naar de mensen die langs het hek stonden. Ik begon ze nu ook te herkennen. Ze gingen naar de loketten om hun inzet te plaatsen en keerden dan weer terug naar hun favoriete plekje langs de reling.

Het waren inwoners van Jersey. De jongere mannen liepen in T-shirt en spijkerbroek. De ouderen in broeken van acryl en gebreide golftruitjes met knoopjessluiting. Hun gezichten stonden levendig. Jersey doet niet geheimzinnig. En hun lijven waren stevig bedekt met een beschermende laag vet van de gefrituurde vis en broodjes worst.

Vanuit mijn ooghoeken zag ik Lula opnieuw een kruisje slaan. 'Als je het mij vraagt is dit nog niet zo'n gekke vondst van de katholieken.'

De derde koers ging van start en Lula sprong op. 'Hup, Ladies' Choice!' schreeuwde ze. 'Ladies' Choice! Ladies' Choice!'

Ladies' Choice won met een neuslengte en Lula was met stomheid geslagen. 'Ik heb alweer gewonnen,' zei ze. 'Iets klopt hier niet. Ik win nooit.'

'Waarom heb je op Ladies' Choice ingezet?'

'Nou, dat ligt voor de hand. Ik ben een lady. En ik moest érgens voor kiezen.'

'Vind je jezelf een lady?'

'Krijg wat,' zei Lula.

Deze keer volgde ik haar van de tribune naar de loketten. Ze liep aarzelend en keek voortdurend om zich heen om een tweede ontmoeting met Abruzzi te voorkomen. Ik keek ook om me heen, maar juist omdat ik op het tegendeel hoopte.

Lula bleef staan en verstijfde. 'Daar heb je hem,' zei hij. 'Daar, bij het vijftig-dollarloket.'

Ik zag hem ook. Hij had twee mensen voor zich. Darrow stond achter hem. Ik voelde elke spier in mijn lichaam spannen. Het was alsof ik mijn ogen half dichtkneep vanaf mijn oogballen tot aan mijn anus.

Ik stapte op Abruzzi af en ging pal voor hem staan. 'Hé,' zei ik, 'herken je mij?'

'Natuurlijk,' zei Abruzzi. 'Ik heb je foto in een lijstje op mijn bureau staan. Wist je dat je je mond open hebt als je slaapt? Heel sexy, moet ik zeggen.'

Ik verstijfde opnieuw en hoopte dat ik geen emoties toonde. In werkelijkheid was het zo dat ik amper nog lucht kon krijgen, terwijl ik me op slag kotsmisselijk voelde. Ik had verwacht dat hij iets over de foto's zou zeggen. Maar dit had ik niet verwacht. 'Ik neem aan dat je dit soort idiote toestanden moet uithalen ter compensatie van het feit dat het je niet lukt om Evelyn te vinden,' zei ik. 'Zij heeft iets wat jij hebben wilt, en het wil je maar niet lukken om het in handen te krijgen, hè?'

Nu was het Abruzzi's beurt om te verstijven. Gedurende een enkel angstaanjagend moment was ik bang dat hij me zou slaan. Maar toen had hij zijn emoties weer in de hand en kregen zijn wangen weer kleur. 'Stomme, kleine teef die je bent,' zei hij.

'Ja,' zei ik, 'en ik ben je meest gevreesde nachtmerrie.' Goed, ik geef toe dat die reactie in een slechte B-film thuishoorde, maar ik had dat zinnetje altijd al willen zeggen. 'En je moet niet denken dat ik van dat konijnengedoe onder de indruk ben. De eerste keer, toen je Soder bij mij naar boven moest krijgen, was het nog origineel, maar het nieuwtje is er intussen echt wel vanaf.'

'Je zei dat je van konijnen hield,' zei Abruzzi. 'Is je liefde intussen voorbij?'

'Ach man,' zei ik, 'doe me een lol en zoek een nieuwe hobby, oké?'

En ik draaide me om en liep weg.

Lula stond te wachten bij de ingang van de tunnel die je door moest om bij de tribune te komen. 'Wat heb je tegen hem gezegd?'

'Dat hij in de vierde koers op Peaches' Dream moest inzetten.'

'Ha, en dat moet ik geloven?' zei Lula. 'Het gebeurt niet vaak dat je een man zo bleek ziet worden.'

Tegen de tijd dat we weer terug waren bij onze plaatsen, wilden mijn knieën mijn gewicht amper nog dragen en beefden mijn handen zo erg dat het me de grootste moeite kostte om het programma vast te blijven houden.

'Tjees,' zei Lula, 'je krijgt toch geen hartaanval of zo, hè?'

'Nee hoor, maak je geen zorgen,' zei ik. 'Het komt alleen maar door de opwinding van de races.'

'Ja, dat dacht ik al.'

Er ontsnapte een hysterische giechel aan mijn lippen. 'Je moet niet denken dat het komt doordat ik bang zou zijn voor Abruzzi.'

'Nee, natuurlijk niet,' zei Lula. 'Jij bent bang voor niets en niemand. Jij bent een stoere premiejager.'

'Precies,' zei ik, waarna ik me concentreerde om een aanval van hyperventilatie de baas te blijven.

'Dit zouden we vaker moeten doen,' zei Lula, terwijl ze uit mijn auto stapte en de Trans Am openmaakte.

Ze stond voor het kantoor langs het trottoir geparkeerd. Het kantoor was dicht, maar de nieuwe boekhandel in het pand ernaast was open. Het licht was aan en ik zag Maggie Mason, die in de etalage boeken stond uit te pakken.

'De laatste koers was niets,' zei Lula, 'maar afgezien daarvan heb ik een fijne dag gehad. Ik maak me er niet druk om. De volgende keer kunnen we naar Freehold gaan, dan hoeven we niet bang te zijn dat we *jeweetwel* tegenkomen.'

Lula reed weg, maar ik bleef. Ik voelde me nu net als Evelyn. Op de vlucht. Nergens was ik veilig. Omdat ik niet wist wat ik anders zou kunnen doen, ging ik naar de film. Halverwege de voorstelling stond ik op en ging weg. Ik stapte in mijn auto en ging naar huis. Ik zette de auto op de parkeerplaats en stond mezelf niet toe om achter het stuur te blijven zitten aarzelen. Ik stapte uit, piepte de portieren op slot en liep in een rechte lijn naar de achterdeur die toegang geeft tot de hal beneden. Ik nam de lift naar boven, liep met snelle, grote stappen naar mijn voordeur en deed open. Ik haalde diep adem en stapte naar binnen. Het was heel stil. En donker.

Ik deed het licht aan... Ik deed álle lichten aan. Ik liep van de ene kamer naar de andere, maar meed de bank met doodsluizen. Ik ging terug naar de keuken, haalde zes koekjes uit de zak met bevroren chocoladekoekjes en legde ze op bakpapier en op de bakplaat. Ik schoof de bakplaat in de oven en bleef ervoor staan wachten. Vijf minuten later geurde het huis naar zelfgebakken koekjes. Gesterkt door de koekjesgeuren, liep ik de zitkamer weer in en keek naar de bank. Hij zag er heel gewoon uit. Geen vlekken. Geen afdrukken van een lijk.

Zie je wel, Stephanie, zei ik bij mezelf. Niks aan de hand met die bank. Er is geen enkele reden om er bang voor te zijn.

Ha!, hoorde ik een onzichtbare Irma in mijn oor fluisteren. Iedereen weet dat doodsluizen niet te *zien* zijn. Neem nu maar gewoon van mij aan dat die bank van jou onder de dikste, vetste doodsluizen aller tijden zit. Hij gaat er als het ware onder gebukt.

Ik probeerde op de bank te zitten, maar kon mijzelf er niet toe brengen. Soder en de bank waren voor mijn gevoel onafscheidelijk met elkaar verbonden. Op de bank zitten stond gelijk aan op Soders dode, door midden gezaagde schoot zitten. De flat was te klein voor mij én de bank samen. Eén van ons beiden moest eruit.

'Het spijt me,' zei ik tegen de bank. 'Het is niet persoonlijk bedoeld, maar je moet weg.' Ik ging aan het ene uiteinde ervan staan en duwde hem door de zitkamer, door het halletje voor de keuken, de voordeur uit en de overloop op. Ik zette hem tegen de muur tussen mijn flat en die van mevrouw Karwatt. Daarna haastte ik me terug naar binnen, sloot de deur en slaakte een diepe zucht. Ik wist ook wel dat doodsluizen niet bestonden. Maar weten is een intellectueel feit. Doodsluizen echter, zijn een emotionele realiteit.

Ik haalde de koekjes uit de oven, legde ze op een bord en liep ermee naar de zitkamer. Ik zette de televisie aan en vond een film. Irma had niets gezegd over doodsluizen op de afstandsbediening, dus ik nam aan dat ze niet aan elektronische apparaten bleven plakken. Ik schoof een eetkamerstoel voor de televisie, at twee koekjes en keek naar de film.

Halverwege de film werd er aangebeld. Het was Ranger. Hij was, zoals gewoonlijk, helemaal in het zwart en droeg zijn koppel met alles erop en eraan, waardoor hij eruitzag als Rambo. Hij had zijn haar in een staartje. Ik deed open en hij bleef stilzwijgend op de drempel staan. Zijn mondhoeken wezen een heel klein beetje omhoog en beloofden een glimlach.

'Hé, schat, je bank staat op de gang.'

'Hij zit onder de doodsluizen.'

'Ik wist wel dat je er een redelijke verklaring voor zou hebben.'

Ik keek hem hoofdschuddend aan. 'Je bent geweldig.' Niet alleen had hij me op de renbaan weten te lokaliseren, ik had bovendien aardig gewonnen op het door hem getipte paard.

'Zelfs superhelden willen zich van tijd tot tijd wel eens amuseren,' zei hij. Hij liet zijn blik over mijn gestalte gaan en liep vervolgens langs me heen de zitkamer in. 'Zo te ruiken markeer je je territorium met chocoladekoekjes.'

'Ik had iets nodig om de boze geesten mee weg te jagen.'

'Problemen?'

'Nee.' Niet sinds ik de bank op de gang had gezet. 'Wat kom je doen?' vroeg ik. 'Je ziet eruit alsof je op weg bent naar een klus.'

'Ik heb eerder op de avond een pand moeten doorzoeken.'

Ik was ooit eens met hem meegegaan toen hij en zijn team een pand hadden doorzocht. Daarbij hadden ze, op de derde verdieping, een drugsdealer uit het raam gegooid.

Hij pakte een koekje van het bord op de vloer. 'Bevroren?'

'Niet meer.'

'Hoe was het op de renbaan?'

'Ik ben Eddie Abruzzi tegengekomen.'

'En?'

'We hebben elkaar gesproken. Ik ben niet zoveel te weten gekomen als ik gehoopt had, maar ik ben ervan overtuigd dat Evelyn iets heeft wat hij hebben wil.'

'Ik weet wat het is,' zei Ranger, zijn koekje etend.

Mijn mond viel open en ik keek hem met grote ogen aan. 'Wat dan?'

'Hoe graag wil je dat weten?'

'Is dit een spelletje?'

Hij schudde langzaam van nee. 'Nee, dit is geen spelletje.' Hij duwde me met mijn rug tegen de muur en leunde tegen me aan. Zijn been gleed tussen de mijne en zijn lippen streken losjes over mijn mond. 'Hoe graag wil je dat weten, Steph?' vroeg hij opnieuw.

'*Zeg het nu maar gewoon.*'

'Het komt op je rekening.'

Alsof ik me daar op dit moment zorgen om zou maken. Mijn schuld was al weken lang veel en veel te hoog. 'Nou, zeg je het nog of niet?'

'Weet je nog dat ik je vertelde dat Abruzzi oorlogsspelletjes speelt? Nou, hij doet meer dan alleen maar spelen. Hij verzamelt memorabilia. Oude geweren, legeruniformen, militaire onderscheidingen. En hij verzamelt ze niet alleen, hij draagt ze ook. Voornamelijk tijdens het spelen van zijn spelletjes. En soms, heb ik me laten vertellen, ook wanneer hij met vrouwen is. En soms wanneer hij een zware schuld vereffent. Het gerucht gaat dat hij een onderscheiding mist. Het schijnt dat het gaat om een medaille die van Napoleon is geweest. Het verhaal gaat dat Abruzzi geprobeerd heeft de medaille te kopen, dat de eigenaar ervan niet wilde verkopen en dat Abruzzi hem toen vermoord heeft en de medaille heeft gestolen. Abruzzi bewaarde de medaille bij zich thuis, op zijn bureau. Hij droeg hem tijdens zijn spelletjes. Was ervan overtuigd dat het ding hem onoverwinnelijk maakte.'

'En dat is wat Evelyn van hem heeft? Die medaille?'

'Dat wordt gefluisterd, ja.'

'Hoe is ze eraan gekomen?'

'Geen idee.'

Hij bewoog zich tegen mij aan, en het verlangen schoot door mijn lichaam en brandde in mijn buik. Hij was *overal* even hard. Zijn dij, zijn revolver... *alles* was hard.

Hij bracht zijn hoofd omlaag en kuste mijn keel. Hij likte me op het plekje waar hij me had gekust. En toen kuste hij me er opnieuw. Zijn hand gleed onder mijn T-shirt door. De palm van zijn hand voelde warm op mijn huid, en zijn vingers lagen op de beginnende welving van mijn borst.

'Tijd om te betalen,' zei hij. 'Ik ben gekomen om te halen wat mij toekomt.'

Het scheelde een haar of ik was flauwgevallen.

Ranger pakte mijn hand en trok me mee naar de slaapkamer. 'De film,' zei ik. 'Het beste gedeelte komt zo.' Als ik heel eerlijk was, moest ik bekennen dat ik me absoluut niets meer van de film herinnerde. Niet hoe hij heette en niet wie erin speelden.

Hij stond heel dicht bij me – zijn gezicht bevond zich op luttele centimeters van het mijne en zijn hand lag in mijn nek. 'We gaan dit doen, schat,' zei hij. 'En het wordt genieten.' En toen kuste hij me. De kus verdiepte zich en werd eisender en intiemer.

Mijn handen lagen vlak op zijn borst en ik voelde zijn spieren en het kloppen van zijn hart. Dus hij heeft een hart, dacht ik. Dat is een goed teken. Het betekent dat hij tenminste voor een deel gewoon mens is.

Hij verbrak de kus en duwde me de slaapkamer in. Hij schopte zijn laarzen uit, liet zijn koppel op de grond vallen en kleedde zich uit. Er was weinig licht, maar voldoende om te zien dat wat hij in gevechtstenue beloofde, daadwerkelijk dáár was wanneer hij zich van zijn kleding ontdeed. Hij was één en al spieren en gladde, donkere huid. De proporties van zijn lichaam waren volmaakt. Er lag een intense blik in zijn ogen.

Nadat hij mij had uitgekleed, duwde hij me op bed. En het volgende moment drong hij me binnen. Hij had ooit eens gezegd dat een intiem samenzijn met hem me voor alle andere mannen zou verpesten. Dat had ik indertijd voor een bespottelijk en vergezochte opmerking gehouden. Maar dat deed ik nu niet meer.

Na afloop lagen we een poosje bij elkaar. Toen streelde hij me over mijn hele lichaam. 'Het is tijd,' zei hij.

'Wat nu weer?

'Je had toch zeker niet gedacht dat je er zó gemakkelijk vanaf zou komen, wel?'

'O, o, is het nu tijd voor de handboeien?'

'Ik heb geen handboeien nodig om een vrouw aan me te onderwerpen,' zei Ranger, waarna hij een kus op mijn schouder drukte.

Hij kuste me luchtig op de mond, en boog zich toen voorover om me vervolgens op mijn kin, mijn keel en mijn sleutelbeen te kussen. Hij boog zich dieper en kuste de welving van mijn borst en mijn tepel. Hij kuste mijn navel en mijn buik, en toen bracht hij zijn mond naar mijn...

O help!

De volgende ochtend was hij nog steeds in mijn bed. Hij lag dicht tegen me aan en hield me met zijn arm tegen zich aan gedrukt. Ik werd wakker van de wekker van zijn horloge. Hij zette hem uit en rolde bij me vandaan om zijn pieper te controleren die, naast zijn revolver, op het nachtkastje had gelegen.

'Ik moet gaan, schat,' zei hij. En hij was aangekleed. En hij was verdwenen.

O, shit. Wat had ik gedaan? Ik had het met de Tovenaar gedaan. Goeie genade! Goed, goed, rustig maar. Laten we hier nou eens even heel kalmpjes naar kijken. Wat is er precies gebeurd? We hadden *het* gedaan. En hij was weggegaan. Zijn vertrek kwam me een tikje abrupt voor, maar we hadden het hier over Ranger. Wat had ik anders verwacht? En hij was de vorige avond allesbehalve abrupt geweest. Hij was... fantastisch geweest. Ik hees me met een zucht uit bed. Ik nam een douche en kleedde me aan en ging naar de keuken om Rex goeiemorgen te zeggen. Maar Rex was er niet. Rex woonde bij mijn ouders.

Het huis voelde leeg zonder Rex, dus ik ging naar mijn ouders. Het was zondag en dat betekende dat er donuts waren. Mijn moeder en oma kochten altijd donuts op weg van de kerk naar huis.

Het paardenkind liep in haar jurk van de zondagsschool door het huis te galopperen. Ze stopte met galopperen toen ze me zag en er gleed een peinzende uitdrukking over haar gezicht. 'Heb je Annie al gevonden?'

'Nee,' zei ik, 'maar ik heb met haar moeder getelefoneerd.'

'Als je haar moeder nog eens spreekt, zeg haar dan dat Annie van alles mist op school. Zeg haar maar dat ik in de Zwarte Hengst-leesgroep ben geplaatst.'

'Dat is alweer een leugen,' zei oma. 'Je zit in de Ekster-leesgroep.'

'Ik wil geen ekster zijn,' zei Annie. 'Eksters zijn stom. Ik wil een zwarte hengst zijn.' En ze galoppeerde weg.

'Ik ben gek op dat kind,' zei ik tegen oma.

'Ja,' zei oma. 'Ze doet me heel sterk aan jou denken toen je zo oud was. Gezonde fantasie. Dat hebben jullie van mijn kant van de familie. Behalve dat het met je moeder een generatie heeft overgeslagen. Je moeder en Valerie en Angie zijn eksters in hart en nieren.'

Ik pakte een donut en schonk mezelf een kop koffie in.

'Je ziet er anders uit,' zei oma tegen mij. 'Ik kan niet precies zeggen wat het is. En je grijnst al vanaf het moment dat je binnen bent gekomen.'

Verdomde Ranger ook. Ik had die grijns zelf al opgemerkt toen ik mijn tanden poetste. En hij ging maar niet weg! 'Ja, het is niet te geloven wat een nachtje lekker slapen voor een mens kan doen,' zei ik tegen oma.

'Ik zou er geen bezwaar tegen hebben om zo te grijnzen,' zei oma.

Valerie kwam met een somber gezicht naar de tafel gelopen. 'Ik weet me geen raad met Albert,' zei ze.

'Heeft hij geen huis met twee badkamers?'

'Hij woont bij zijn moeder en hij heeft nog minder geld dan ik.'

Daar keek ik niet echt van op. 'Goede mannen zijn moeilijk te vinden,' zei ik. 'En áls je er dan eindelijk een hebt gevonden, dan is er altijd wel iets mis mee.'

Valerie keek in de donutzak. 'Hij is leeg. Waar is mijn donut?'

'Die heeft Stephanie gegeten,' zei oma.

'Ik heb er maar één gegeten!'

'O,' zei oma. 'Dan was ik het misschien. Ik heb er drie op.'

Ik pakte mijn tas en hees hem over mijn schouder. 'Ik ga er nog wel een paar halen. Ik wil er zelf ook nog een.'

'Ik ga met je mee,' zei oma. 'Ik wil in die glanzend zwarte auto van je zitten. Je vindt het zeker niet goed dat ik rijd, hè?'

Mijn moeder stond achter het fornuis. 'Wáág het niet om haar te laten rijden. Jij bent verantwoordelijk. Als ze rijdt en een ongeluk veroorzaakt, dan ben jíj degene die haar dagelijks in het verpleegtehuis gaat bezoeken.'

We gingen naar Tasty Pastry op Hamilton. Daar had ik, toen ik op de middelbare school zat, gewerkt. En daar had ik mijn maagdelijkheid verloren. Na sluitingstijd, achter de toonbank met de tompouces, met Morelli. Ik weet niet precies hoe het is gebeurd. Het ene moment stond ik hem een bokkenpoot te verkopen en het volgende lag ik, met mijn broek omlaag, op de grond. Morelli is altijd al goed geweest in de vrouwen uit hun broek praten.

Ik parkeerde op de kleine parkeerplaats naast de bakkerij. De drukte van na de mis was voorbij en er stond verder niemand geparkeerd. Er waren zeven plaatsen waar je met je neus tegen de muur van rode baksteen moest staan, en ik parkeerde overdwars op de middelste plek.

Oma en ik gingen naar binnen en ik kocht nog een twaalftal donuts. Waarschijnlijk wat overdreven, maar je kunt er maar beter te veel hebben dan te kort komen.

We verlieten de bakkerij en naderden Rangers CR-V, toen er een groene Ford Explorer het parkeerplaatsje op kwam scheuren die, het volgende moment, met gierende remmen naast ons tot stilstand kwam. De bestuurder had een rubberen Clinton-masker op, en de bijrijdersplaats werd bezet door het konijn.

Mijn hart produceerde een doffe klap en ik voelde de adrenaline door mijn aderen gutsen. 'Lopen,' zei ik, terwijl ik oma een zet gaf en mijn hand in mijn tas stak om mijn revolver te pakken. 'Maak dat je terugkomt naar de bakker.'

De man met het masker en het konijn waren, nog voor de Explorer helemaal tot stilstand was gekomen, uit de auto gesprongen. Ze schoten met getrokken pistool op mij en oma af en duwden ons tussen de beide auto's in. De man met het masker was van gemiddelde lengte en bouw. Hij droeg een spijkerbroek, sportschoenen en een Nike-jack. Het konijn droeg de grote konijnenkop en gewone kleren.

'Tegen de auto, met jullie handen waar ik ze kan zien,' zei de man met het masker.

'Wie moet je voorstellen?' vroeg oma. 'Je lijkt op Bill Clinton.'

'Ja, ik ben Bill Clinton,' zei de man. 'Ga tegen de auto aan staan.'

'Ik heb dat gedeelte met die sigaar nooit begrepen,' zei oma.

'Ga tegen die auto aan staan!'

Ik ging met mijn rug tegen de auto aan staan terwijl mijn brein op volle toeren werkte. Er reden genoeg auto's door de straat, maar op het parkeerplaatsje kon niemand ons zien. En als ik zou schreeuwen zou niemand me horen, tenzij er toevallig juist iemand langsliep.

Het konijn ging vlak voor me staan. *'Daaa et ya rada haaar et ra raa.'*

'Wat?'

'Haaar et ra raa.'

'We kunnen je niet verstaan door die stomme grote kop die je op hebt,' zei oma.

'Raa ra,' zei het konijn. *'Raa ra.'*

Oma en ik keken Clinton aan.

Clinton schudde walgend het hoofd. 'Ik weet niet wat hij zegt. Wat bedoel je in jezusnaam met *raa raa*?' vroeg hij het konijn.

'Haaar et ra raa.'

'Christus,' zei Clinton. 'Geen mens kan je verstaan. Heb je nog nooit eerder geprobeerd om met dat ding op te praten?'

Het konijn gaf Clinton een zet. *'Ra raa,* achterlijke *iel ebet.'*

Clinton stak zijn middelvinger naar hem op.

'Aaaak,' zei het konijn. En toen ritste hij zijn gulp open en haalde zijn piemel tevoorschijn. Hij zwaaide zijn piemel voor Clinton heen en weer. En toen deed hij dat voor mij en oma.

'In mijn herinnering zijn ze groter,' zei oma.

Het konijn trok en rukte aan zichzelf tot hij even later een halve stijve had.

'Rogga. Ga rogga,' zei het konijn.

'Ik geloof dat hij ons duidelijk probeert te maken dat dit een voorproefje is,' zei Clinton. 'En dat we ons op het echte moeten verheugen.'

Het konijn was nog steeds met zichzelf in de weer. Hij had zijn ritme gevonden en hij gaf hem behoorlijk van katoen.

'Misschien zou je hem een handje moeten helpen,' zei Clinton tegen mij. 'Vooruit, toe dan.'

Ik trok mijn bovenlip op. 'Ben je soms geschift of zo? Daar kom ik mooi niet aan!'

'Ik wel,' zei oma.

'Kraa,' zei het konijn, en zijn piemel verlepte een fractie.

Een auto kwam vanaf de straat de parkeerplaats opgereden en Clinton gaf het konijn een zet tegen zijn arm. 'We gaan.'

Ze sprongen, ons onder schot houdend, terug in de Explorer en reden weg.

'Misschien hadden we een paar ons bokkenpootjes moeten kopen,' zei oma. 'Ik heb opeens reuze trek in bokkenpootjes.'

Ik laadde oma weer in de CR-V en reed terug naar huis.

'We hebben het konijn weer gezien,' vertelde oma aan mijn moeder. 'Dezelfde als die me de foto's had gegeven. Ik denk dat hij vlak bij de bakker woont. En deze keer heeft hij ons zijn dingeling laten zien.'

Mijn moeder was met recht diep verontwaardigd.

'Droeg hij een trouwring?' wilde Valerie weten.

'Dat is me niet opgevallen,' antwoordde oma. 'Ik keek niet naar zijn hand.'

'Je werd onder schot gehouden en seksueel lastiggevallen,' zei ik tegen oma. 'Was je niet bang? Ben je niet van streek?'

'Dat waren toch geen echte pistolen,' zei oma. 'En we stonden op de parkeerplaats van de bakker. Wie kan zoiets nou echt menen op de parkeerplaats van de bakker?'

'Het waren wél echte pistolen,' zei ik.

'Weet je dat zeker?'

'*Ja.*'

'Ik denk dat ik maar even ga zitten,' zei oma. 'Ik dacht dat dat konijn gewoon maar zo'n exhibitionist was. Weet je Sammy de Eekhoorn nog? Die liet altijd bij mensen in de achtertuin zijn broek zakken. Soms gaven we hem na afloop wel eens een broodje.'

De Wijk had in de loop der geschiedenis meerdere keren met exhibitionisten te maken gehad – het waren mensen met geestelijke problemen, straalbezopen lieden, of mannen die zich alleen maar wilden amuseren. In de meeste gevallen wordt er tolerant op dit soort vertoningen gereageerd, maar zo nu en dan laat iemand zijn broek in de verkeerde achtertuin zakken en moet hij dat met een lading hagel in zijn billen bekopen.

Ik belde Morelli en vertelde hem van het konijn. 'Hij was samen met Clinton,' zei ik, 'en zo te zien waren ze niet al te beste maatjes.'

'Je moet het aangeven.'

'Er is maar één plek van zijn lijf dat ik ooit van hem zou kunnen identificeren en voor zover ik weet hebben jullie dat niet in de fotoboeken staan.'

'Heb je een wapen op zak?'

'Ja, maar ik had geen tijd om het uit mijn tas te pakken.'

'Waarom draag je het niet op je heup? Het is trouwens verboden om een wapen niet zichtbaar bij je te hebben. En het zou geen slecht idee zijn om er een stel echte kogels in te stoppen.'

'Ik héb er kogels in.' Ranger had het voor me geladen. 'Hebben ze die man uit de kofferbak al geïdentificeerd?'

'Thomas Turkello. Alias Thomas Turkey. Een uit Philadelphia afkomstige, ingehuurde krachtpatser. Ik vermoed dat hij gemist kon worden en dat het beter was om hem om zeep te helpen dan het risico te lopen dat hij zou praten. Ik vermoed dat het konijn tot de intimi behoort.'

'Verder nog iets?'

'Wat wil je?'

'Abruzzi's vingerafdrukken op een moordwapen.'

'Ik moet je teleurstellen.'

Ik wilde de verbinding niet verbreken maar ik had verder niets te zeggen. Ik had een akelig hol gevoel in mijn buik waar ik niet graag een naam aan wilde geven. Ik was doodsbang dat het eenzaamheid was. Ranger was vuur en magie, maar hij was niet echt. Morelli was in feite de man van mijn dromen, maar hij wilde dat ik iets was dat ik hem niet kon bieden.

Ik hing op en keerde terug naar de zitkamer. Als je bij mijn ouders thuis voor de tv zat, werd er niet van je verwacht dat je iets zei. Zelfs wanneer iemand je een rechtstreekse vraag stelde, had je het recht om te doen alsof je het niet gehoord had. Dat waren de regels.

Oma en ik zaten naast elkaar op de bank naar het Weather Channel te kijken. Ik vroeg me af wie van ons tweeën het meeste van de kaart was.

'Het is waarschijnlijk maar goed ook dat ik hem niet heb aangeraakt,' zei oma. 'Hoewel, ik wil best toegeven dat ik nogal nieuwsgierig was. Hij was niet echt mooi, maar op het laatst was hij wel echt groot. Heb jij ooit zo'n grote gezien?'

Het moment bij uitstek om van het privilege van zwijgen van de televisiekijker gebruik te maken.

Na nog een paar minuten naar het weer te hebben gekeken, ging ik terug naar de keuken en nuttigde mijn tweede donut. Ik zocht mijn spullen bij elkaar en was klaar om te vertrekken. 'Ik ga,' zei ik tegen oma. 'Alles is gelukkig goed afgelopen, niet?'

Oma gaf geen antwoord. Oma ging helemaal op in het Weather Channel. Er trok een hogedrukgebied over de Grote Meren.

Ik ging terug naar mijn flat. Deze keer nam ik, voor ik uitstapte, mijn revolver in mijn hand. Ik stak de parkeerplaats over en ging het gebouw binnen. Toen ik bij mijn voordeur was gekomen bleef ik staan. Dit was altijd het meest riskante moment. Eenmaal binnen voelde ik me redelijk veilig. Afgezien van het nachtslot had ik een ketting en een grendel. De enige die onaangekondigd binnen kon komen was Ranger. Of hij veranderde zichzelf in een spook en liep als zodanig dwars door de deur heen, of hij koos voor de vermomming van vampier en liet zichzelf in een wolk van waterdamp onder de deur door glijden. Ik vermoedde dat er ook een mogelijkheid als sterveling was, maar die kende ik verder niet.

Ik maakte mijn voordeur open en doorzocht mijn flat als in een filmversie van een CIA-operatie – met mijn wapen in de aanslag, diep door de knieën gezakt, sluipend van kamer naar kamer. Ik trapte open deuren in en keerde met een sprong. Het was maar goed dat er niemand was die me zo zag, want ik zag eruit als een idioot. Het positieve was dat ik geen konijnen met wapperend gereedschap vond. Spinnen en slangen leken niets in vergelijking met door een konijn te worden aangerand.

Ranger belde toen ik ongeveer tien minuten binnen was.

'Blijf je voorlopig thuis?' vroeg hij. 'Ik wil iemand langs sturen om een alarmsysteem te installeren.'

Dus gedachtelezen kon hij ook al.

'Mijn mannetje heet Hector,' zei Ranger, 'en hij komt eraan.'

Hector was een magere man van Zuid-Amerikaanse afkomst, en hij was in het zwart. Voor zover ik kon zien had hij twee tatoeages – een bendestrijdkreet in zijn nek en een enkele traan onder zijn oog. Hij was begin twintig en sprak alleen maar Spaans.

Hector had mijn deur open en was bijna klaar met zijn werk, toen Ranger arriveerde. Ranger groette Hector met een enkel woord in het Spaans en keek naar de sensor die zojuist op de deurpost was geïnstalleerd.

Vervolgens keek Ranger naar mij, maar ik had geen idee wat hij dacht. Onze blikken hielden elkaar even vast, waarna Ranger zich opnieuw tot Hector wendde. Mijn Spaans is beperkt tot *burrito* en *taco*, dus ik had geen idee waar ze het over hadden. Hector sprak en gebaarde en Ranger luisterde en stelde vragen. Hector gaf Ranger een klein apparaatje, pakte zijn gereedschapskist in en vertrok.

Ranger wenkte me met zijn wijsvinger naderbij. 'Dit is je afstandsbediening. Het toetsenpaneeltje is zo klein dat je het gemakkelijk aan je sleutelring kunt hangen. Je hebt een pin van vier cijfers voor het openen en afsluiten van je deur. Als er is ingebroken, zie je dat op de display. Je bent niet gekoppeld aan een bewakingsdienst. Er is geen alarm. Dit is ontworpen om gemakkelijk je huis in en uit te kunnen en om te weten of er bij je is ingebroken om te voorkomen dat je voor onaangename verrassingen komt te staan. Je hebt een stalen branddeur en Hector heeft een vloergrendel voor je geïnstalleerd. Als je binnen bent en je de grendel erop hebt gedaan, hoef je in principe nergens bang voor te zijn. Voor wat je ramen betreft kan ik niet veel doen. De brandtrap is een probleem. Het probleem is minder groot wanneer je je revolver op je nachtkastje bewaart.'

Ik keek omlaag naar de afstandsbediening. 'Komt dit op de rekening?'

'Er is geen rekening. En er hangt geen prijskaartje aan wat we elkaar geven. Nooit. Niet in financieel opzicht. Niet in emotioneel opzicht. Ik moet weer aan het werk.'

Hij deed een stap opzij en wilde weggaan, maar ik pakte hem bij de voorkant van zijn shirt. 'Niet zo snel. Dit is geen televisie. Dit is mijn leven. Ik wil meer weten over dit emotieloze gedoe.'

'Dat is voor mij de enig mogelijke manier.'

'En met wat voor klus ben je bezig dat je zo dringend weer weg moet?'

'Ik ben bezig met een overheidsopdracht. Als een soort van onderaannemer. Je gaat me toch niet naar de details ervan vragen, hè?'

Ik liet zijn shirt los en blies de ingehouden adem uit. 'Ik kan dit niet. Dit wordt niets.'

'Dat weet ik,' zei Ranger. 'Wat jij moet doen, is het weer goedmaken met Morelli.'

'We hadden het nodig om een poosje uit elkaar te zijn.'

'Dat ik me op dit moment zo fatsoenlijk gedraag is alleen omdat me dat nu zo van pas komt. Maar ik ben een opportunist en ik voel me tot je aangetrokken. En als die scheidingsperiode tussen jou en Morelli te lang duurt, kom ik weer in je bed. Als ik zou willen kan ik ervoor zorgen dat je Morelli vergeet. En daar hebben we geen van tweeën iets aan.'

'Tjees.'

Ranger glimlachte. 'Doe je deur op slot.' En hij was verdwenen.

Ik sloot af en schoof de vloergrendel erop. Ranger had me met succes weten af te leiden van het masturberende konijn. Lukte het me nu ook nog maar om niet meer aan Ranger te denken. Ik twijfelde er niet aan dat alles wat hij gezegd had waar was, mogelijk met uitzondering van dat ik Morelli zou vergeten. Het was niet zo gemakkelijk om Morelli te vergeten. Daar had ik in de loop der jaren flink mijn best op gedaan, maar het was me nooit gelukt.

Mijn telefoon ging en iemand maakte kussende geluiden in mijn oor. Ik hing op en hij ging opnieuw. Nog meer kussende geluiden. Toen hij voor de derde keer overging, trok ik de stekker eruit.

Een half uur later was er iemand aan mijn deur. 'Ik weet dat je thuis bent,' schreeuwde Vinnie. 'Ik heb de CR-V op de parkeerplaats zien staan.'

Ik haalde achtereenvolgens de vloergrendel, de deurgrendel en het veiligheidskettinkje eraf, en draaide het nachtslot open.

'Godallemachtig,' zei Vinnie, toen ik de deur eindelijk open had. 'Je zou bijna denken dat er iets waardevols in dit krot te vinden was.'

'*Ik* ben waardevol.'

'Niet als premiejager, dat staat vast. Waar is Bender? Ik heb twee dagen om Bender in te leveren, of anders ben ik mijn centen aan de rechtbank kwijt.'

'Ben je hier naar toe gekomen om me dat te vertellen?'

'Ja. Ik ging er vanuit dat je een geheugensteuntje nodig zou hebben. Ik heb mijn schoonmoeder vandaag in huis en het mens maakt me waanzinnig. Het leek me een goede gelegenheid om achter Bender aan te gaan. Ik heb je geprobeerd te bellen, maar je telefoon doet het niet.'

Wat kon het ook schelen – ik had niets beters te doen. Ik zat als een gevangene, met een uit het contact getrokken telefoon, in mijn flat.

Ik liet Vinnie in het halletje wachten en ging op zoek naar mijn wapengordel. Ik kwam terug met de zwarte nylon holster die ik om mijn been had gedaan. Mijn .38 zat er zodanig in dat ik hem snel zou kunnen trekken.

'Wauw,' zei Vinnie, die duidelijk onder de indruk was. 'Eindelijk is het je menens.'

Dat had hij goed. Ik had me heilig voorgenomen om niet door een konijn verkracht of vermoord te worden. We reden van de parkeerplaats af. Ik zat achter het stuur terwijl Vinnie iets op de radio zocht. Ik reed richting centrum en keek om de zoveel seconden in de achteruitkijkspiegel. Er kwam een groene personenwagen naast me rijden. Hij reed over een dubbele lijn en haalde me in. De man met het Clinton-masker zat achter het stuur en het grote, lelijke konijn zat naast hem. Het konijn draaide zich opzij, ging staan en stak zijn hoofd uit het open dak, en keek achterom naar mij. Zijn oren wapperden heen en weer in de wind en hij hield zijn kop met beide handen vast om te voorkomen dat hij af zou waaien.

'Daar heb je het konijn!' riep ik. 'Schiet hem dood! Pak mijn revolver en schiet hem dood!'

'Ben je geschift?' zei Vinnie. 'Ik kan toch niet zomaar op een ongewapend konijn schieten!'

Ik probeerde, zonder de macht over het stuur te verliezen, de revolver uit de holster te halen.

'Goed, dan schiet ik hem zélf wel dood. Het kan me niet schelen of ik ervoor in de gevangenis kom. Het zal het waard zijn. Hij is er geweest, die idioot met zijn achterlijke konijnenkop.' Ik had de revolver uit de holster weten te bevrijden, maar ik wou niet door de ruit van Rangers auto schieten. 'Hou het stuur vast,' schreeuwde ik tegen Vinnie. Ik draaide het raampje open, leunde naar buiten en schoot.

Het konijn trok zich onmiddellijk terug in het interieur van de auto. De personenauto gaf gas en sloeg linksaf, een zijstraat in. Ik wachtte tot ik een gaatje in het verkeer zag en sloeg toen eveneens linksaf. Ik zag ze verderop voor me. Ze sloegen nog twee keer linksaf, en wij er achteraan, tot we weer op de doorgaande weg waren. Ze stopten voor een supermarkt, sprongen uit de auto en renden naar de achterkant van het gebouw. Ik stopte naast de Explorer. Vinnie en ik vlogen uit de CR-V en zetten de achtervolging in. We wisten ze een poosje bij te houden, maar op een gegeven moment schoten ze een binnenplaats op en verdwenen uit het zicht.

Vinnie klapte dubbel en hapte naar lucht. 'Waarom zitten we een konijn achterna?'

'Omdat dat konijn mijn auto in de lucht heeft laten vliegen.'

'O, ja. Nu weet ik het weer. Ik had het eerder moeten vragen. Dan had ik in de auto kunnen blijven zitten. Jezus, ik kan gewoon niet geloven dat je onder het rijden uit het raampje hebt geschoten. Wie denk je wel dat je bent? De Terminator? Jezus, als je moeder wist dat je dat had gedaan, zou ze mijn ballen eraf hakken. Hoe kón je dat doen?'

'Ik liet me meeslepen.'

'Ach wat, je was zo woedend dat je helemaal niet meer wist wat je deed!'

14

We bevonden ons in een buurt met grote huizen. Een aantal ervan was gerenoveerd. En van een aantal moest nog aan de renovatie worden begonnen. Sommige waren opgesplitst in flatjes. De meeste huizen hadden een flinke tuin er omheen en stonden een eindje van de weg af. Het konijn en zijn partner waren om de hoek van een van de in flatjes opgesplitste huizen verdwenen. Vinnie en ik slopen om het huis heen en bleven om de zoveel passen staan luisteren in de hoop dat het konijn zichzelf zou verraden. We keken tussen de op de oprit geparkeerde auto's en achter de struiken.

'Ik zie ze niet,' zei Vinnie. 'Volgens mij zijn ze verdwenen. Of ze zijn ongezien langs ons heen gekomen en zijn teruggekeerd naar hun auto, of ze hebben zich in dit huis verstopt.'

We keken naar het huis.

'Wil je het huis doorzoeken?' vroeg Vinnie.

Het was een groot, in Victoriaanse stijl gebouwd huis. Ik was al eens in dit soort huizen geweest en ze kenmerkten zich door een groot aantal kasten, gangen en gesloten deuren. Ideale huizen om je in te verstoppen. Slechte huizen om te doorzoeken. Helemaal voor zo'n lafbek als ik. Nu ik in de frisse buitenlucht was, begon mijn gezonde verstand weer de overhand te krijgen. En hoe langer ik buiten rondliep, des te minder behoefte ik had om het konijn te zoeken.

'Ik stel voor om het huis te laten zitten.'

'Dat noem ik nog eens een verstandig besluit,' zei Vinnie. 'In zo'n huis als dit is het een koud kunstje om je kop eraf te laten schieten. En ik weet dat dat voor jou geen argument is, want je bent nu eenmaal knettergek. Je zou eens moeten ophouden met naar die oude films over Al Capone te kijken.'

'Moet je horen wie het zegt. Of ben je soms vergeten hoe je in het huis van Pinwheel Soba in het rond hebt geschoten? Je hebt het op een haar na verwoest.'

Vinnie grijnsde. 'Ja, ik liet me een beetje meeslepen.'

We liepen, nog steeds met getrokken wapen en op onze hoede, terug naar de auto. Halverwege de supermarkt zagen we aan de achterkant van het bakstenen gebouw rook opstijgen. De rook was zwart en stonk naar brandend rubber. Het soort rook dat je krijgt wanneer een auto in brand staat.

In de verte loeiden sirenes en ik had opnieuw zo'n weggevlogen-parkieten-gevoel. Doodsangst diep in mijn maag. Het gevoel werd gevolgd door een intense kalmte die, het volgende moment, plaatsmaakte voor ontkenning. Dit kon onmogelijk waar zijn. Niet nóg een auto. Niet Rangers auto. Het moest iemand ánders auto zijn. Ik begon deals met God af te sluiten. Laat het de Explorer zijn, stelde ik God voor, en ik beloof dat ik mijn leven zal beteren. Ik zal naar de kerk gaan. Meer groenten eten. En ik zal geen misbruik meer maken van de massagedouche.

We gingen de hoek om en, ja hoor, het was Rangers auto die in brand stond. Nou, dat is dan jammer voor je, zei ik tegen God. Ik trek al mijn goede bedoelingen meteen weer in.

'Godallemachtig,' zei Vinnie. 'Dat is jouw auto. Dat is al de tweede CR-V die je van de week laat afbranden. Dit zou wel eens een nieuw record voor je kunnen zijn.'

Een winkelbediende stond naar de brandende auto te kijken. 'Ik heb het zien gebeuren,' zei hij. 'Het was een groot konijn. Hij kwam de winkel binnen gerend en kocht een blik spiritus voor de barbecue. Daarna heeft hij het spul in die zwarte auto uitgegoten en er een lucifer bij gehouden. En toen is hij met een groene personenauto weggereden.'

Ik stak mijn revolver terug in de holster en ging voor de winkel op de stoep zitten. Het was erg dat er niets meer van de auto over was, maar het was nog veel erger dat mijn tas erin had gelegen. Mijn creditcards, mijn rijbewijs, mijn lipgloss, mijn peperspray en mijn nieuwe mobieltje – alles was in rook opgegaan. En ik had het sleuteltje in het contact laten zitten. En het toetsenpaneeltje van mijn nieuwe alarmsysteem had aan de sleutelring gehangen.

Vinnie kwam naast me zitten. 'Ik maak altijd wat mee wanneer ik met jou op pad ga,' zei hij. 'Dit moeten we vaker doen.'

'Heb je je mobiel bij je?'

Morelli was het eerste nummer dat ik draaide, maar Morelli was niet thuis. Ik liet mijn hoofd hangen. Nummer twee op mijn lijstje was Ranger.

'Hoi,' zei Ranger, toen hij opnam.

'Probleempje.'

'Je meent het. Je auto is zojuist van het scherm verdwenen.'

'In rook opgegaan, zul je bedoelen.'

Stilte.

'En weet je nog dat toetsenpaneeltje dat je me hebt gegeven? Dat lag in de auto.'

'O, schat.'

Vinnie en ik zaten nog steeds op de stoep toen Ranger arriveerde. Ranger droeg een zwarte spijkerbroek, een zwart T-shirt en laarzen, en hij zag er bijna normaal uit. Hij keek naar de smeulende auto, keek naar mij en schudde zijn hoofd. Dat hoofdschudden was in feite meer een suggestie van hoofdschudden. Ik wilde niet raden naar de gedachte die dat hoofdschudden veroorzaakt had. Ik kon me niet voorstellen dat het een goede gedachte was geweest. Hij sprak even met een van de agenten en gaf hem een kaartje. Toen nam hij mij en Vinnie mee naar zijn auto en bracht ons terug naar mijn flat. Vinnie stapte in zijn Cadillac en reed weg.

Ranger glimlachte en wees op de revolver op mijn heup. 'Dat ziet er goed uit, schat. Heb je nog op iemand geschoten vandaag?'

'Dat heb ik geprobeerd.'

Hij lachte zacht, sloeg zijn arm om mijn hals en kuste me vlak boven mijn oor.

Hector stond op de overloop op ons te wachten. Hector zag eruit alsof hij een oranje overall en enkelboeien zou moeten dragen. Maar ach, weet ik veel? Voor hetzelfde geld is die Hector een ontzettend aardige jongen. Hij weet waarschijnlijk niet eens dat een traan onder je oog betekent dat je een bendelid hebt vermoord. En als hij dat wél weet, dan is het alleen maar een enkel traantje, dus je kunt niet van hem zeggen dat hij een seriemoordenaar zou zijn, wel?

Hector gaf Ranger een nieuwe afstandsbediening en hij zei iets in het Spaans. Ranger zei iets terug, waarna ze elkaar op zo'n gecompliceerde manier een hand gaven en Hector vertrok.

Ranger piepte mijn deur open en ging met me mee naar binnen.

'Hector heeft alles al nagekeken, en er is niemand binnen geweest, zei hij.' Hij legde de afstandsbediening op het aanrecht in de keuken. 'De nieuwe afstandsbediening is precies zo geprogrammeerd als de eerste.'

'Het spijt me van de auto.'

'Het was slechts een kwestie van tijd, schat. Ik zal hem afschrijven als amusement.' Hij las de boodschap op zijn pieper. 'Ik moet weg. Denk eraan dat je, zodra ik weg ben, de vloergrendel erop doet.'

Ik schopte de grendel in de vloer en ijsbeerde door de keuken op en neer. Ze zeggen dat ijsberen een kalmerende uitwerking heeft, maar hoe langer ik ijsbeerde, des te nijdiger ik werd. Ik had de volgende dag een auto nodig en ik wilde er niet nog eentje van Ranger aannemen. Ik vond het niet leuk om als amusement te worden beschouwd. Niet als auto-amusement. En niet als seksueel amusement.

Aha, zei een stemmetje in mijn gedachten. Nu weten we waar het om draait. Dat ijsberen heeft niets met de auto te maken. Dat ijsberen gaat om de seks. Je bent uit je doen omdat je geneukt bent door een man die niets anders van je wil als zuiver lichamelijke seks. Weet je wel wat je bent? vroeg dat stemmetje. Je bent een hypocriet!

O ja? zei ik tegen dat stemmetje. Nou en? Wat wil je daarmee zeggen?

Ik zocht mijn kastjes en koelkast af op een Tastykake. Ik wist dat ze allemaal op waren, maar toch zocht ik ernaar. Het zoveelste voorbeeld van tijdverspilling. Mijn specialiteit.

Goed. Best. Dan ga ik toch nieuwe kopen. Ik pakte de afstandsbediening die Ranger voor me had neergelegd en liep met nijdige stappen naar de deur. Ik smeet hem achter me dicht, toetste de pin in, en realiseerde me ineens dat ik buiten stond met niets anders als de afstandsbediening. Geen autosleutels. Die had ik natuurlijk ook niet nodig, want ik had geen auto. Maar daarnaast had ik ook geen geld en geen creditcards. Diepe zucht. Ik moest weer naar binnen om hier eens grondig over na te denken.

Ik toetste de pin in en duwde tegen de deur. De deur zat dicht en bleef dicht. Ik toetste de pin voor de tweede keer in. Niets. Ik had geen sleutel. Het enige dat ik had was die stomme afstandsbediening. Dat was nog geen reden om in paniek te raken. Ik deed vast iets verkeerd. Ik probeerde het nog eens. Zo gecompliceerd was het niet. Toets de cijfercombinatie in en de deur gaat open. Misschien had ik de cijfercombinatie niet goed. Ik probeerde een paar andere combinaties. Maar de deur bleef dicht.

Waardeloze technologie. Ik had sowieso een hekel aan technologie. Technologie kan de pot op.

Goed, rustig nou maar, zei ik bij mezelf. Je wilt geen herhaling van die schietpartij uit het autoraampje. En je wilt niet hysterisch worden vanwege zo'n achterlijke afstandsbediening. Ik haalde een paar keer diep adem en toetste de cijfers nog een keer in. Ik pakte de deurknop vast, trok en draaide, maar de deur ging niet open.

'*Verdomme!*' Ik smeet de afstandsbediening op de grond en sprong een paar keer op en neer. '*Verdomme, verdomme, verdomme!*' Ik schopte het paneeltje helemaal naar de andere kant van de gang. Ik rende het achterna, trok mijn pistool en schoot erop. BENG! Het paneeltje maakte een sprongetje, en ik schoot er nog een keertje op.

De Aziatische vrouw aan de overkant van de gang deed open, keek de gang op, zag mij, slaakte een gesmoorde kreet en deed de deur meteen weer dicht en op slot.

'Neem me niet kwalijk,' riep ik haar door de dichte deur heen toe. 'Ik liet me even gaan.'

Ik raapte het vervormde paneeltje op en liep met zware stap terug naar mijn helft van de gang.

Mevrouw Karwatt, die naast me woonde, stond vanuit de deuropening naar me te kijken. 'Is er iets aan de hand, schat?' vroeg ze.

'Ik kan er niet in.' Gelukkig had mevrouw Karwatt een reservesleutel van me.

Mevrouw Karwatt gaf me de sleutel. Ik stak hem in het slot, maar de deur ging niet open. Ik volgde mevrouw Karwatt naar haar zitkamer en gebruikte haar telefoon om Ranger te bellen.

'Ik krijg die rotdeur niet open,' zei ik.

'Ik stuur Hector wel even langs.'

'Nee! Ik kan Hector niet verstaan. Ik kan niet met hem praten.' En ik vind hem een onbeschrijfelijke griezel.

Twintig minuten later zat ik met mijn rug tegen de muur op de gang, toen Ranger en Hector verschenen.

'Wat is er?' vroeg Ranger.

'Ik krijg de deur niet open.'

'Er is waarschijnlijk iets misgegaan met de programmering. Heb je de afstandsbediening?'

Ik liet het paneeltje in zijn hand vallen.

Ranger en Hector keken ernaar. Toen keken ze elkaar aan, trokken hun wenkbrauwen op en wisselden een glimlach.

'Ik geloof dat ik begrijp waarom hij het niet doet,' zei Ranger. 'Iemand heeft dit arme paneeltje verrot geschoten.' Hij bekeek het van alle kanten. 'Je hebt het tenminste geraakt. Het is goed om te weten dat je wat aan die schietoefeningen hebt gehad.'

'Ja, met van dichtbij schieten heb ik geen moeite.'

Hector had twintig seconden nodig om mijn deur open te krijgen en nog eens twintig seconden om de sensoren te verwijderen.

'Je zegt maar wanneer je het systeem weer gemonteerd wilt hebben,' zei Ranger.

'Ik waardeer het gebaar, maar ik loop nog liever geblinddoekt een flat vol krokodillen binnen.'

'Wil je je geluk proberen met een nieuwe auto? We zouden de inzet kunnen verhogen en ik zou je de Porsche kunnen geven.'

'De verleiding is groot, maar nee, dankjewel. Ik verwacht morgen een cheque van de verzekering. Zodra die binnen is vraag ik Lula of ze me naar een dealer wil brengen.'

Ranger en Hector vertrokken, en ik sloot mijzelf in huis op. Ik had, met het schieten op het paneeltje, heel was agressie afgereageerd waardoor ik me intussen stukken beter voelde. Mijn hart sloeg nu nog maar twee keer zo snel als normaal en het trekken van het spiertje bij mijn oog viel nauwelijks nog op. Ik nuttigde het laatste brok bevroren koekjesdeeg. Het was geen Tastykake, maar het kon ermee door. Ik zapte de tv-kanalen af en vond een hockeywedstrijd.

'O, o,' zei Lula de volgende ochtend. 'Zag ik het goed, en ben je met een taxi naar kantoor gekomen? Wat is er met Rangers auto?'

'Afgebrand.'

'Wat zei je daar?'

'Met mijn tas erin. Ik moet een nieuwe tas gaan kopen.'

'Dan ben je aan het goede adres,' zei Lula. 'Ik ga met je mee. Hoe laat is het? Zijn de winkels al open?'

Het was maandagochtend tien uur. De winkels waren open en ik had mijn gesmolten creditcards gemeld, dus ik kon gaan.

'Wacht even,' zei Connie. 'Wie doet het archief?'

'Alles is zo goed als opgeruimd,' zei Lula. Ze pakte een stapel dossiers van haar bureau en stopte ze in een la. 'We blijven ook niet lang weg. Stephanie koopt altijd dezelfde saaie tas. Ze loopt steevast rechtstreeks naar de afdeling waar ze Coach verkopen, grist zo'n grote, zwartleren schoudertas van het rek, en dan is ze klaar.'

'Toevallig is mijn rijbewijs ook verbrand,' zei ik. 'Ik hoopte dat je me ook een lift naar het politiebureau zou willen geven.'

Connie rolde op overdreven wijze met haar ogen. 'Schiet op!'

Het liep tegen twaalven toen we het winkelcentrum van Quaker Bridge binnenliepen. Ik kocht mijn schoudertas en probeerde een paar nieuwe geurtjes uit. We bevonden ons op de bovenste etage en liepen, op weg terug naar de parkeerplaats, naar de roltrap, toen er opeens een bekende gestalte voor me opdoemde.

'Jij!' riep Martin Paulson uit. 'Wat is er toch met jou? Ik kom je voortdurend tegen.'

'Hé, wil je mij daar niet de schuld van geven, alsjeblieft?' zei ik. 'Ik kan niet zeggen dat ik het zo leuk vind om je telkens weer te zien.'

'Och, wat zielig. Ik heb bijna medelijden met je. Wat kom je hier doen vandaag? Ben je weer op zoek naar iemand om in elkaar te slaan?'

'Ik heb je niet in elkaar geslagen.'

'Dat heb je wel.'

'Je bent gevállen. Tot twee keer toe.'

'Ik heb je toch gezegd dat ik een slecht evenwichtsgevoel heb.'

'Kom, doe me een lol en ga opzij. Ik heb geen zin om hier een potje met je te gaan staan bekvechten.'

'Ja, je hebt haar gehoord,' zei Lula. 'Ga opzij.'

Paulson draaide zich om, om Lula beter te kunnen zien, en kennelijk had hij dat wat hij zag niet verwacht, want hij verloor zijn evenwicht en viel achterover, van de roltrap af. Er stonden mensen onder hem op de roltrap die hij, als kegels op een bowlingbaan, achter elkaar omver deed kukelen. Uiteindelijk kwamen ze met z'n allen boven op elkaar onder aan de roltrap terecht.

Lula en ik haastten ons de roltrap af naar de hoop lijven.

Paulson leek de enige te zijn die letsel had opgelopen. 'Ik heb een gebroken been,' zei hij. 'Ik wed dat ik een gebroken been heb. Ik heb je al zo vaak gezegd dat ik een evenwichtsstoornis heb. Waarom luistert niemand ooit naar wat ik zeg?'

'Ik denk dat er een goede reden is waarom niemand naar je luistert,' zei Lula. 'Je ziet eruit als een grote windbuil – daar komt het volgens mij door.'

'Het is allemaal jouw schuld,' zei Paulson. 'Ik ben me een ongeluk van je geschrokken. Ze zouden de modepolitie achter je aan moeten sturen. En waarom heb je van dat achterlijke gele haar? Je lijkt Harpo Marx wel.'

'Ik ga,' zei Lula. 'Ik blijf hier niet staan om me te laten beledigen. En trouwens, ik moet ook weer aan het werk.'

We zaten in de auto en stonden op het punt de parkeerplaats af te rijden, toen Lula opeens hard op de rem trapte. 'Ho. Heb ik mijn inkopen op de achterbank liggen?'

Ik draaide me om en keek. 'Nee.'

'Verdomme! Ik moet mijn tasjes hebben laten vallen toen die achterlijke debiel me die zet gaf.'

'Niks aan de hand. Zet de auto voor de ingang, dan ren ik snel naar binnen om ze te halen.'

Lula reed naar de ingang en ik liep terug naar de roltrap in het hart van het winkelcentrum. Ik moest langs Paulson om de roltrap op te kunnen. De broeders van de ambulance hadden hem op een brancard gelegd en stonden op het punt hem naar buiten te rijden. Ik nam de roltrap naar de eerste verdieping en vond de boodschappentassen op de vloer bij het bankje waar Lula ze had laten liggen.

Een halfuur later waren we terug op kantoor en Lula legde haar tasjes op de bank. 'O, o,' zei ze. 'We hebben één tasje te veel. Zie je die grote bruine daar? Die is niet van mij.'

'Hij lag op de grond bij de andere tasjes,' zei ik.

'O, nee,' zei Lula. 'Denk jij wat ik denk? Ik wil niet eens in dat tasje kijken om te zien wat erin zit. Ik heb er een heel akelig voorgevoel over.'

'Ja, dat voorgevoel klopt,' zei ik, in het tasje kijkend. 'Er zit een broek in die alleen maar van Paulson kan zijn. En een paar overhemden. O, verdomme. Er zit ook een in kinderverjaardagspapier ingepakt pakje in.'

'Ik raad je aan om dat tasje zo snel mogelijk in een container te gooien en je handen te wassen,' zei Lula.

'Dat kan ik niet doen. De man heeft zojuist zijn been gebroken. En er zit een cadeautje voor een kind in.'

'Alsof dat zo erg zou zijn,' zei Lula. 'Hij kan zo het Internet weer op om nieuwe spullen te stelen, en dan koopt hij weer iets nieuws.'

Er zijn meerdere ziekenhuizen in en rond Trenton. Als ze Paulson naar het St. Francis hadden gebracht, dan kon ik er in vijf minuten naar toe lopen en hem zijn tas teruggeven voor ze hem naar huis zouden sturen. En er was een goede kans dat ze Paulson naar dat ziekenhuis hadden gebracht omdat het het dichtste in de buurt van zijn huis was.

Ik belde de receptie en vroeg hun om op de Eerste Hulp na te vragen. Ik kreeg te horen dat Paulson daar inderdaad was en dat men er vanuit ging dat hij voorlopig nog niet naar huis gestuurd zou worden.

Ik verheugde me niet op een weerzien met Paulson, maar het was een mooie voorjaarsdag en het was fijn om buiten te zijn. Ik besloot naar het ziekenhuis te lopen, en dan zou ik daarna naar mijn ouders lopen, bij hen blijven eten en kijken hoe het met Rex was. Ik had mijn nieuwe schoudertas bij me en ik voelde me heel zelfverzekerd omdat mijn revolver erin zat. En mijn nieuwe lippenstift ook. Zoiets had een amateur nooit kunnen zeggen.

Ik liep Hamilton af tot ik bij het ziekenhuis was, en bij het zijstraatje naar de Eerste Hulp. Ik liep rechtstreeks naar de receptie en vroeg de verpleegster die me te woord stond of ze de tas aan Paulson wilde geven.

Ik had mijn plicht gedaan en de tas was niet langer mijn verantwoordelijkheid. Ik was drie straten omgelopen om ervoor te zorgen dat Paulson zijn tas terug kreeg en ik verliet het ziekenhuis met een enorm voldaan gevoel over het feit dat ik zo'n goede daad had verricht.

Mijn ouders woonden achter het ziekenhuis, in het hartje van de Wijk. Ik liep langs de parkeergarage en wachtte bij de kruising. Het was halverwege de middag en er was weinig verkeer. De kinderen zaten nog op school en de restaurants waren leeg.

Er kwam een auto de lege straat in gereden, die vervolgens bij de voorrangskruising bleef staan. Links van mij stond een auto langs de stoep geparkeerd. Ik hoorde een schoenzool over de steentjes op het trottoir schrapen. Ik keek om naar het geluid. En het konijn sprong achter de geparkeerde auto vandaan. Deze keer was hij helemaal in het pak.

'*Boe!*' riep hij.

Ik slaakte een onwillekeurig gilletje. Ik had hem niet verwacht. Ik stak mijn hand in mijn tas om mijn revolver te pakken, maar op hetzelfde moment stond er opeens nog iemand voor me die de riem van mijn tas vastpakte. Het was de man met het Clinton-masker. Als ik mijn revolver te pakken zou hebben gekregen, zou ik ze alle twee met genoegen hebben neergeschoten. En als ze niet met z'n tweeën waren geweest, zou het me misschien gelukt zijn om mijn revolver te pakken. Maar tegen twee tegelijk kon ik niet op.

Ik ging, met die twee mannen bovenop me, trappend en schreeuwend en krabbend tegen de vlakte. Er was geen kip op straat, maar ik maakte een heleboel kabaal en er waren huizen in de buurt. Als ik maar lang en luid genoeg bleef roepen, zou iemand me uiteindelijk moeten horen. De auto bij de kruising keerde en kwam op enkele centimeters van ons af tot stilstand.

Het konijn trok het achterportier open en probeerde me de auto in te trekken. Ik hing met gespreide benen in de opening van het portier terwijl ik me met hand en tand bleef verzetten en de longen uit mijn lijf schreeuwde. De man met het Clinton-masker probeerde mijn benen vast te pakken, maar toen hij vlakbij was gaf ik hem met mijn CAT-laars een keiharde trap tegen zijn kin. De man wankelde achteruit en keilde omver. *Beng!* Plat op zijn rug op de stoep.

Intussen was de bestuurder van de auto uitgestapt. Hij droeg een Nixon-masker en ik was er zo goed als zeker van dat ik hem aan zijn lichaamsbouw herkende. Volgens mij was het Darrow. Ik wist me los te wurmen uit de greep van het konijn. Het moet goed lastig zijn om iets stevig vast te houden wanneer je een konijnenpak met konijnenpootjes draagt. Ik struikelde over de stoeprand, viel op één knie, krabbelde meteen weer overeind en ging er zo hard als ik kon vandoor. Het konijn kwam me achterna.

Er stond een auto bij de kruising, en ik rende er, uit volle borst schreeuwend, langs. Mijn keel was dik van het krijsen en ik klonk waarschijnlijk als een kwakende kikker. Ik had een gat in de knie van mijn broek, mijn arm was geschaafd en bloedde, en mijn haren, die door de war zaten van mijn worsteling met het konijn, hingen in mijn gezicht. Ik keurde de auto amper een blik waardig, maar registreerde nog net dat hij zilverkleurig was. Ik hoorde het konijn dat me op de hielen zat. Mijn longen stonden in brand en ik wist dat ik hem niet af zou kunnen schudden. Ik was te bang om vooruit de durven denken. Ik rende blindelings de straat af.

Ik hoorde het geluid van gierende banden en een op toeren komende automotor. Darrow, dacht ik. Darrow die achter me aan kwam en het op me had voorzien. Ik draaide me om en keek, en zag dat het niet Darrow was die achter me aan kwam. Het was de zilverkleurige auto die op de kruising had gestaan. Het was een Buick LeSabre. En mijn moeder zat achter het stuur. Ze reed vol gas op het konijn in. Het konijn werd geschept, maakte een dubbele salto vanaf de motorkap en landde, te midden van een explosie van nepbont, in een verfrommeld hoopje langs de kant van de weg. De door Darrow bestuurde auto kwam slippend tot stilstand naast het konijn. Darrow en de andere man met zijn rubberen masker stapten uit, raapten het konijn op, gooiden hem op de achterbank en reden weg.

Mijn moeder stopte een paar meter van me af. Ik hinkte naar de auto, trok het portier open en stapte in.

'Heilige moeder Maria,' zei mijn moeder. 'Je werd achtervolgd door Richard Nixon, Bill Clinton en een konijn.'

'Ja,' zei ik, 'ik was blij dat je toevallig langskwam.'

'Ik heb het konijn overreden,' jammerde ze. 'Ik denk dat hij dood is.'

'Hij was een slecht konijn. Dit is zijn verdiende loon.'

'Hij leek op de paashaas. Ik heb de paashaas doodgereden,' snikte ze.

Ik haalde een tissue uit de tas van mijn moeder en gaf hem aan haar. Toen keek ik wat beter in haar tas. 'Heb je valium bij je? Of Klonapin of Ativan?'

Mijn moeder snoot haar neus en schakelde. 'Heb je enig idee van wat het voor een moeder betekent om zomaar een straat in te rijden en dan te moeten zien hoe je dochter door een konijn achterna wordt gezeten? Ik snap echt niet waarom je geen normale baan kunt hebben. Zoals je zus.'

Ik rolde met mijn ogen. De Heilige Valerie.

'En ze heeft verkering met een heel aardige man,' zei mijn moeder. 'Ik heb het gevoel dat hij het eerlijk met haar meent. En hij is advocaat. Hij zal op den duur veel geld verdienen.' Mijn moeder reed terug naar de kruising waar mijn tas was blijven liggen. 'En jij?' wilde ze weten. 'Wie is jouw vaste vriend?'

'Ik heb geen vaste vriend,' zei ik. Ik had geen verkering. Ik deed het met Batman.

'Ik weet niet goed wat ik moet doen,' zei mijn moeder. 'Vind je dat ik dit aan de politie moet melden? En wat zou ik dan tegen ze moeten zeggen? Ik bedoel, hoe denk je dat het over zal komen als ik zeg: Ik was op weg naar Giovichinni's om vlees te kopen, toen ik mijn dochter zag die door een konijn achterna werd gezeten. Ik heb het konijn overreden, maar nu is hij verdwenen.'

'Weet je nog, toen ik klein was, en we met z'n allen naar de film gingen en pap die hond aanreed? We stapten uit en hebben overal naar die hond gezocht, maar we konden hem nergens vinden. Hij was er vandoor gegaan.'

'Dat vond ik heel erg.'

'Ja, maar we zijn daarna toch naar de film gegaan. Dus ik stel voor om nu gewoon maar naar de slager te gaan.'

'Het was een *konijn*,' zei mijn moeder. 'En hij had niets te zoeken op straat.'

'Precies.'

We reden in stilte naar Giovichinni's en parkeerden voor de winkel. We stapten alle twee uit en bekeken de voorkant van de Buick. Er zaten een paar plukjes konijnenbont aan het rooster, maar afgezien daarvan leek de LeSabre geen schade te hebben opgelopen.

Terwijl mijn moeder een praatje met de slager maakte, sloop ik weg en belde Morelli uit de telefooncel op straat. 'Ik weet niet goed hoe ik dit moet zeggen,' zei ik, 'maar mijn moeder heeft zojuist het konijn overreden.'

'Overreden?'

'Ja, overreden. En we weten niet goed wat we nu moeten doen.'

'Waar zijn jullie?'

'Bij Giovichinni's om vlees te kopen.'

'En het konijn?'

'Verdwenen. Hij was met nog twee andere mannen die hem hebben opgeraapt, waarna ze er met hem vandoor zijn gegaan.'

Het was lange seconden stil aan de andere kant van de lijn. 'Ik ben sprakeloos,' zei Morelli.

Een uur later hoorde ik Morelli voor het huis van mijn ouders parkeren. Hij droeg een spijkerbroek en laarzen en een katoenen trui met opgestroopte mouwen. De trui was zo wijd dat het niet opviel dat hij, zoals gebruikelijk, een holster met revolver aan zijn broekriem had hangen.

Ik had gedoucht en mijn haar gedaan, maar ik had geen schone kleren bij me om aan te trekken, dus ik liep nog steeds in de gescheurde spijkerbroek met bloedvlekken en het vuile T-shirt. Ik had een lelijke snee in mijn knie en flinke schaafwonden op mijn arm en mijn wang. Ik deed open voor Morelli, maar stapte naar buiten, de veranda op en trok de deur achter me dicht. Ik wilde met hem praten zonder oma Mazur erbij.

Morelli nam me langzaam van top tot teen op. 'Ik zou die knie van je een kusje kunnen geven, dan ben je zo weer beter.'

Een vermogen dat hij had overgehouden van jarenlang doktertje spelen.

We gingen naast elkaar op de bovenste tree zitten en ik vertelde hem over het konijn en de bakker en de poging tot ontvoering op de kruising. 'En ik weet zo goed als zeker dat het Darrow was die reed,' zei ik.

'Wil je dat ik hem oppak?'

'Nee. Ik kan hem onmogelijk met zekerheid identificeren.'

Er brak een glimlach door op Morelli's gezicht. 'Heeft je moeder het konijn echt overreden?'

'Ze zag hoe hij mij achternazat en toen is ze dwars over hem heen gereden. Hij vloog in een pakweg drie meter hoge boog door de lucht.'

'Ze houdt van je.'

Ik knikte. En mijn ogen schoten vol.

Er reed een auto langs. Twee mannen.

'Dat zouden ze kunnen zijn,' zei ik. 'Twee mannetjes van Abruzzi. Ik probeer voortdurend op mijn hoede te zijn, maar ze hebben steeds een andere auto. En ik ken alleen Abruzzi en Darrow maar. De anderen dragen altijd maskers. Ik kan nooit met zekerheid zeggen of ik achtervolgd word. En 's nachts, wanneer ik alleen maar koplampen kan zien, is het nog veel moeilijker.'

'We doen wat we kunnen om Evelyn te vinden. De buurten worden uitgekamd op zoek naar getuigen, maar tot dusver hebben we nog geen geluk gehad. Abruzzi gaat uiterst voorzichtig te werk.'

'Wil je met mijn moeder praten over dat konijnenincident?'

'Waren er getuigen?'

'Alleen die twee mannen in de auto maar.'

'We hebben niet de gewoonte om proces-verbaal op te maken over aanrijdingen met konijnen. En je weet heel zeker dat dit een *konijn* was, ja?'

Morelli bedankte voor het avondeten. Dat kon ik hem niet kwalijk nemen. Valerie had Kloughn mee naar huis genomen en er waren geen zitplaatsen meer beschikbaar aan de eettafel.

'Is hij geen schatje,' fluisterde oma tegen me, toen we in de keuken waren. 'Hij lijkt als twee druppels water op de Pillsbury Doughboy.'

Na het eten kreeg ik mijn vader zover dat hij me naar huis bracht.

'Wat vind jij van die clown?' vroeg hij, terwijl we de straat uit reden. 'Volgens mij is hij verliefd op Valerie. Denk je dat het iets kan worden?'

'Hij is niet opgestaan en weggegaan toen oma hem vroeg of hij nog maagd was. Dat vind ik een goed teken.'

'Ja, hij is blijven zitten. Het moet wel heel erg met hem gesteld zijn als hij bereid is om deze familie op de koop toe te nemen. Heeft iemand hem verteld dat dat paardenkind van Valerie is?'

Ik kon me niet voorstellen dat Mary Alice een probleem was. Kloughn kon zich waarschijnlijk inleven in een kind dat anders was. Waar Kloughn mogelijk geen begrip voor zou kunnen opbrengen, was voor Valerie met roze bontslofjes. Het leek me verstandig om ervoor te zorgen dat hij die slofjes nooit te zien zou krijgen.

Het was bijna negen uur toen mijn vader me bij mijn flat afzette. De parkeerplaats stond vol en in alle flats brandde licht. De oudjes – slachtoffers van nachtblindheid en televisieverslaving – waren allemaal thuis. Tegen negen uur 's avonds waren ze, na zichzelf van de nodige alcohol te hebben voorzien en *Diagnosis Murder* te hebben gekeken, in opperbeste stemming. Om tien uur zouden ze een klein wit pilletje slikken, het bed in duiken en gemiddeld acht uur lang van de wereld zijn.

Terwijl ik mijn voordeur naderde, realiseerde ik me dat ik misschien wel even iets te haastig was geweest met het afwijzen van Rangers beveiligingssysteem. Het zou prettig zijn om te weten of er binnen iemand op me zat te wachten. Ik had mijn revolver in de tailleband van mijn spijkerbroek. En ik had een plan. Mijn plan was om de deur open te maken, mijn wapen te trekken, alle lichten aan te doen en opnieuw een beschamende imitatie van een tv-smeris weg te geven.

De keuken was niet moeilijk te controleren. Daar was niemand. Vervolgens waren de zitkamer en de eetkamer aan de beurt. Die waren eveneens gemakkelijk te controleren. De badkamer was lastiger vanwege het douchegordijn. Ik moest proberen te onthouden dat ik dat open moest laten. Ik trok het douchegordijn met een ruk opzij en blies de ingehouden lucht uit mijn longen. Er lag geen lijk in het bad.

Op het eerste gezicht kon ik in de slaapkamer niets verdachts ontdekken. Helaas wist ik uit ervaring dat er in de slaapkamer heel wat verstopplaatsen voor nare dingen – zoals slangen – waren. Ik keek onder het bed en trok alle laden open. Ik rukte de kastdeuren open en liet de ingehouden lucht opnieuw uit mijn longen ontsnappen. Niemand. Ik had mijn hele flat doorzocht en niemand – al dan niet dood – gevonden. Ik zou mijzelf kunnen insluiten en me volkomen veilig kunnen voelen.

Toen ik de slaapkamer uit liep drong het ineens tot me door. Een visuele herinnering van iets dat niet helemaal klopte. Van iets dat niet helemaal was zoals het hoorde. Ik ging terug naar de kast en trok hem open. Daar zag ik het, tussen mijn kleren – tussen mijn suède jasje en spijkerblouse. Het konijnenpak.

Ik trok mijn rubberen handschoenen aan, haalde het konijnenpak uit de kast en deponeerde het in de lift. Ik had geen enkele behoefte aan alweer een volledig misdaadonderzoek in mijn flat. Vanaf de openbare telefoon in de hal beneden belde ik anoniem naar de politie om melding te maken van het pak in de lift. Daarna ging ik weer terug naar boven en stopte *Ghostbusters* in de dvd.

Halverwege *Ghostbusters* belde Morelli. 'Je weet zeker toevallig niets van dat konijnenpak bij jou in de lift, hè?'

'Wie, ik?'

'Even tussen jou en mij, en uit een gevoel van morbide nieuwsgierigheid, waar heb je het gevonden?'

'Het hing in mijn kast.'

'Jezus.'

'Denk je dat dat betekent dat het konijn zijn pak niet langer nodig heeft?' vroeg ik.

Het eerste wat ik de volgende ochtend deed, was Ranger bellen. 'Voor wat dat beveiligingssysteem betreft,' zei ik.

'Krijg je nog steeds bezoek?'

'Gisteravond hing er een konijnenpak in mijn kast.'

'Zat er iemand in?'

'Nee. Het was alleen het pak maar.'

'Ik stuur Hector naar je toe.'

'Ik vind Hector een griezel.'

'Ja, ik ook,' zei Ranger. 'Maar hij heeft al een heel jaar lang niemand meer vermoord. En hij is homo. Je hebt waarschijnlijk niets te vrezen.'

15

De volgende die belde was Morelli. ‘Ik kom net binnenlopen op het bureau en ik heb iets interessants gehoord,’ zei Morelli tegen mij. ‘Zegt de naam Leo Klug je iets?’

‘Nee.’

‘Hij is slager bij Sal Carto’s Meat Market. Ik vermoed dat je moeder haar kielbasa daar haalt. Leo is van mijn lengte, maar hij is een stuk zwaarder. En hij heeft een litteken dat overlangs over zijn gezicht loopt. Zwart haar.’

‘Ja, ik weet wie je bedoelt. Ik heb er een paar weken geleden worstjes gekocht en hij heeft me geholpen.’

‘Het is vrijwel algemeen bekend bij ons dat Klug zich als slager laat inhuren.’

‘En dan heb je het niet over koeien.’

‘De koeien zijn zijn dagelijks brood,’ zei Morelli.

‘Ik heb het gevoel dat dit gesprek niet echt een leuke kant op gaat.’

‘Klug is de laatste tijd regelmatig gesignaleerd met twee types die voor Abruzzi werken. En vanochtend is Klug dood aangetroffen. Hij is overreden en de bestuurder van de auto is voortvluchtig.’

‘O god.’

‘Hij lag, op een paar honderd meter van de slagerij, langs de kant van de weg.’

‘Enig idee wie die voortvluchtige bestuurder zou kunnen zijn?’

‘Nee, maar volgens de statistiek zou het iemand moeten zijn die te veel op had.’

Daar dachten we even over na.

‘Ik denk dat het een goed idee zou zijn als je moeder met de LeSabre naar de autowasserette ging,’ zei Morelli.

'God allemachtig. Mijn moeder heeft Leo Klug doodgereden.'

'Dat heb ik je niet horen zeggen,' zei Morelli.

Ik hing op en zette koffie. Ik maakte roerei en roosterde een boterham. Stephanie Plum, geboren huisvrouw. Ik liep op mijn tenen de overloop op, gapte de krant van meneer Woleski en las hem bij het ontbijt.

Net toen ik de krant weer teruglegde, stapten Ranger en Hector uit de lift.

'Ik weet waar ze is,' zei Ranger. 'Ik ben net opgebeld. We gaan.'

Ik wierp een blik op Hector.

'Je hoeft je over Hector geen zorgen te maken,' zei Ranger.

Ik pakte mijn tas en jack en moest rennen om Ranger bij te kunnen houden. Hij reed weer in die terreinwagen met de rij lampen. Ik hees mezelf op de voorbank en deed mijn gordel om.

'Waar is ze?'

'Newark Airport. Jeanne Ellen kwam terug met haar arrestant en zag Dotty en Evelyn en de kinderen in de wachtruimte van de gate ernaast. Ik heb Tank gevraagd om hun vlucht te checken. Ze hadden om tien uur moeten vertrekken, maar ze hebben een uur vertraging. In principe zouden we er op tijd kunnen zijn.'

'Waar wilden ze naar toe?'

'Miami.'

Er was veel verkeer in Trenton. De drukte werd even wat minder, maar op de snelweg slibde de boel weer dicht. Gelukkig bleef het verkeer doorrijden en was er geen file. Het was het soort drukte van New Jersey op zijn best. Goed voor extra doses adrenaline. Bumper aan bumper met honderdtwintig kilometer per uur.

Toen we bij de afslag voor het vliegveld waren keek ik op mijn horloge. Het was bijna tien uur. Een paar minuten later stopte Ranger voor de vertrekhal in het kortparkeervak van Delta Airlines. 'De tijd is krap,' zei hij. 'Ga jij maar vast naar binnen terwijl ik een parkeerplek zoek. Als je een revolver bij je hebt, dan zul je die in de auto moeten laten.'

Ik gaf hem mijn wapen en stapte uit. Bij het binnengaan van de terminal keek ik op de monitor met vertrektijden. Deze keer was de vlucht op tijd. De gate was niet veranderd. Ik kraakte mijn knokkels terwijl ik voor de veiligheidscontrole in de rij stond. Evelyn en Annie waren zó dichtbij. Ik moest er niet aan denken dat ik ze mis zou lopen.

Ik passeerde de veiligheidscontrole en volgde de borden naar de gate.

Ik liep de gang af en keek naar iedereen om mij heen. Verderop, twee gates verder, zag ik Evelyn en Dotty met de kinderen. Er was niets bijzonders aan hen. Gewoon, twee moeders en hun kinderen die op weg waren naar Florida.

Ik liep zo onopvallend mogelijk naar ze toe en ging op de vrije stoel naast Evelyn zitten. 'We moeten praten,' zei ik.

Ze maakten slechts een lichtelijk verbaasde indruk. Alsof er niets was waar ze nog van opkeken. Beiden maakte een vermoeide indruk. Hun kleren zagen eruit alsof ze erin hadden geslapen. De kinderen waren druk en lastig en hielden elkaar bezig. Het soort kinderen dat je op elk vliegveld kunt zien. Moe en gespannen.

'Ik had je willen bellen,' zei Evelyn. 'Ik zou je bij aankomst in Miami hebben gebeld. Ik had je willen vragen om tegen oma te zeggen dat alles goed met me is.'

'Ik wil weten waarom jullie op de vlucht zijn. En als je me dat niet vertelt, dan zal ik het er voor jullie heel lastig op maken. Dan zal ik ervoor zorgen dat jullie niet weg kunnen.'

'Nee,' zei Evelyn. 'Niet doen, alsjeblieft. We moeten met dit vliegtuig mee. We moeten hier weg.'

De passagiers werden opgeroepen om aan boord te gaan.

'De politie van Trenton is naar jullie op zoek,' zei ik. 'Ze willen jullie ondervragen in verband met twee gepleegde moorden. Als ik wil kan ik de beveiligingsdienst waarschuwen en jullie naar Trenton laten brengen.'

Evelyn werd bleek. 'Hij zal me vermoorden.'

'Abruzzi?'

Ze knikte.

'Waarom vertel je het haar niet?' zei Dotty. 'We hebben nog maar een paar minuten.'

'Toen Steven de bar aan Abruzzi was kwijtgeraakt, is Abruzzi naar ons huis gekomen en heeft hij iets met me gedáán.'

Mijn adem stokte. 'De schoft,' zei ik.

'Dat was zijn manier om ons bang te maken. Hij houdt van kat en muis spelletjes. Hij speelt met zijn slachtoffers en dan vermoordt hij ze. En hij wil elke vrouw aan zich onderwerpen.'

'Je had naar de politie moeten gaan.'

'Hij zou me vermoord hebben voor ik de kans had gekregen om tegen hem te getuigen. Of nog erger, hij zou iets met Annie hebben gedaan. Het gerechtelijk apparaat werkt veel te traag voor types als Abruzzi.'

'En waarom zit hij nu achter jullie aan?' Dat wist ik al van Ranger, maar ik wilde het graag van Evelyn zelf horen.

'Abruzzi is gek op oorlogvoeren. Hij speelt oorlogsspelletjes. En hij verzamelt medailles en zo. Hij had één speciale medaille die hij op zijn bureau had liggen. Ik neem aan dat het zijn favoriete medaille was, want hij was van Napoleon geweest.

'Hoe dan ook, toen Steven en ik gescheiden waren, kreeg Steven bezoekrecht. De rechter bepaalde dat hij Annie elke zaterdag mocht hebben. Een paar weken geleden had Abruzzi bij zich thuis een verjaardagspartijtje voor zijn dochter georganiseerd en hij had Steven gezegd dat hij met Annie moest komen.'

'Was Annie bevriend met Abruzzi's dochter?'

'Nee. Het was alleen maar een manier van Abruzzi om zijn macht te laten gelden. Dat soort dingen doet hij altijd. Hij noemt de mensen in zijn omgeving zijn manschappen. En ze moeten hem behandelen als de Peetvader of als Napoleon of alsof hij de een of andere grote generaal zou zijn. Dus toen hij dat partijtje voor zijn dochter organiseerde, stond hij erop dat zijn manschappen met hun kinderen aanwezig zouden zijn.

Steven werd als een van de manschappen beschouwd. Nadat hij de bar aan Abruzzi was kwijtgeraakt, behandelde Abruzzi hem alsof hij zijn persoonlijke eigendom was. Steven was niet gelukkig met het verlies van de bar, maar ik geloof dat hij het fijn vond om lid van Abruzzi's familie te zijn. Het feit dat hij rechtstreeks te maken had met iemand voor wie iedereen doodsbang was, gaf hem het gevoel dat hij belangrijk was.'

Totdat hij doormidden werd gezaagd.

'Hoe dan ook, terwijl het feestje volop aan de gang was, besloot Annie het huis te verkennen. Ze kwam in Abruzzi's werkkamer terecht, zag de medaille op zijn bureau, pakte hem en keerde ermee terug naar het partijtje om hem aan de andere kinderen te laten zien. Niemand was echt geïnteresseerd en op de een of andere manier belandde de medaille in Annies zak. En is ze ermee thuisgekomen.'

De vlucht werd opnieuw omgeroepen, en vanuit mijn ooghoeken kon ik Ranger zien die vanaf een afstand van een paar meter naar ons stond te kijken.

'Ga verder,' zei ik. 'Je hebt nog tijd.'

'Zodra ik de medaille zag wist ik wat het was.'

'Je kans om een nieuw leven te beginnen?'

'Ja. Zolang ik in Trenton bleef zou Abruzzi zijn gang kunnen gaan met Annie en mij. En ik had geen geld om ergens anders te gaan wonen. En geen diploma's. Om nog maar te zwijgen over wat de kinderrechter na de scheiding had beslist. Maar die medaille was een heleboel geld waard. Abruzzi schepte er voortdurend over op.

Dus ik heb onze spullen gepakt en ben vertrokken. Een uur nadat de medaille ons huis binnen was komen lopen, heb ik de voordeur voorgoed achter me dichtgetrokken. Ik ben naar Dotty gegaan en heb haar om hulp gevraagd omdat ik niet wist bij wie ik anders terecht had gekund. Ik zou pas geld hebben wanneer ik de medaille had verkocht.'

'Helaas gaat het verkopen van zo'n medaille niet zo snel,' zei Dotty. 'En alles moest ook heel stilletjes gebeuren.'

Er rolde een traan over Evelyns wang. 'Door mijn schuld zit Dotty nu ook diep in de problemen.'

Dotty hield de kinderen in de gaten. 'Vandaag komt alles goed,' zei ze. Maar ze zag er niet uit alsof ze dat ook daadwerkelijk geloofde.

'En wat is er met die tekeningen die Annie in haar schetsboek heeft gemaakt?' vroeg ik. 'Het zijn tekeningen van mensen die worden doodgeschoten. Ik dacht dat ze misschien getuige was geweest van een moord.'

'Als je beter kijkt, zie je dat alle mannen medailles dragen. Die tekeningen heeft ze gemaakt terwijl ik bezig was met pakken. Iedereen die met Abruzzi in contact komt, en dat geldt ook voor de kinderen, wordt automatisch onderwezen over oorlog en doden en medailles. Het is een obsessie voor hem.'

Ineens voelde ik me diep verslagen. Ik kwam hier geen steek verder. Annie was geen getuige geweest van een moord. En niemand zou me kunnen helpen om van Abruzzi af te komen.

'In Miami wacht iemand op ons die de medaille wil kopen,' zei Dotty. 'Ik heb mijn auto moeten verkopen om het vliegtuig voor ons te kunnen betalen.'

'En is die koper te vertrouwen?'

'Ik geloof van wel. Een kennis van mij, een reuze bijdehand type, haalt ons van het vliegveld en heeft beloofd dat hij bij de transactie aanwezig zal zijn. Volgens mij heeft het niet veel om het lijf. Wij geven de medaille aan een deskundige die hem op echtheid onderzoekt, waarna die hem aan de koper geeft die Evelyn, in ruil daarvoor, een koffer met geld overhandigt.'

'En dan?'

'Ik vermoed dat we ondergedoken zullen moeten blijven. Dat we ergens een nieuw leven zullen moeten beginnen. We kunnen pas weer naar huis nadat Abruzzi gearresteerd of vermoord is.'

Ik had geen enkele reden om ze aan te houden. Ik vond dat ze een aantal verkeerde beslissingen hadden genomen, maar wie was ik om te oordelen? 'Ik wens jullie veel geluk,' zei ik. 'Laat af en toe wat van jullie horen. En bel Mabel. Ze maakt zich grote zorgen.'

Evelyn sprong op en omhelsde me. Dotty verzamelde de kinderen en het groepje liep door de gate, richting Miami.

Ranger kwam bij me staan en sloeg een arm om mijn schouders. 'Ze hebben je vast een heel zielig verhaal verteld, klopt dat?'

'Ja.'

Hij glimlachte en gaf me een zoen op mijn kruin. 'Je zou toch echt eens over ander werk moeten denken. Iets als oppas voor jonge poesjes, of bloemiste, of zo.'

'Ze klonk heel overtuigend.'

'Is dat meisje getuige geweest van een moord?'

'Nee. Ze heeft een medaille gestolen die een koffer vol geld waard is.'

Ranger trok zijn wenkbrauwen op en grinnikte. 'Wat goed van haar. Ik hou wel van dat soort ondernemende kinderen.'

'En ondertussen zit ik nog steeds zonder getuige van een moord. En de beer en het konijn zijn dood. Ik geloof dat ik genaaid ben.'

'Misschien na de lunch,' zei hij. 'Ik fuif.'

'Bedoel je dat jíj de lunch betaalt?'

'Dat ook. Ik ken een tent hier in Newark waarbij die van Shorty vergeleken een slappe nichtenkroeg lijkt.'

O jee.

'En tussen twee haakjes, toen je de auto uit was, heb ik je punt achtendertig even nagekeken. Je hebt er maar twee kogels in zitten. Ik heb het akelige gevoel dat hij, zodra je hem hebt leeg geschoten, weer in de koekjespot zal belanden.'

Ik schonk Ranger een glimlachje. Ik kan ook mysterieus zijn.

Op weg naar huis piepte Ranger Hector op, en toen we uit de lift stapten, stond Hector bij mijn voordeur op ons te wachten. Hij gaf de nieuwe afstandsbediening aan Ranger, schonk me een glimlach, maakte een pistool van zijn vuist en wijsvinger en zei: *'Beng.'*

'Niet gek,' zei ik tegen Ranger. 'Hector begint het Engels al aardig onder de knie te krijgen.'

Ranger gooide de afstandsbediening naar me op en hij en Hector gingen weg.

Ik ging naar binnen en stond in de keuken. Wat nu? Nu restte me niets anders als afwachten en me afvragen wanneer Abruzzi zich eindelijk zou vertonen. Hoe zou het aflopen? Op welke manier? En hoe erg zou het zijn? Vermoedelijk erger dan ik me kon voorstellen.

Als ik mijn moeder was geweest, dan stond ik nu te strijken. Wanneer mijn moeder zich gestresst voelde, greep ze naar het strijkijzer. En als ik Mabel was geweest, dan zou ik nu aan het bakken zijn. En als ik oma Mazur was geweest? Dat was simpel. Het weerbericht op de televisie. En wat doe ik zelf? Ik stort me op Tastykakes.

Er was slechts één probleempje. Ik had geen Tastykakes. Ik had met Ranger een hamburger gegeten, maar ik had het toetje overgeslagen. En nu had ik behoefte aan Tastykakes. Zonder Tastykakes restte mij niets anders als mij zorgen maken over Abruzzi. Helaas kon ik onmogelijk naar Tastykakeland, want ik had geen auto. Ik zat nog steeds op die stomme cheque van de verzekering te wachten.

Hé, één ogenblikje graag. Ik zou naar de supermarkt kunnen lópen. Vier straten. Niet iets wat het gemiddelde meisje in New Jersey onder normale omstandigheden zou doen, maar wat kon het schelen. Ik had mijn revolver met zijn twee kogels in mijn tas. Dat gaf de burger moed. Ik zou hem veel liever, net als Ranger en Joe, in de band van mijn spijkerbroek hebben gestoken, maar daarvoor zat mijn broek te strak. Ik zou er waarschijnlijk verstandig aan doen om maximaal één Tastykake te nuttigen.

Ik sloot af en liep de trap af naar de begane grond. Ik woonde in een eenvoudige flat, maar de boel werd keurig schoon gehouden en er was geen achterstallig onderhoud. Het was een gebouw zonder franje. En zonder kwaliteit. Maar het hield stand. Er waren een hoofdingang en een achteringang, en beide deuren gaven toegang tot een kleine hal. De trap en de lift kwamen eveneens uit op die hal. De rechterkant van de hal werd in beslag genomen door brievenbussen. De vloer was betegeld. De mensen van de administratie hadden er, in een poging het gebrek aan een zwembad te compenseren, een palm in een pot en twee leunstoelen neergezet.

Abruzzi zat in een van de leunstoelen. Hij droeg een onberispelijk pak. Zijn overhemd was schitterend wit. Zijn gezicht was uitdrukkingsloos. Hij wees op de leunstoel naast zich. 'Ga zitten,' zei hij. 'Ik wil graag met je praten.'

Darrow stond roerloos bij de deur.

Ik ging zitten, haalde de revolver uit mijn tas en richtte hem op Abruzzi. 'Waar had je het over willen hebben?'

'Probeer je me bang te maken?'

'Het is een voorzorgsmaatregel.'

'Zoiets is, vanuit militair oogpunt gezien, geen goede strategie tijdens overleg over overgave.'

'Wie van ons tweeën wordt geacht zich over te geven?'

'Nou, jij natuurlijk,' zei hij. 'Je wordt zo meteen krijgsgevangen gemaakt.'

'Het laatste nieuws. Je hebt dringend een psychiater nodig.'

'Ik ben door jouw schuld manschappen verloren.'

'Het konijn?'

'Hij was een waardevol lid van mijn commando.'

'De beer?'

Abruzzi maakte een afwezig gebaar. 'De beer was alleen maar ingehuurd. Hij moest enerzijds voor jou uit de weg worden geruimd, en anderzijds voor mijn veiligheid. Hij had de akelige gewoonte om met mensen buiten mijn familie te praten.'

'Goed. Maar Soder dan? Behoorde hij ook tot je manschappen?'

'Soder was een teleurstelling. Soder was een man zonder ruggengraat. Een lafaard. Hij kon zijn eigen vrouw en dochter niet eens de baas. Hij was waardeloos en hij was alleen maar lastig. Net als die bar van hem. De verzekering die hij op de bar had afgesloten, was meer waard dan de bar zelf.'

'Ik begrijp nog steeds niet goed wat mijn rol in deze hele geschiedenis is.'

'Jij bent de vijand. Je hebt in dit spel partij voor Evelyn gekozen. Ik neem aan dat je weet dat Evelyn iets heeft dat van mij is. Je krijgt een laatste overlevingskans. Je kunt me helpen terug te krijgen wat officieel mijn eigendom is.'

'Ik weet werkelijk niet waar je het over hebt.'

Abruzzi keek omlaag naar mijn revolver. 'Twee kogels?'

'Meer heb ik niet nodig.' O help, ik kon amper geloven dat ik dat echt had gezegd. Ik hoopte dat Abruzzi als eerste weg zou gaan, want ik had het waarschijnlijk in mijn broek gedaan.

'Dus dan is het oorlog?' vroeg Abruzzi. 'Daar zou ik nog maar even goed over nadenken. Je zult niet fijn vinden wat er met je gaat gebeuren. Het is afgelopen met de pret en de spelletjes.'

Ik zei niets.

Abruzzi stond op en liep de deur uit. Darrow volgde hem.

Ik bleef een poosje met de revolver op schoot zitten in afwachting van het moment waarop mijn hartslag weer gekalmeerd zou zijn. Ik stond op en voelde aan het zitvlak van mijn broek. Vervolgens controleerde ik mijn stoel. Beide waren droog. Een wonder.

Ik had ineens veel minder zin om vier straten voor een Tastykake te lopen. Misschien kon ik mijn tijd beter besteden aan het regelen van mijn zaken. Afgezien van dat ik een officiële voogd voor Rex zou moeten zoeken, was er nog één ding in mijn leven dat niet was afgerond. Andy Bender. Ik ging weer naar boven en belde naar kantoor.

'Ik ga Bender halen,' zei ik tegen Lula. 'Ga je mee?'

'Schrijf dat maar op je buik. Je zult me eerst beschermende kleren moeten geven. En dan ga ik nóg niet. Ik zeg je, God voert daar iets in zijn schild. Hij heeft plannen.'

Ik hing op en belde Kloughn.

'Ik ga Bender halen,' zei ik tegen hem. 'Heb je zin om mee te gaan?'

'O, jakkie. Ik kan niet. Kon ik maar. Je weet hoe graag ik meegegaan zou zijn. Maar ik kan niet. Ik heb zojuist een grote zaak gekregen. Een aanrijding, pal voor de deur van de wasserette. Nou goed, het was niet echt pál voor de deur. Ik moest een paar straten rennen om er tijdig bij te kunnen zijn. Maar ik geloof dat er een paar goede gewonden zijn.'

Misschien is het wel beter zo, dacht ik. Misschien dat ik deze klus op dit moment het beste in mijn eentje kan doen. Misschien dat ik altijd beter af zou zijn geweest in mijn eentje. Helaas had ik nog steeds geen handboeien. En wat nog veel erger was, was dat ik geen auto had. Wat ik wél had, was een revolver met twee kogels.

Dus ik koos voor de enige mij nog resterende mogelijkheid. Ik belde een taxi.

'Blijf hier op me wachten,' zei ik tegen de chauffeur. 'Ik ben zo weer terug.'

Hij keek me even aan en wierp vervolgens een veelbetekenende blik op de projectwoningen. 'Het is maar goed dat ik je vader ken, want anders zou ik hier nog geen tien seconden blijven staan. Dit is niet bepaald een chique buurt.'

Ik had mijn revolver in de zwarte nylon holster die ik om mijn been had gegespt. Ik liet mijn tas in de auto. Ik liep naar de deur en klopte aan.

Benders vrouw deed open.

'Ik ben op zoek naar Andy,' zei ik tegen haar.

'Dat is toch zeker een geintje, hè?'

'Nee, ik meen het.'

'Hij is dood. Ik dacht dat je dat wel gehoord zou hebben.'

Heel even kon ik totaal niet meer denken. Het volgende moment kon ik het niet geloven. Ze loog. Toen keek ik langs haar heen naar binnen en zag dat de flat schoon was en dat Andy Bender nergens te bekennen was. 'Nee, ik dat had ik niet gehoord,' zei ik. 'Wat is er gebeurd?'

'Weet je nog dat hij griep had?'

Ik knikte.

'Nou, daaraan is hij gestorven. Het bleek zo'n ontzettend gemeen virus te zijn. Toen je weg was heeft hij zich door een buurman naar het ziekenhuis laten brengen, maar toen is het op zijn longen geslagen en daarmee was de zaak bekeken. Het was een daad van God.'

Ik kreeg kippenvel. 'Wat moeilijk voor je.'

'Ja, hoor. Dag,' zei ze, en ze deed de deur dicht.

Ik liep terug naar de taxi en ging onderuitgezakt achterin zitten.

'Je ziet akelig wit,' zei de chauffeur. 'Voel je je wel goed?'

'Er is iets heel bizars gebeurd, maar verder is er niets aan de hand. Ik begin aan bizarre dingen te wennen.'

'Waar wil je nu naar toe?'

'Naar Vinnie.'

Ik vloog het kantoor binnen. 'Dit geloof je nooit,' zei ik tegen Lula. 'Andy Bender is dood.'

'Dat méén je niet. Probeer je me te belazeren?'

De deur van Vinnies kamer werd wijd opengerukt. 'Waren er getuigen? Jezus, je hebt hem toch niet in zijn rug geschoten, hè? Daar heeft mijn verzekering een ontzéttende hekel aan.'

'Ik heb helemaal niet op hem geschoten. Hij is aan griep gestorven. Ik was net bij hem thuis. Zijn vrouw vertelde me dat hij dood was. Een griepslachtoffer.'

Lula sloeg een kruisje. 'Ik ben blij dat ik geleerd heb om kruisjes te slaan,' zei ze.

Ranger stond bij Connies bureau. Hij had een dossier in zijn hand en hij glimlachte. 'Zag ik je zojuist uit een taxi stappen?'

'Dat kan zijn.'

Zijn grijns werd breder. 'Heb je een taxi genomen om iemand te arresteren?'

Ik legde mijn hand op mijn revolver en slaakte een diepe zucht. 'Laat me met rust, wil je? Dit is niet mijn beste dag en zoals je weet heb ik twee kogels over. Als je zo doorgaat is het niet ondenkbaar dat ik die op een van ons zal gebruiken.'

'Wil je een lift naar huis hebben?'

'Ja.'

'Je kunt met mij meerijden,' zei Ranger.

Connie en Lula wuifden zich achter zijn rug koelte toe.

Ik klom in zijn auto en keek om me heen.

Ranger keek me aan. 'Zoek je iemand?'

'Abruzzi. Hij heeft me weer gedreigd.'

'Zie je hem ergens?'

'Nee.'

Het is niet ver van kantoor naar mijn huis. Een kilometer of drie. Maar door de stoplichten en het verkeer dat, afhankelijk van het moment van de dag, behoorlijk druk kon zijn, was het toch nog een poosje rijden. Vandaag had het ritje voor mij nog veel langer mogen duren. Met Ranger bij me was ik niet bang voor Abruzzi.

Ranger reed mijn parkeerplaats op en zocht een vrij plekje. 'Er zit een man in die personenwagen naast de container,' zei Ranger. 'Ken je hem?'

'Nee. Hij woont hier niet.'

'Kom, dan gaan we even een praatje met hem maken.'

Ranger en ik stapten uit, liepen naar de auto en klopten op het raampje van de bestuurder.

De man draaide het raampje open. 'Ja?'

'Wacht u op iemand?'

'Wat gaat u dat aan?'

Ranger stak zijn hand in de auto, greep de man bij de voorpanden van zijn jack en trok hem half door het raampje naar buiten.

'Ik heb een boodschap voor Eddie Abruzzi,' zei Ranger. 'Kun je die voor me overbrengen?'

De man knikte.

Ranger liet hem los en deed een stapje naar achteren. 'Zeg maar tegen Abruzzi dat hij de oorlog heeft verloren en dat hij op moet duvelen.'

We hadden alle twee ons wapen getrokken en we hielden de auto onder schot totdat hij uit het zicht was verdwenen.

Ranger keek omhoog naar mijn raam. 'We blijven hier nog even staan om de rest van het team de gelegenheid te geven je flat te ontruimen. Ik heb geen zin om iemand dood te schieten. Ik heb vandaag maar weinig tijd en ik wil niet te laat komen omdat ik eerst nog allerlei politieformulieren moet invullen.'

We wachtten vijf minuten, waarna we het gebouw binnengingen en de trap naar boven namen. Er was niemand op de overloop van de eerste verdieping. De afstandsbediening meldde dat er iemand bij me binnen was geweest. Ranger ging als eerste naar binnen en keek alle kamers na. De flat was leeg.

Ranger wilde net weer weggaan, toen de telefoon ging. Het was Eddie Abruzzi en hij vroeg, zonder zijn tijd verder met mij te verdoen, meteen naar Ranger.

Ranger zette de telefoon op luidspreker.

'Bemoei je hier niet mee,' zei Abruzzi. 'Dit is een privé-kwestie tussen dat meisje en mijzelf.'

'Mis. Vanaf dit moment laat je haar met rust.'

'Dus je kiest partij?'

'Ja, ik kies partij.'

'In dat geval laat je me geen andere keus,' zei Abruzzi. 'Ik raad je aan om naar buiten, naar de parkeerplaats te kijken.' En met die woorden hing hij op.

Ranger en ik liepen naar het raam en keken naar buiten. De personenauto was terug. Hij reed tot naast Rangers terreinwagen met de rij lampen, en de man die naast de bestuurder voorin zat gooide een pakje in de laadbak, waarop de auto vrijwel onmiddellijk in brand vloog.

'Ik hield van die auto,' zei Ranger.

Het was over zessen toen Morelli binnenkwam en de resten van Rangers auto werden weggesleept. Ranger was klaar met het invullen van de verschillende politieformulieren. Hij keek op naar Morelli en knikte bij wijze van begroeting.

Morelli stond vlak naast me. 'Wil je me vertellen wat er gebeurd is?' vroeg hij.

'Onofficieel?'

'Onofficieel.'

'We had een tip gekregen dat Evelyn op Newark Airport was. We zijn erheen gereden en konden nog juist, vlak voor ze in het vliegtuig stapte, even met haar praten. Nadat ik haar verhaal had aangehoord, vond ik dat ze moest gaan, en ik heb haar dus niet tegengehouden. Ik had trouwens ook geen enkele reden om haar aan te houden. Ik wilde alleen maar weten waar het eigenlijk allemaal om draaide. Toen we terugkwamen, werden we opgewacht door Abruzzi's mannetjes. We hebben een paar woorden met elkaar gewisseld en daarna hebben ze een brandbom in de auto gegooid.'

'Ik wil even met Ranger praten,' zei Morelli. 'Je wilt toch niet weg, of wel?'

'Als ik jouw auto zou kunnen lenen, kan ik een pizza gaan halen. Ik ben uitgehongerd.'

Morelli gaf me zijn sleuteltjes en een briefje van twintig. 'Haal er maar twee. Ik bel vast naar Pino's om ze te bestellen.'

Ik reed van de parkeerplaats en zette koers naar de Wijk. Ik keerde bij het ziekenhuis en keek in de achteruitkijkspiegel. Intussen lette ik beter op dan ooit. Ik probeerde mijn angst de baas te blijven, maar dat viel niet mee. Ik probeerde mijzelf voor te houden dat het slechts een kwestie van tijd was voor de politie Abruzzi zou kunnen arresteren. Zijn optreden was allesbehalve subtiel. Hij liet zich volledig meeslepen door zijn waanzin en het spelen van zijn spel. Er waren te veel mensen bij betrokken. Hij had de beer en Soder vermoord om ze het zwijgen op te leggen, maar er waren er nog veel meer die van alles wisten. Hij zou onmogelijk iedereen kunnen vermoorden.

Ik zag niemand die achter mij keerde, maar dat was geen garantie. Als er meerdere auto's worden gebruikt, is het vaak lastig om na te gaan of je gevolgd wordt. Voor alle zekerheid haalde ik, na geparkeerd te hebben, mijn revolver tevoorschijn. Het was maar een klein eindje, en zodra ik binnen was, zou ik veilig zijn. Er zaten altijd wel een stuk of wat agenten bij Pino's. Ik stapte uit de auto en ging op weg naar de bar. Ik had nog geen twee stappen gedaan of er dook een groen bestelbusje op uit het niets. De bestuurder stopte. Het raampje ging open en Valerie keek me aan – haar mond zat dichtgeplakt met tape en haar ogen waren groot van de angst. Er zaten, met inbegrip van de chauffeur, drie mannen bij haar in de auto. Twee ervan droegen een rubberen masker – het waren Nixon en Clinton weer. De derde man had een papieren zak over zijn hoofd waar gaten voor de ogen uit waren gescheurd. Ik nam aan dat het budget slechts toereikend was voor twee rubberen maskers. De Zak hield een revolver op Valeries hoofd gericht.

Ik wist niet wat ik moest doen. Ik was als verstijfd. Geestelijk en lichamelijk verstijfd.

'Laat je revolver vallen,' zei de Zak. 'En loop langzaam naar ons toe. Zo niet, dan schiet ik je zuster dood.'

De revolver viel uit mijn hand. 'Laat haar gaan.'

'Nadat jij bent ingestapt.'

Ik deed een paar aarzelende stapjes en Nixon duwde me met brute kracht achterin. Hij plakte mijn mond dicht met tape en wikkelde er vervolgens een hoeveelheid van rond mijn handen. Het bestelbusje ging er in volle vaart vandoor, de Wijk uit, en de rivier over Pennsylvania in.

Tien minuten later reden we over een zandpad. Hier en daar stonden door boomgroepen omgeven kleine huizen. Het busje minderde vaart en stopte even later langs de kant van het pad. De Zak deed het portier open en duwde Valerie eruit. Ik zag haar op de grond vallen en tussen de struiken langs de kant van de weg rollen. De Zak trok het portier dicht en we reden verder.

Even later reed het busje een oprit op en stopte. We stapten allemaal uit en gingen een kleine, houten bungalow binnen. De inrichting deed prettig aan. Er stonden geen dure spullen, maar het was comfortabel en schoon. Ik werd naar een keukenstoel gebracht en moest gaan zitten.

Het duurde niet lang voor er een tweede auto op de oprit stopte. De deur van de bungalow ging open en Abruzzi kwam binnen. Hij was de enige man die geen masker droeg.

Hij ging tegenover mij zitten. We zaten zo dicht bij elkaar dat mijn knieën de zijne raakten en ik de warmte van zijn lichaam kon voelen. Hij stak zijn hand naar me uit en trok de tape van mijn mond.

'Waar is ze?' vroeg hij me. 'Waar is Evelyn?'

'Dat weet ik niet.'

Hij sloeg me met de vlakke hand in het gezicht. De klap kwam zo onverwacht dat ik er volkomen door verrast werd en van de stoel viel. Ik was zo geschokt en overdonderd toen ik tegen de vloer sloeg, dat ik het niet eens kon uitschreeuwen van de pijn en ik te bang was om te durven protesteren. Ik proefde bloed en knipperde de tranen terug.

De man met het Clinton-masker pakte me onder mijn oksels, hees me overeind en zette me weer op de stoel.

'Ik herhaal mijn vraag,' zei Abruzzi. 'En ik blijf het net zo lang vragen tot je het zegt. Elke keer dat je geen antwoord geeft doe ik je pijn. Hou je van pijn?'

'Ik weet niet waar ze is. Je hebt een veel te hoge dunk van mij. Ik ben helemaal niet zo goed in het opsporen van mensen.'

'Ah, maar jullie zijn vriendinnen, of niet soms? Evelyns oma woont naast jouw ouders. Je hebt Evelyn van kinds af aan gekend. Volgens mij weet je wel waar ze is. En ik denk dat je ook weet waarom ik haar wil vinden.' Abruzzi stond op en liep naar het fornuis. Hij deed het gas aan, haalde de pook uit de open haard en hield hem in de vlam. Hij testte de pook met een druppel water. Het water maakte een sissend geluid en verdampte. 'Waar zullen we mee beginnen?' vroeg Abruzzi. 'Beginnen we met haar een oog uit te poken? Of met iets seksueels?'

Als ik Abruzzi zou vertellen dat Evelyn in Miami was, zou hij daar naar toe gaan en haar vinden. Het zou me niets verbazen als hij haar en Annie zou vermoorden. En mij ook, ongeacht wat ik hem vertelde.

'Evelyn is op weg naar de andere kant van het land,' zei ik. 'Met de auto.'

'Dat is het verkeerde antwoord,' zei Abruzzi. 'Ik weet dat ze het vliegtuig naar Miami heeft genomen. Jammer genoeg is Miami erg groot. Ik wil weten waar ze in Miami logeert.'

De Zak hield mijn handen op tafel. De man met het Nixon-masker sneed mijn mouw open en hield vervolgens mijn hoofd vast, en Abruzzi hield de pook bij mijn blote arm. Iemand schreeuwde. Ik vermoed dat ik het was. En toen viel ik flauw. Toen ik bijkwam lag ik op de vloer. Mijn arm voelde alsof hij in brand stond en de kamer rook naar geroosterd vlees.

De Zak trok me overeind en zette me weer op de stoel. Het ergste van alles was dat ik écht niet wist waar Evelyn logeerde. Hoe erg ze me ook martelden, ik kon ze niets vertellen. Ze zouden me moeten martelen tot ik dood was.

'Goed,' zei Abruzzi, 'nog één keer. Waar is Evelyn?'

Buiten hoorde ik het geluid van een startende motor, en Abruzzi zweeg en luisterde. De man met het Nixon-masker liep naar het raam, en plotseling scheen er fel licht door de gordijnen en kwam het groene busje door het grote raam aan de voorzijde van het huis gereden. Overal was stof en de verwarring was groot. Ik was opgesprongen en wist niet goed waar ik heen moest, toen het tot me doordrong dat Valerie achter het stuur van het busje zat. Ik rukte het rechterportier open, sprong naar binnen en schreeuwde naar haar dat ze wég moest. Ze schakelde in de achteruit, reed met ongeveer zestig kilometer per uur naar achteren en scheurde van de oprit.

Valeries mond zat nog steeds dichtgeplakt en haar handen zaten ook nog in tape gewikkeld, maar ze was niet te stuiten. Ze reed zo hard als ze kon het pad af en vloog de snelweg op naar de brug. Ik was bang dat we, als ze niet wat gas terug zou nemen, de rivier in zouden rijden. Er waren stukken pleisterwerk aan de ruitenwissers blijven hangen, de voorruit was gebarsten en de neus van het busje was ernstig ingedeukt.

Ik trok de tape van Valeries mond, en ze slaakte een kreet van pijn. Er lag nog steeds een wilde blik in haar ogen en haar neus liep. Haar kleren waren gescheurd en vuil. Ik schreeuwde dat ze gas terug moest nemen en ze begon te huilen.

'Jezus Christus,' zei ze, tussen de snikken door. 'Wat voor soort leven leef jij eigenlijk? Dit kan nooit echt zijn. Dit soort kolerezooi zie je alleen maar op de televisie.'

'Jee, Val, je zei *kolerezooi*.'

'Ja, nou en? Ik doe het in mijn broek. Ik kan nog steeds niet geloven dat ik je heb gevonden. Ik ben gaan lopen. Ik dacht dat ik in de richting van Trenton liep, maar op de een of andere manier liep ik de andere kant op. Toen zag ik het busje. En toen ik naar binnen keek, zag ik dat ze je arm aan het verbranden waren. En ze hadden het sleuteltje in het contact laten zitten. En... en ik moet overgeven.' Ze bracht het busje met gierende remmen langs de kant van de weg tot stilstand, zwaaide het portier over en begon te kokhalzen.

Daarna nam ik het stuur van haar over. Ik kon Valerie, zoals ze er op dat moment aan toe was, onmogelijk naar huis brengen. Mijn moeder zou een rolberoerte hebben gekregen. Ik durfde ook niet naar mijn flat. Ik had geen telefoon, dus ik kon Ranger niet bellen. Daarmee bleef alleen Morelli maar over. Ik reed, met het plan om naar Morelli's huis te gaan, de Wijk in, maar besloot een gokje te wagen en reed een straat om, om langs Pino's te gaan.

Morelli's auto stond er nog, evenals Rangers Mercedes en de zwarte Range Rover. Morelli, Ranger, Tank en Hector stonden op de parkeerplaats. Ik zette het busje naast Morelli's auto en Valerie en ik rolden eruit.

'Hij is in Pennsylvania,' zei ik. 'In een huis aan een bospad. Hij zou me vermoord hebben als Valerie niet met het busje het huis binnen was gereden en we konden ontkomen.'

'Het was verschrikkelijk,' zei Valerie, klappertandend. 'Ik was zo godvergeten bang.' Ze keek omlaag naar haar polsen die nog steeds gebonden waren. 'Mijn polsen zijn met tape aan elkaar geplakt,' zei ze, alsof haar dat nu pas was opgevallen.

Hector haalde een mes tevoorschijn en sneed de tape door – eerst bij mij en toen bij Valerie.

'Hoe wil je dit doen?' vroeg Morelli aan Ranger.

'Breng Steph en Valerie naar huis,' zei Ranger.

Ranger keek me aan en onze blikken hielden elkaar even vast. Toen sloeg Morelli een arm om mijn schouders en hielp me in zijn auto. Tank hees Val naast me op de voorbank.

Morelli bracht ons naar zijn huis. Hij belde iemand en even later werden er schone kleren bezorgd. Ik neem aan van zijn zuster. Ik was te moe om het te vragen. We hielpen Val wassen en aankleden en brachten haar naar het huis van mijn ouders. We stopten kort bij het ziekenhuis om mijn brandwond op de Eerste Hulp te laten behandelen, waarna we terugkeerden naar Morelli's huis.

'Ik kan niet meer,' zei ik tegen Morelli. 'Ik ben kapot.'

Morelli deed de voordeur dicht en op slot, en hij deed het licht uit. 'Misschien zou je eens na moeten denken over een minder gevaarlijke baan. Ik denk aan menselijke kanonskogel of zo'n pop die ze bij het testen van auto-ongelukken gebruiken, om maar eens wat te noemen.'

'Je was bezorgd.'

'Ja,' zei Morelli en hij trok me tegen zich aan. 'Ik maakte me zorgen om je.' Hij hield me in zijn armen en legde zijn wang op mijn hoofd.

'Ik heb geen pyjama bij me,' zei ik tegen Morelli.

Zijn lippen graasden over mijn oor. 'Lieve schat, die zul je ook niet nodig hebben.'

Ik werd wakker in Morelli's bed. Mijn arm gloeide als een gek en ik had een dikke lip. Ik lag tussen Morelli en Bob ingeklemd. De wekker op het nachtkastje ging af. Morelli stak zijn arm uit en sloeg de wekker op de grond.

'Dat voorspelt weinig goeds voor vandaag.'

Hij liet zich uit bed rollen en een half uur later stond hij aangekleed in de keuken. Hij droeg sportschoenen, een spijkerbroek en een T-shirt. Hij stond voor het aanrecht en nuttigde zijn koffie en geroosterde boterhammen. 'Constanza heeft gebeld toen je in de badkamer was,' zei hij, terwijl hij van zijn koffie nipte en me over de rand van zijn mok aankeek. 'Eddie Abruzzi is een halfuur geleden gevonden. Hij zat in zijn auto, op de parkeerplaats van de boerenmarkt. Zo te zien heeft hij zelf een eind aan zijn leven gemaakt.'

Ik keek Morelli met een totaal uitdrukkingsloos gezicht aan. Ik had zijn woorden gehoord, maar was niet bij machte ze te geloven.

'Hij heeft een briefje achtergelaten,' zei Morelli. 'Er stond in dat hij depressief was over een aantal zakendeals.'

Er viel een langdurige stilte tussen ons.

'Het was niet echt zelfmoord, hè?' Het klonk als een vraag, maar zo was het eigenlijk niet bedoeld.

'Ik ben een smeris,' zei Morelli. 'Als ik het vermoeden had dat het géén zelfmoord was, zou ik de zaak moeten onderzoeken.'

Ranger had Abruzzi vermoord. Daarvan was ik meer dan honderd procent overtuigd. En Morelli wist het ook.

'Wauw,' zei ik zacht.

Morelli keek me aan. 'Gaat het?'

Ik knikte.

Hij dronk zijn mok leeg en zette hem in de gootsteen. Hij trok me dicht tegen zich aan en kuste me.

Ik zei nog eens *wauw*, maar deze keer met meer gevoel. Morelli kon kussen.

Hij haalde zijn revolver uit de keukenla en gespte de koppel om zijn middel. 'Ik neem de Ducati vandaag, dan kun jij de auto nemen. En als ik vanmiddag thuiskom, wil ik met je praten.'

'O, jee. Alweer praten. Daar zijn we nog nooit iets mee opgeschoten.'

'Goed, dan praten we niet. Dan duiken we meteen het nest in voor een verhitte en zweterige vrijpartij.'

Eindelijk, een sport waar ik plezier aan beleefde.